Cher trou de cul
d'Annie Quintin
est le neuf cent quatre-vingt-dix-huitième ouvrage
publié chez
VLB ÉDITEUR.

VLB ÉDITEUR
Groupe Ville-Marie Littérature inc.
Une société de Québecor Média
1010, rue de La Gauchetière Est
Montréal (Québec) H2L 2N5
Tél. : 514 523-1182
Téléc. : 514 282-7530
Courriel : vml@groupevml.com

Vice-président à l'édition : Martin Balthazar

Éditeur : Stéphane Berthomet
Direction littéraire : Marie-Noëlle Gagnon
Illustration et design de la couverture : Simon Côté
Photo de l'auteure : Mathieu Rivard

Catalogage avant publication de Bibliothèque et Archives
nationales du Québec et Bibliothèque et Archives Canada
Quintin, Annie, 1975-
Cher trou de cul
ISBN 978-2-89649-449-1
I. Titre.
PS8633.U584C43 2013   C843'.6   C2013-940725-1
PS9633.U584C43 2013

DISTRIBUTEUR :

LES MESSAGERIES ADP*
2315, rue de la Province
Longueuil (Québec) J4G 1G4
Tél. : 450 640-1234
Téléc. : 450 674-6237
*filiale du Groupe Sogides inc.,
filiale de Québecor Média inc.

Pour en savoir davantage sur nos publications,
visitez notre site : editionsvlb.com
Autres sites à visiter : editionshexagone.com • editionstypo.com

Dépôt légal : 2ᵉ trimestre 2013
Bibliothèque et Archives nationales du Québec, 2013
Bibliothèque et Archives Canada
© VLB ÉDITEUR, 2013
Tous droits réservés pour tous pays
ISBN 978-2-89649-449-1

VLB éditeur bénéficie du soutien de la Société de développement des entreprises
culturelles du Québec (SODEC) pour son programme d'édition.
Gouvernement du Québec – Programme de crédit d'impôt pour l'édition de livres – Gestion SODEC.
Nous reconnaissons l'aide financière du gouvernement du Canada
par l'entremise du Fonds du livre du Canada pour nos activités d'édition.
Nous remercions le Conseil des arts du Canada de l'aide accordée à notre programme de publication.

CHER TROU DE CUL

De la même auteure

Désespérés s'abstenir, Montréal, VLB éditeur, 2011.

Annie Quintin

CHER TROU DE CUL

roman

vlb éditeur
Une société de Québecor Média

Toutes mes excuses à ma mère pour le début de ce roman. Je me souviendrai toujours qu'elle m'a dit, le doigt bien en l'air : « Je t'interdis de les séparer ! » Oups ! Trop tard…

Merci à mes lectrices : Valérie Langlois, Lucie L'Archevêque et Julie St-Onge pour vos commentaires et votre enthousiasme sans faille. Merci à Nathalie Roy et à Nadia Lakhdari King, deux auteures que vous devez absolument lire. Du bonbon et du bonbon !

Merci à mes amis qui ne se lassent pas de m'entendre parler : Jean-François Côté, Véronique Gauthier, Daniel Phaneuf, Julie Rivard, Luce Tremblay-Parent, Laurence-Aurélie Théroux-Marcotte et Chloé Varin. Merci aussi à tous les autres que j'oublie et qui ont croisé ma route au cours de ces trois années d'écriture.

Merci à mes stagiaires : Julie, Geneviève, Linda, Sandrine et Christine d'avoir écouté mes histoires d'auteure entre deux bouchées de sandwich et d'avoir acheté mon premier roman sans quoi je les aurais mis en ÉCHEC TOTAL ! Mouahaha !

Merci à mon entraîneuse Anne-Marie Lessard qui rit de ma faible capacité musculaire et qui se passionne pour toutes les anecdotes de mon roman. Elle a compris que lorsque je parle de mes projets d'écriture, j'oublie de compter mes répétitions…

Merci à Marie-Noëlle Gagnon, ma directrice littéraire, pour son si gentil tracteur.

À Martin Balthazar et à Stéphane Berthomet pour leur confiance.

Merci à Simon, mon amoureux (qui n'est pas un trou de cul) pour la belle couverture et parce qu'il est toujours là pour moi.

Merci à Caroline Héroux de croire en mon projet.

Merci à François Arnaud d'être beau.

Merci à mes fidèles lectrices (et lecteurs ?!) qui me suivent sur Facebook.

Annie Quintin

Pour écouter la liste de lecture du roman *Cher trou de cul* :
http://www.rdio.com/people/AnnieQuintin/

Vous pouvez rejoindre l'auteure via son blogue :
http://anniequintin.blogspot.ca
ou via Facebook :
https://www.facebook.com/chertroudecul
https://www.facebook.com/Desesperes

C'est donc cela, la vie d'adulte : construire des châteaux de sable, puis sauter dessus à pieds joints, et recommencer l'opération, encore et encore, alors qu'on sait bien que l'océan les aurait effacés de toute façon ?

FRÉDÉRIC BEIGBEDER,
L'amour dure trois ans

PROLOGUE

Soixante-douze jours.

Le temps d'un été et de quelques poussières de minutes volées. Parce que l'amour, c'est pas assez.

Juste pas assez.

Jour 1, jour 2, jour 3... Avoir pour seul port un lit. Le sien, le mien, peu importe, pour autant que nous puissions nous toucher. Ses yeux dans les miens, les miens dans les siens, petites rides d'expression, prunelles qui brillent pour l'autre. Le courant qui passe à l'infini. Seuls au monde. À la dérive, dans des draps froissés.

Puis... Soixante-douze jours, la fin.

Fuck.

J'ai une image en tête. Je me vois plantée au milieu d'une route déserte parce que, par défaut, je l'ai tracée ainsi. Un chemin qui ne débouche sur rien. Le vent automnal se lève, d'abord léger, doux, caressant, puis de plus en plus insidieux et glacial, comme si le temps s'était accéléré à une vitesse folle, balayant tout sur son passage. Coup de foudre. Crainte. Passion.

Il me vient toutes sortes de banalités, des formules toutes faites inspirées des sites de rencontre internet.

Des soirées collés,

à se regarder dans le blanc des yeux.

Juste nous deux.

Toi et moi.

Seuls au monde.

Bleh…

Non.

Tout ce que j'ai snobé, le genre de slogans de fiches de rencontre dont je me suis moquée, voilà que j'en suis venue à souhaiter ça. À vouloir ça.

Et que je l'ai perdu.

Ça ne sera pas pour nous.

Je n'ai pour seule caresse que celle d'un foulard autour du cou, à défaut de celle de sa main avant qu'il ne m'échappe et ne me glisse entre les doigts. Et sur cette route, je suis seule. Toujours toute seule.

Je n'ai pas pu le retenir.

PREMIÈRE PARTIE

CHAPITRE 1

J'étais figée. Clouée sur place. Incapable de bouger. Assise sur le bord de la baignoire. Pieds nus. Tétanisée. Des ravages sous les yeux. Dans le bain. Une tempête était passée. Et cette tempête, c'était moi.

Ouvrir le robinet. Laisser couler l'eau chaude. Réchauffer mes pieds gelés. Mes orteils bien étampés sur la porcelaine blanche. Regarder mes orteils. Me concentrer sur celui du milieu qui dévie fièrement. Peut-on faire un doigt d'honneur « version orteil » ? Un mini *fuck you* sans la retentissante vibration d'une main en colère ?... Ou n'importe quoi pour se changer les idées ?

Je suis tellement conne, conne, conne !

Comme mantra, on aura vu mieux. Voilà pour l'estime de soi. On repassera. Merci, bonsoir. Vaut mieux s'autoflageller à grands coups d'insultes que d'y aller à la lame de rasoir.

Mais non... Je n'en suis pas là. Ce n'est pas moi.

Pourquoi se réfugie-t-on dans la salle de bain en cas de détresse ? Pour utiliser tout le rouleau de papier de toilette et pleurer ? Pour avoir à portée de main des médicaments si on perd pied ? Parce que la résonance vient nous répondre en écho ? Parce qu'on veut se terrer dans un petit endroit clos pour se sentir en sécurité, dans un cocon protégé, à l'abri du monde extérieur ? Pour se mirer dans la glace avec ces larmes qui laissent des traces et confirment que l'on fait pitié, pitié comme pas une n'a fait pitié avant ?...

Toutes les possibilités étaient là devant moi. Mais pas pour moi.

Et pourtant, la salle de bain s'était avérée mon seul refuge. Là où ma colère avait jailli.

Inspire, expire... Inspire... expire... expire...

Expire...

Positionner le rouleau de papier de toilette sur le dessus ou en dessous? Quelle est la solution la plus pratique quand l'urgence nous prend de tout dérouler d'un coup? Aucun lien avec le chaton blanc de la pub de Cottonelle qui sautille dans le tas de papier. L'image donnait juste le goût de pleurer.

Fuck... Je ne voulais pas pleurer.

De toutes les catastrophes naturelles, c'était la mienne qui allait faire la manchette ce soir-là. Les ouragans, les tremblements de terre sont monnaie courante, ça arrache tout. Ça arrache tout, même le cœur.

Au téléjournal, ce soir, Clara Bergeron nous raconte sa rupture avec Damien, Ô-Saint-Ténébreux-Damien, d'abord objet d'imbroglios surnommé T.R. (le mystérieux T.R.), et ensuite appelé dans l'intimité: « Dam-oh-oui-Dam-baise-moi-Dam! »

– Madame Bergeron, bonsoir.

Silence. On a voulu lui mettre une bande noire sur les yeux, lui conférer un statut de « fraîchement flushée anonyme ». Elle a refusé. Elle assume. Elle dit qu'elle assume. En coulisse, elle n'a pas voulu passer par le siège de la maquilleuse. On a murmuré sur son passage: « Déjà? Il me semble que c'était bien parti leur affaire... C'était si beau de les voir ensemble! Non... Franchement, c'était assez prévisible, vous ne trouvez pas? C'est une fille tellement compliquée! Faudrait lui booker un psy, elle-même n'arrive pas à se comprendre! Avez-vous déjà vu une fille qui se fait flusher deux fois en deux ans? Ça ne doit pas tourner rond chez elle... Un peu de poudre compacte, mademoiselle? Juste pour ne pas avoir l'air trop blême devant la caméra... »

NON.

Elle se fout de ce qu'ils disent. Elle ne veut pas qu'on pose les mains sur elle. On ne posera plus jamais les mains sur elle. Elle a marché tête haute, sans chanceler, le regard vide. Elle s'est assise avec raideur sur le tabouret qui lui avait été assigné. Le p'tit monsieur des éclairages a dû réajuster le contraste pour ne pas blesser les yeux des téléspectateurs. On a vu plus sympathique à l'écran. Il y a des gens qui gagnent des trophées parce qu'ils sont gentils. Pas elle.

— Merci d'avoir accepté de nous accorder cette entrevue exclusive.

— Je…

Elle s'interrompt, fixe la caméra d'un regard indéfinissable. La seule trace d'anxiété qui ne peut échapper au téléspectateur, ce sont ses doigts aux ongles parfaitement rongés qui viennent à répétition replacer le col de son chandail.

— Un mot sur votre rupture?

— Conne.

— Merci pour ces paroles qui portent à réfléchir.

La bonne nouvelle TVA: Clara Bergeron est de retour sur le marché. Avis à tous les hommes célibataires désespérés: vous la trouverez dans un magasin près de chez vous, juste à côté du papier cul.

Notre histoire aura duré soixante-douze jours. Je les ai comptés d'un doigt rageur en martelant le calendrier. Un nombre pitoyable digne d'une vulgaire amourette d'été.

Rien ne pouvait renverser le temps, ni le cours des événements. Notre relation s'est arrêtée là, sans possibilité de bredouiller à la question «Depuis combien de temps?» un petit «Ça fait *juste* cinq mois», de se regarder dans les yeux en balayant tout le reste, de s'émerveiller au bout d'un an et demi (« Déjà ? » « Oui, déjà ! ») du temps qui a filé. Pas eu le temps de faire des envieux, de faire l'étalage de projets d'avenir à grands coups de « on » et de « nous », même pas eu le temps de devenir un peu « trop ». Un beau feu d'artifice sans grande finale.

Jour 72

Damien : J'aimerais mieux qu'on arrête de se voir.
Clara : Tu casses avec moi par internet !!!
Damien : Est-ce que tu me donnes le choix ?
Damien : Là, j'ai l'air d'un bel écœurant…
Clara : En effet !

Jour 1

– Je me réveille, je te vois. Je m'endors, je te vois. Je respire, je te vois. Je vois juste toi, OK ? Je vois juste… toi, Clara.

Jour 2

– Faudrait qu'on pense à sortir du lit…

Jour 3

Il y a des congés de maladie, des congés sans solde, des congés de maternité, des congés fériés. Je déclare officiellement qu'il y a aussi des congés de baise. La Saint-Jean-de-la-Baise…

Jour 4

Mélo sur le répondeur : Coucou ! Je suis revenue du spa ! Je suis comme neuve. Eh oui, j'ai appris que tu as maintenant un genre de nouveau chum *et que... je... le... connais* ! Quand tu seras moins – hi ! hi ! – occupée avec ton *c-h-u-m*, appelle-moi sur mon cell pour me donner le feu vert pour entrer dans l'appart. Je ne voudrais pas vous surprendre, toi et ton *C-H-U-M*, en train de... Hiiiiiiii... en tout cas... Appelle-moi ! Ah oui... c'est Mélo ! OK, bye !

Jour 5

Damien : C'est OK si je reste chez moi ce soir ?

Clara : Parfait ! Je vais en profiter pour dormir pour de vrai !

Damien : Et moi pour me raser !

Clara : Et réapprendre à te laver tout seul...

Damien : Hum... Exactement !

Clara : Moi, c'est le ménage qui m'attend...

Damien : On a vraiment foutu le bordel chez toi ? Je ne sais pas, je n'ai rien vu... J'ai vu flou pendant quelques jours.

Damien : Du flou... et de la dentelle... :)

Clara : Tous ces soutiens-gorge et ces petites culottes... par terre...

Damien : Ouais...

Damien : Mais j'y pense...

Damien : Tu veux que je vienne t'aider à les ramasser ?

L'eau chaude qui coulait. Les ravages de la tempête toujours là. Mes orteils étampés au fond de la baignoire. C'est moi qui touchais le fond? Toutes les possibilités devant moi. Mais pas pour moi. Pas pour moi.

– Clara? Allôôôôôô? Réponds! Clara! Sors de là!

Mélodie angoissait derrière la porte de la salle de bain. J'entendais Yan chuchoter de lui passer «la pinouche de poignée de porte». Je me suis relevée, j'ai rabattu le rideau de douche pour tout cacher. J'ai ouvert le robinet du lavabo, puis je me suis aspergé le visage d'eau froide pour me ressaisir.

Inspire, expire... Inspire... expire... expire...

Expire...

– T'es pas en train de t'ouvrir les veines, han? a crié Mélodie à travers la porte. ClaraaaAAA?!

La clé travaillait frénétiquement la serrure, puis la porte s'est ouverte à la volée alors que j'essayais de me composer un air digne, rejetant les épaules vers l'arrière et repoussant d'une main rapide les mèches mouillées qui étaient collées sur ma joue.

Yan n'a eu qu'un coup d'œil pour mes pieds mouillés, puis il a foncé directement vers le bain. Il a écarté le rideau de douche, en quête de sang, d'une corde, d'un restant de médicaments. Ce qu'il a vu m'a embarrassée encore plus que toute preuve incriminante d'une tentative de suicide. La preuve ultime d'un solide *pétage de coche*. Tout ce que j'avais saccagé: le contenu complet de l'armoire à pharmacie et tout l'attirail pour se mettre belle pour son homme, les morceaux de verre d'un pot de crème pour jambes soyeuses, un rouleau entier de papier de toilette doux pour les fesses – soit deux cent quatre-vingts carrés de papier déchiquetés –, un tube de dentifrice complètement vidé dont la pâte formait une représentation abstraite, un t-shirt d'homme avec le logo de Toxic Robot découpé en pièces. Yan s'est aussitôt soustrait à cette vision en reculant d'un pas. Il a refermé le rideau de douche et est ressorti de la salle de bain aussi vite qu'il y était entré en poussant une suite de jurons bien sentis.

Mélo me regardait avec de grands yeux horrifiés.

– Il faut ramasser ça, ai-je articulé d'une voix sans timbre.

– Ben voyons! s'est-elle écriée en s'élançant dans mes bras. Ramasser? Pauvre Poune!

Déboussolée par ce surnom que Yan me réservait et dont Mélodie n'avait jamais fait usage, je me suis retrouvée dans la position où c'était moi qui lui flattais le dos tandis qu'elle semblait à la limite des larmes. Désespérément, j'ai cherché Yan du regard.

– C'est donc ben poche! a renchéri mon amie, en même temps qu'elle prenait connaissance de l'ampleur des dégâts.

– C'est pas grave. Il faut juste ramasser, ai-je répété.

– Pas grave? On s'en fout du ménage! Viens t'asseoir, on va en parler.

En parler?

Comme dissociée de mon corps, je me suis vue de l'extérieur me dégager de son étreinte puis lui tapoter l'épaule. Je l'ai suivie, fuyant la salle de bain où je m'étais trouvée confinée. Dans la cuisine, Yan fouillait dans les armoires puis, d'une main experte, il a saisi deux verres à fort avant de les cogner sur la table. Avec hésitation, je me suis assise à table devant Mélo. J'ai toujours détesté m'épancher, mais je savais pertinemment que mon amie n'allait pas me laisser filer avant de m'avoir soutiré quelques confidences.

– Je ne peux pas croire que ça soit fini avec Damien, a-t-elle dit.

Ce à quoi Yan a répliqué, un début de rire sarcastique dans la voix:

– Ha ha. Moi oui.

Outrée, Mélo a hoqueté. J'ai encaissé en silence. Yan a ajouté:

– Buvez. Je vais aller torcher le dégât.

Sans un regard pour nous, il a pivoté sur ses talons. Le temps de ramasser quelques produits ménagers sous l'évier et il se précipitait à la salle de bain.

– Il a l'air à pic! ai-je fait observer.

Mélo a haussé les épaules et m'a tapoté la main.

– T'occupe pas de lui…

Quelle idée avais-je eue d'envoyer un texto à Yan? En quelques minutes, Mélo et lui avaient accouru en bonne escouade tactique, comme si le pire pouvait arriver.

«C'est fini avec Damien. Il vient de me laisser par internet!»

C'est ce que j'avais écrit.

Mélo continuait de me regarder avec la mine basse. Son empathie était telle que je craignais presque qu'elle pleure à ma place. Et moi? Après que la soupape eut sauté dans la salle de bain, je me sentais engourdie, à mi-chemin de la réalité. Il ne restait que mes mains qui tremblaient sous la table, loin des yeux de mon amie.

J'ai observé la tequila dans mon verre et je me suis souvenue d'une scène semblable. Ma première visite dans l'appartement de Damien. Yan à l'hôpital; un coup de couteau d'un individu qui voulait lui voler son portefeuille. Mon cœur en miettes de savoir mon ami près d'y passer. Damien était venu à ma rescousse alors que j'étais en état de choc. Chez lui, il m'avait servi un verre pour m'aider à me ressaisir. Cette fois-ci, tandis que j'étais assise devant Mélo, personne n'était entre la vie et la mort. Enfin, il y a plusieurs sens au mot «mort»…

Là, c'était un cas de «ton chien est mort».

– Allez, bois au moins une petite gorgée. Pour te laisser aller un peu, m'a ordonné Mélo avec douceur.

Me laisser aller?

Sous la table, j'ai essuyé mes mains sur mes genoux et, d'un geste vif, j'ai saisi mon verre auquel je me suis aussitôt cramponnée. Et j'ai bu lentement tandis qu'un lourd silence baignait la pièce. L'alcool, encore et toujours, comme un pansement.

– Je bois. Je bois.

Rapidement, je me suis versé un deuxième verre que j'ai avalé d'un coup. Je l'ai cogné sur la table pour que Mélo le remplisse à nouveau. Tout ce qu'elle m'a servi, c'est son regard réprobateur de maîtresse d'école.

– Oh, mais pas trop vite non plus! Tu ne vas quand même pas te soûler…

– Tu veux que je boive, oui ou non?

Elle s'est frotté le front d'une main, se ressaisissant.

– Excuse-moi! Qu'est-ce que je fais là à te dire comment boire? Dans les circonstances… Ouf…

Elle m'a versé une nouvelle rasade et nous avons entre-choqué nos verres sans rien avoir à célébrer.

– C'est bon que tu vives tes émotions…

– En cassant des choses? ai-je demandé en songeant à l'état de la salle de bain.

Elle a haussé les épaules et m'a servie à nouveau. Elle semblait guetter le comportement socialement acceptable, celui qui consiste à s'écrouler après une rupture, une sorte de prescription: versez quarante-deux larmes deux fois par jour et, si les symptômes persistent, consultez un médecin.

Elle restait là à me regarder avec insistance, en quête d'une réaction de ma part, d'une microscopique larme de rien du tout qui viendrait lui confirmer que j'étais bien humaine, sensible, normale. Un peu comme elle. Mais je ne ressentais qu'un vide immense. Un bourdonnement dans mes oreilles. J'étais un bloc de glace. Un bloc de glace brisé, du genre qui ne fond pas.

– Arrête de me regarder comme ça! Je ne vais quand même pas pleurer sur commande!

Mon amie a hoché la tête, l'a secouée gravement, puis a posé son diagnostic :

– Clara, j'ai l'impression que t'es dans le déni.

Diagnostic auquel je n'ai pas répondu.

Silence depuis la salle de bain. Yan avait arrêté de faire couler l'eau et tendait sans doute l'oreille. J'ai poursuivi en modulant ma voix, plantant un regard convaincant dans les yeux de mon amie qui m'observait avec inquiétude :

– On ne va pas faire un drame avec ça… Ça fait des jours que ça traîne. Là, c'est fini. Et tu sais quoi, Mélo ? Je suis sou-la-gée ! Oui ! Bon débarras !

Voilà. L'illusion était parfaite et j'y croyais presque moi-même. Enfin, l'alcool salvateur coulait dans mes veines, créant une douce sensation d'engourdissement.

– Ben oui, c'est ça ! a lancé Yan, qui avait surgi derrière moi. Bravo !

Il s'est mis à applaudir lentement. Je me suis retournée, saisie par son sarcasme.

– Franchement, Yan…, a gémi Mélo.

Toujours sans nous regarder, il s'est servi un verre.

Nous sommes restés longtemps ainsi, chacun plongé dans ses pensées moroses, avec l'écho de ruptures en souvenir, des tas de peines d'amour. De l'amour bénin à l'amour malin. Puis Monsieur-Monsieur, mon gros mastiff anglais, s'est installé à mes pieds qu'il a couverts de son chaud pelage.

– De toute façon, j'ai pas vraiment envie d'en parler…

Et qu'est-ce que j'aurais pu leur dire ? Que je serais prête à faire des incantations vaudou pour qu'il me revienne ? Ou à me lancer en bas du pont Jacques-Cartier en hurlant « Ah ! J'le savais, merde ! Je vous l'avais diiiiiiit que ça marcherait paaaaaAAAAAs !! » ?

J'ai éclaté de rire sous les yeux ronds de mes amis qui n'avaient aucune idée du délire qui se jouait dans mon esprit. J'ai bu une autre gorgée de tequila. Mon humeur filait comme sur des montagnes russes. Des hauts, des bas, mais aucune euphorie dans le manège. Et je riais. Bon sang…

Et le scénario absurde continuait dans ma tête:

Me lancer en bas du pont Jacques-Cartier en hurlant: «Ah! J'le savais, merde! Je vous l'avais diiiiiiit que ça marcherait paaaaaAAAAs!!» Et ne pas avoir le temps de terminer ma phrase, me noyer en plein milieu du huitième mot, après l'apostrophe du l, me faire bouffer par les poissons mutants du fleuve puis me faire recracher parce que j'ai trop mauvais goût. Pouah!

Un nouveau rire m'a secoué les épaules. J'ai terminé mon verre. Sur cette lancée, je pouvais peut-être dédramatiser la chose.

– Ça ne pouvait pas marcher avec Da…

Et puis non. Son prénom restait coincé dans ma gorge. Damien.

Je replongeais. La descente en pente raide, celle qui te fout la barre en plein milieu du ventre. Et le goût familier des larmes. Non.

Mélo s'est redressée, interpellée par le léger tremblement de ma voix. Yan a pris place à nos côtés et s'est incliné, attentif, son verre de tequila suspendu en l'air. J'ai secoué la tête et déclaré en levant un doigt:

– Non, je ne dirai plus jamais son nom. Et là, mes chers amis, c'est le moment où il faut me dire que c'est juste un trou de cul de chez troudecul.com!

Pour toute réponse, ils ont baissé les yeux sur leur verre respectif, raclements de gorge inclus.

Chapitre 2

Jour 1

– Je veux dire… que… Clara… je…

– Oui ?…

C'est là… Là… C'est à cette seconde précise que ma vie a basculé, et mes genoux aussi.

– Je me réveille, je te vois. Je m'endors, je te vois. Je respire, je te vois. Je vois juste… toi, Clara.

Ou quelque chose comme ça.

À la suite de cette déclaration, tout ce qui me sort de la bouche, c'est :

– Oh…

Il m'embrasse et mon cœur flanche. Je jubile. Il jubile. Nous jubilons. Nos souffles se mêlent, nos rires aussi devant cette grande envolée sentimentale.

Je sais que, depuis le départ, c'est ce que j'avais espéré ; qu'il craque pour moi d'un coup de foudre retentissant et brutal, du genre qui fait trembler et qui chavire l'estomac et dont le seul complément pour survivre est l'eau fraîche. Que je craque aussi et que je m'abandonne. Enfin.

– Là, c'est vrai… Si je reste…, je ne voudrai plus repartir.

– Maudit niaiseux, qui t'a demandé de partir ?

Il rit et referme la porte de mon appartement.

– Et ma note ?

Il me regarde en souriant, attendant que je lui révèle sa note sur dix, celle que j'ai pris l'habitude de donner aux hommes que je rencontre. Il le sait, mais j'ai toujours refusé de lui dévoiler la sienne. Jusqu'à aujourd'hui. Comme je ne réponds rien, il me balance sur son épaule et je vois le sol.

– Aaaaah! Mais qu'est-ce tu fais?! Ta note, c'est dix, OK? T'es content, là? Dix sur diiiiix!

– T'étais mieux de me donner un dix!

Rien n'y fait, il ne me repose pas. Il m'entraîne vers ma chambre. Il me dépose tant bien que mal sur le lit et bascule avec moi dans un éclat de rire. Nous nous embrassons comme si le baiser d'il y a un instant ne s'était arrêté que pour mieux reprendre à l'horizontale. Il s'interrompt seulement pour planter ses iris dans les miens. Tout doucement, il caresse ma tempe du revers de la main.

Et moi, j'ai envie de lui dire que je l'aime. Ça remue et monte en moi. L'envie de m'échapper, comme une bouffée de trop-plein.

Je t'aime, Damien.

Bien sûr, je me suis déjà échappée. Il avait été là pour moi lorsque je croyais Yan entre la vie et la mort. Et quand Damien avait répondu à mon cellulaire et m'avait appris que la vie l'emportait, je lui avais dit «je t'aime», une déclaration postcoïtale issue d'un mélange de gratitude, d'alcool et de soulagement. «Je t'aime» comme on dit merci. Il avait ri, ne m'avait pas prise au sérieux. «OK, je crois que t'es vraiment fatiguée.»

Maintenant, les mots restent étouffés dans ma gorge, par protection. Je me garde une réserve, juste au cas où. Parce que ça ne se fait pas. Trop tôt. Trop vite. Oser les trois petits mots au mauvais moment, c'est risquer de le perdre, lui qui est tellement là, dans cette bulle d'instant parfait qui s'est créée autour de nous.

Il m'embrasse longuement, lentement, pas pressé d'aller plus loin. L'air de rien. Je me retrouve face à son désir de tendresse qui transparaît dans sa façon de me toucher du bout des doigts, alimentant chez moi un sentiment d'urgence.

À défaut de lui dire que je l'aime, je lui dis :

– Je te veux.

Il pousse un petit « Hé ! Hé ! » faussement gêné avant de se défaire prestement de son t-shirt et de l'envoyer valser à l'autre bout de la pièce. Nouveau baiser, mes ongles glissent sur son torse, juste quelques secondes, assez pour qu'il ait l'air désorienté en me voyant me redresser. Je me place debout devant lui et me déshabille lentement sans cesser de le regarder.

D'une main, il se gratte la tête. Me dit que je suis belle. S'émerveille de me voir frissonner quand il me touche. Dès lors, je deviens son centre de gravité. Il teste ma peau avec sa bouche, baise mon ventre tandis qu'il fait glisser ma culotte vers le bas lentement, très lentement. Son souffle s'accélère à travers ses lèvres entrouvertes. Le mien est coupé.

– Ta peau… est tellement douce…

Du regard, il revient à mon visage comme pour s'assurer de mon consentement. Je me glisse sur lui. Ses grandes mains pressent mon dos. Je ne résiste pas et me plaque contre lui. Nos langues se mêlent. Je n'entends que nos respirations.

Nombre de minutes plus tard, ou peut-être une heure ou deux avec une notion du temps tout à fait arbitraire, je repose lovée contre lui, la tête dans le creux de son épaule. Ma main trace des cercles autour de son nombril, sur sa peau brûlante.

– Je t'ai vraiment dit tout ça, tantôt ?

– Hum, quoi ?

– Je ne sais pas…

– Damien, quoi ?

– Que je te vois partout… et tout ça. La grosse déclaration… ou je ne sais pas trop…

Je me redresse sur un coude, ravale péniblement ma salive, prête à le voir faire volte-face.

Live devant vous : le gars qui se ravise après vous avoir servi *THE* déclaration, celle qui fait trembler le p'tit genou mou. Oui oui, le gars qui vous a fait l'amour comme si vous étiez la femme de sa vie, rien de moins.

– Tu regrettes ?

– Non, je suis juste… Wow !… tente-t-il en cherchant ses mots. Juste un peu… surpris.

Tu ne peux pas me dire que t'as changé d'idée !

Je te vois partout. Je vois juste toi. Et puis… non, finalement pas ?

Ça ne se fait pas !

Je ne veux pas être dans cette position. Être cette fille trop amourachée qui se retrouve en état de vulnérabilité post-orgasmique. D'un geste brusque, je m'assois et tire sur les draps pour me cacher la poitrine, lui arrachant une bonne partie de ce qui le couvrait. Il éclate de rire.

– Bon, j'ai compris. Merci, Damien. Tu peux partir.

Un nouvel éclat de rire jaillit derrière moi.

– J'espère que t'es pas sérieuse…

Il pose un doux baiser sur ma nuque. Je tourne la tête, vois une rangée de cils, un œil coquin, puis il me fait retomber sur le lit. Il me fait pivoter et me force à le regarder. Je vois clairement qu'il se bidonne.

– T'es fâchée ? Tu penses que je t'ai raconté n'importe quoi ? Mais oui… je t'ai dit tout ça juste pour coucher avec toi.

– Damien Archambault !

Il ferme les yeux avec un demi-sourire.

– J'aime ça quand tu dis mon nom et que t'es fâchée. Ouais, j'aime pas mal ça.

– Je ne suis pas fâchée.

Enfin, presque pas. L'espace d'un instant, je me suis sentie flouée comme une enfant à qui on a promis le jouet dont elle rêvait depuis toujours et à qui on annonce subitement qu'elle ne l'aura pas.

Il me capture, glisse une main derrière mon dos, plante ses yeux dans les miens.

– Écoute, Clara Bergeron. Je t'ai dit certaines choses assez déconcertantes. On a fait l'amour, et quelque part là-dedans, je t'ai embrassé les orteils un par un comme s'ils étaient, je ne sais pas… Dieu. Et une chance que t'étais propre, parce que je te jure que…

– Eille!

Je fais mine de le frapper. Il esquive puis articule très clairement:

– Je-ne-chan-ge-pas-d'idée.

– Ah…

– Exactement.

Puis il tapote le bout de mon nez avec son index et me sourit doucement. Je me liquéfie dans un mélange de honte et d'ivresse, et tout ce que je trouve à faire, c'est d'ébaucher en retour un sourire un peu niais.

Mélo venait tout juste de partir en taxi, en route vers son nouvel appartement. Elle m'avait fait la bise à plusieurs reprises, me répétant que je pouvais compter sur elle, que je pouvais l'appeler nuit et jour, qu'elle était là pour moi. N'importe quand. Pour n'importe quoi. Je suis là pour toi.

Et Yan? Rien. Aucune parole réconfortante que j'aurais pu repousser du revers de la main, rien qui avait laissé présager un minimum d'empathie. Pendant une heure, il était resté silencieux à boire à petites gorgées, à nous regarder d'un œil morne et à répondre par monosyllabes, jusqu'au moment où son chum était passé le chercher en voiture. Récemment, Yan s'était transformé en une espèce en voie d'apparition: le mâle gai en couple stable. Il était devenu tellement adepte de cette institution qu'il s'en oubliait presque. Pour un revirement de situation, c'en était tout un, considérant que mon ami avait toujours opté pour les histoires sans lendemain.

À la minute où Mélo est partie, j'ai envoyé une série de textos à Yan pour le questionner, savoir ce qui lui arrivait, sans obtenir de réponse. Une heure plus tard, devant mon ordinateur, je n'ai pas perdu de temps aussitôt que je l'ai vu apparaître en ligne sur Skype.

Clara : Merci pour le ménage de la salle de bain tantôt.

Clara : :)

Yan : Wow ! Super bonhomme sourire…

Clara : Parlant de bonhomme sourire… on s'entend que toi, tu étais plutôt bête ce soir. Qu'est-ce qui se passe avec toi ?

Yan : J'ai torché. Ça ne me tentait pas d'être là.

Yan était toujours à l'écoute, prêt à m'épauler, peu importe la situation. On pouvait tout se dire, mais de savoir qu'il aurait préféré être ailleurs qu'à mes côtés au moment où j'en avais besoin me restait en travers de la gorge. J'ai choisi de ravaler le tout.

Clara : Pourquoi tu ne réponds pas à mes textos ?

Yan : Je te réponds, là.

Prudente, je me suis informée :

Clara : Ça va bien avec Yan numéro deux ?

Yan : Pourquoi ça n'irait pas ?

Clara : Je ne sais pas trop… Une impression que j'ai…

Yan : C'est quoi l'affaire ? Tu vas t'imaginer que ça va mal pour tous les couples ?

Clara : Mais non, voyons !

Yan : Parce que toi, tu n'as pas été capable de garder ton chum, tu penses que ça ne peut marcher pour personne ?

Mes doigts se sont crispés sur le clavier. Je ne devais pas réagir à son attaque. Il n'y avait qu'une seule raison plausible pour expliquer ce changement d'attitude chez mon ami : sa bipolarité. J'avais un protocole à respecter : ne pas m'attarder au contenu, ne rien prendre personnel, être directe et éviter les tabous. J'ai pris une longue inspiration pour garder mon calme.

Clara : Et la médication, ça va ? Tu es stable ?

Yan : Lithium stable. Question plate et redondante. T'en as une autre plus pertinente ?

Alors là, il jouait carrément avec ma patience… Si on n'avait pas affaire à un de ses « creux de vague », ça devenait personnel, et pour ça, je n'avais aucune tolérance.

Clara : Oui ! En voilà une autre : c'est quoi ton problème, alors ?

Yan : Je vais me coucher !

Clara : YAN ! Qu'est-ce qui se passe ? Pourquoi t'es bête avec moi ? T'es fâché ?

Les secondes se sont écoulées et il ne répondait pas.

Clara : Réponds-moi s'il te plaît !

Yan : Tu veux vraiment le savoir ? T'as merdé ! T'avais un maudit bon gars et tu l'as laissé partir. C'est ça qui m'enrage !

J'ai poussé un hoquet, reculé de mon portable comme si son contact me brûlait.

Clara : UN BON GARS ?! IL m'a laissée ! C'est LUI qui m'a laissée !

Yan : Ben oui, et c'est juste de sa faute à lui, pas de la tienne…

J'ai encaissé le coup sans bouger, sans ciller. J'étais complètement atterrée.

Clara : QUOI ?

Clara : Je n'en reviens pas…

Clara : Que tu me dises que tout est de ma faute !

Yan, je voudrais que tu me dises que ça va aller. Que je n'avais pas le choix d'agir comme je l'ai fait. Que ça ne pouvait pas fonctionner de toute façon. Tout ce que je demande, c'est le soutien légitime de mon ami. Et au lieu de me remonter le moral, tu m'enfonces la tête plus profondément sous l'eau.

Yan : Tu vas te remettre à fréquenter des gars d'internet ?

Clara : Jamais de la vie ! Pour qui tu me prends ?

Yan : En tout cas, pour Damien… Bravo pour l'effort !

Au lieu de lui écrire ce que j'avais sur le cœur, j'ai fait volte-face et j'ai contre-attaqué. C'est tout ce que j'avais pour ma défense, pour ne pas me laisser submerger par le flot d'émotions contradictoires qui m'envahissaient.

Clara : Monsieur le spécialiste des relations pense qu'il a réponse à tout parce qu'il est en couple maintenant ? Je vais te dire une chose, Yan Légaré, tu ne sais RIEN !

Yan : Je t'ai vue aller… Tu n'as rien fait pour le retenir !

Clara : ARRÊTE DE ME DIRE ÇA !

Les yeux me piquaient, me brûlaient. Je n'avais que la colère pour ne pas m'écrouler.

Yan : En tout cas, moi, je fais de gros efforts pour être en couple !

Clara : DES EFFORTS ? BRAVO ! Tu te crois meilleur parce que ça fait un gros 75 jours que tu es en couple ? Mon homme, t'as RIEN vu venir ! La MARDE peut pogner n'importe quand dans ton p'tit cou-couple !

Yan : Mais de quoi tu parles ? T'as compté les jours ? Qui va tougher le plus longtemps en couple ? Ben bravo, je savais pas que c'était une compétition !

Je nous imaginais face à face, à nous défier du regard avec les narines palpitantes, à nous demander qui allait dégainer son arme en premier avec une réplique pouvant assommer l'adversaire d'un coup. J'ai poussé un petit cri rageur devant mon ordinateur. Monsieur-Monsieur me surveillait à bonne distance et piétinait sur ses pattes, indécis quant à la position à prendre.

J'ai pianoté avec rage :

Clara : Eille ! Réveille, Cendrillon ! Les contes de FIFS, ça n'existe pas !

Yan : Traite-moi pas de fif !

Clara: FIF!

Yan: VA CHIER!

Clara: VA CHIER TOI-MÊME!

(Yan vient de se déconnecter.)

Et le silence a empli l'appartement, comme si nous avions réellement crié. Mais non, ce silence-là, ce vide-là avait été déclenché par Damien quelques heures auparavant devant nos ordinateurs. Et maintenant... Yan.

Chancelante, je me suis levée de ma chaise sans savoir où aller, que faire de mes poings fermés. J'ai abouti dans le passage, les jambes repliées, le front sur les genoux, en quête d'air, en quête d'une bulle où j'arriverais à voir moins rouge... plutôt corail pâle fru. Monsieur-Monsieur est venu me renifler, tâter le terrain, sentir si j'allais bien. Je lui ai dit:

– Va là-bas!

Mais il ne bougeait pas. J'ai crié:

– J'ai dit: VA LÀ-BAS, FATIGANT!

Et comme il filait, la queue entre les jambes, sa peur contrastant avec sa taille imposante, j'ai essuyé une larme. Une seule larme de rage, de culpabilité. La seule que je m'autorisais.

Eh merde! Voilà que j'engueulais mon chien! Mon pauvre gros toutou inoffensif qui ne comprenait rien à la situation!

– Mais reviens, gros niaiseux. Je ne suis pas fâchée après toi, tu le sais ça?

Mais il s'est couché, la tête sur ses pattes, m'observant d'un drôle d'air depuis l'autre bout du corridor. Je pouvais jurer qu'il me regardait d'un air déçu. Un air déçu de chien. Il n'était pas le seul à me servir ce regard-là. Il n'était pas le seul à être déçu de moi.

CHAPITRE 3

Et le lendemain du ravage, tu fais quoi?

D'abord, te lever puis passer outre à l'espace vide laissé dans le lit, cette place qu'il avait faite sienne d'emblée et que tu lui avais cédée, mais dans laquelle tu te lovais, dans ses bras. Ignorer ça.

Accomplir les tâches du matin comme une automate. Te dissocier du vide. Ouvrir le réfrigérateur, regarder les reliques qui s'y trouvent et foutre à la poubelle les bières de sa marque préférée, celles que tu lui avais achetées pour lui faire plaisir. Tu ne lui feras plus jamais plaisir.

Éviter de croiser ton propre regard dans la glace. Du creux dans les yeux. Effectuer la routine habituelle sans enthousiasme. Poudre compacte, ombre à paupières, mascara, gloss, sans que ça change comment tu te sens en dedans. Laide, moche, abandonnée. Une glorieuse palette de couleurs ternes. Teinte automne de merde.

T'asseoir devant ton café et ressentir une barre qui traverse ton ventre. Tu as mal là. Tant pis pour toi.

Fuck you toi et moi.

Je me suis traînée au bureau, la voiture sur le pilote automatique ou presque, avec un flashback à la minute. Coin Sherbrooke et Papineau: Damien et Clara, Clara et Damien. Mes mains dans ses cheveux, ses mains dans mes cheveux. Sherbrooke et Saint-Denis, ma main dans la sienne jusqu'à ce qu'il la porte à ses lèvres. Puis un autre coin de rue X, comme n'importe quelle intersection là ou ailleurs, il essuie une trace de crème glacée sur ma joue avant de croquer mon cornet alors que je prends à peine le temps de tourner la tête dans un éclat de rire, gênée par son regard qui me brûle. Je braque ma crème glacée menaçante vers lui et, à son tour, il rit. Le genre de folie qu'on fait au tout début, quand tout est prétexte à rire et qu'on voit à travers un filtre rose nanane. Pourquoi on fait ce genre de conneries? Jouer avec son manger. Je veux faire une bouchée de toi. Mange-moi.

J'ai atterri dans l'ascenseur, direction neuvième étage. J'avais les yeux rivés sur le métal des portes qui menaçaient de coulisser d'un instant à l'autre, s'ouvrant sur la ritournelle d'un boulot qui n'avait pas changé depuis le vendredi précédent. Qu'est-ce qui avait changé, après tout, si ce n'était la position du nuage? J'avais flotté dessus pendant soixante-douze jours ou presque, et voilà qu'il se trouvait au-dessus de ma tête, impitoyablement gris, présage des jours moches à venir, sans l'espoir d'une percée de soleil.

Respire… Inspire, expire, expire, expire… Pourvu qu'on ne me demande pas comment je vais… Pourvu que…

Les portes se sont ouvertes et une voix cristalline m'a interpellée, celle de Marie, la réceptionniste.

– Salut, Clara! Ça va? T'as passé une belle fin de semaine?

J'ai entendu ma mâchoire craquer sous la pression de mon sourire forcé. Je me suis propulsée hors de l'ascenseur, accélérant le pas et ramassant au vol les dossiers qu'elle me tendait.

Je suis super pressée. Tellement pressée. Occupée comme pas une. C'est lundi. Que de pain sur la planche! Tu connais le pain qu'on n'est pas capable de manger le matin parce qu'on a une boule à la gorge? Il fait chier. Mou.

– Super fin de semaine. Et toi?

Je n'ai pas pris le temps d'attendre sa réponse et j'ai refermé la porte de mon bureau derrière moi. J'ai appelé la mère de Yan.

– Bonjour, madame Légaré. C'est Clara! Vous allez bien? Je vais bien aussi, merci. Je vous appelle au sujet de Yan. Je crois qu'il n'est pas en forme.… Oui, c'est probablement une rechute… Vous pouvez vous assurer que tout est correct? Non, non, je vous demande ça parce que je suis très occupée au boulot… On se tient au courant? Super! Merci!

J'ai reposé le téléphone d'un geste sec.

«Tu vas faire quoi?» avait demandé Mélo avant de partir la veille. Je n'avais rien dit.

Sur mon ordinateur, le curseur clignotait. J'étais à jour dans mes dossiers. Une journée trop ordinaire, calme à hurler. Dans Google, j'ai tapé «trou de cul». Jeu de trente-deux ou de cinquante-quatre cartes. Images douteuses. Pas de photo de Damien.

Damien…

J'ai repoussé ma chaise. Je me suis précipitée à la toilette. J'ai barré la porte en tremblant, me suis assise sur le siège fermé. J'ai pris un carré de papier, un deuxième, un troisième. Je les ai regardés et j'ai attendu, espérant presque un réflexe pavlovien. Pas de larmes. J'étais anesthésiée. Je suis retournée à mon bureau comme une automate.

Plus tard, dans la salle de réunion, je regardais la paperasse sans la voir, les lettres s'alignaient illisiblement sur l'ordre du jour. Mon patron parlait d'états financiers, de crise au sein d'une compagnie. Il présentait un organigramme d'entreprise qui m'apparaissait comme hypercomplexe, marquait avec énergie au feutre rouge les postes à pourvoir: deux cadres, un vice-président, et que ça saute. Au fur et à mesure qu'il expliquait la situation, ses joues s'empourpraient sous le coup de la passion. C'est beau, la passion.

En d'autres circonstances, j'aurais eu le nez plongé dans le dossier qui se trouvait devant moi, j'aurais pris la parole, suggéré des candidats d'emblée selon le profil de la compagnie qui nous était décrit, mais rien ne me venait. J'avais la tête complètement vide. Belle image pour une chasseuse de têtes.

Alors, un petit miracle, comme il s'en produit bien peu au neuvième étage de l'un des immeubles à bureaux de la rue Metcalfe, s'est déroulé sous mes yeux. Gilles, mon collègue qui est la plupart du temps un savant mélange de mononcle fatigant et d'emmerdeur, a glissé sur la table un café dans ma direction. Je l'ai regardé, interdite, avant de comprendre que je devais être dans un état assez pitoyable pour qu'il se donne cette peine. J'ai porté la boisson à ma bouche. Le goût était amer, avec des relents de cendre, mais je l'ai bue quand même dans l'espoir qu'elle me fouetterait un peu. Je pouvais lire sur les lèvres de Brigitte la question silencieuse « ça va ? ». J'ai fait comme si je ne voyais rien.

Je me suis mise à prendre des notes avec frénésie, des notes décousues, des mots surtout, avec un prénom qui se trace tout seul, avec un *D* majuscule au début, à hocher la tête devant les requêtes du patron, à simuler, à grands coups de stylo, un professionnalisme fervent.

– Clara, tu t'en occupes ?

J'ai émergé brutalement et je lui ai répondu avec un enthousiasme feint, sans trop savoir dans quoi je m'embarquais :

– Oui, bien sûr ! Comme toujours !

Plus tard, je comprenais qu'on m'avait chargée de superviser tout le processus. La routine, au fond : identifier les entreprises concurrentes dont les valeurs et le fonctionnement s'apparentaient au profil du futur employeur, fouiller les banques de données de CV, traquer les candidats. Tout ce qui me stimulait au plus haut point auparavant s'était éteint.

J'avais perdu la flamme. Les banques de données et les noms de candidats défilaient sous mes yeux et n'étaient que des mots d'une insignifiance palpable.

« Tu vas faire quoi ? » répétait Mélo dans ma tête.

Problème ? Solution. Je me suis mise à taper au clavier sans trop savoir où ça me mènerait.

Peinedamour.ca

Quatre trucs pour réparer un cœur brisé.

Un rire sec est sorti de ma gorge. C'était d'un ridicule !

Premier conseil : garder l'esprit et le corps occupés.

Sur-le-champ, avec l'énergie du désespoir, sans même lire les autres conseils de peinedamour.ca, j'ai décidé de devenir une *serial dater*. Plus désespérée que désespérée. Une désespérée en série.

J'ai laissé un message sur la boîte vocale de mon amie : « Mélo, c'est moi… Tu peux passer chez moi après l'école pour sortir Monsieur-Monsieur ? J'ai beaucoup de travail et je risque de rentrer tard. »

Et je replongeais dans l'univers de Rencontres-Montréal. Une nouvelle fiche était créée. Pas de photo, pas d'attentes, pas d'espoir. Un seul désir : rencontrer quelqu'un (un homme), n'importe qui (ou presque) pour me changer les idées (de lui). Et je n'ai pas perdu de temps. Trois minutes pour la fiche, cinq minutes de clavardage. J'avais battu mon record. Et trois fois plutôt qu'une.

12 h 45 : BobiLeponge

18 h 15 : BondJamesBond

20 heures : DrFeelGood42

Nous venions à peine de prendre place au resto quand Prospect-Pas-Pire#06 s'est mis en tête d'aborder l'inévitable, en fait LE sujet que je tenais absolument à éviter.

– Depuis combien de temps t'es célibataire?

– Ah, un bon bout de temps…

Approximativement cinq jours. En jouant avec les mots. Si tu veux vraiment savoir depuis combien de temps je suis seule, je te dirais toute ma vie.

– Et ça s'est bien terminé avec ton ex?

Quelle question!

– Oui, super super… bien.

Par internet… des griffes sorties qui frappent sur les touches, comme autant de couteaux qui volent bas.

– Parce qu'il n'y a rien de pire que de rencontrer quelqu'un qui n'a pas un passé réglé.

– Ah han, oui, ai-je acquiescé en me cachant derrière le menu. On commande?

Mais il n'a pas touché à son menu, qu'il gardait bien fermé sur la table. Il a insisté:

– Il y a tellement de gens qui cherchent une échappatoire sur les sites de rencontre…

– J'ai vraiment faim!

– Qui ne veulent pas voir leurs problèmes en face…

– Hum! Une bonne salade César!

– Des personnes superficielles, pas connectées avec leurs émotions…

– Ou une brochette de poulet!

– Qui recommencent chaque jour, qui font toujours la même chose, qui prennent des risques inutiles ou pas de risques du tout…

J'ai bondi de ma chaise comme la serveuse arrivait. Il lui a tendu le menu et a déclaré sans y avoir jeté un œil:

– La même chose que d'habitude!

Parlant de prendre des risques…

– Je vais prendre la soupe du jour, s'il vous plaît. C'est tout. Je vais à la toilette. Désolée!

Et la même mascarade : coup d'œil sur les fesses. Roulement des yeux de ma part. Même le *prospect* inoffensif finissait toujours par se voir apposer l'étiquette « Avertissement : douteux ! ». Besoin impératif d'un plan B… Il y a des choses qui ne changent pas. Tout était comme avant, à un détail près : Yan ne viendrait pas à ma rescousse, comme toutes les fois où je lui avais fait jouer le rôle du chum outré qui surgit avant l'adultère. Pas de plan Y pour ce soir. Pas question non plus d'appeler Mélo qui s'empresserait de condamner mon entreprise.

Dans le miroir des toilettes, je n'avais que le reflet de mon visage pour témoigner de mon erreur.

– Eh merde, c'est quoi l'idée ? lui ai-je demandé.

Pour toute réponse, ma paupière gauche s'est mise à frétiller, révélant une intense fatigue. Je n'avais pas vraiment dormi depuis que… ni beaucoup mangé depuis que… depuis qu'il…

Il y a des choses qui ne changent pas. Et si moi, j'avais changé ?

Avais-je la force de patauger dans cette mascarade, d'affronter un gars d'internet inquisiteur qui lançait des répliques de devin ? Comment pouvait-il avoir visé juste sur mon compte ?

Damien…

Ou l'art de retomber dans le panneau et de se faire larguer, encore. Encore. J'étais tétanisée.

Mon Dieu, j'étais maintenant l'ex de…

T'avais un maudit bon gars et tu l'as laissé partir.

UN BON GARS ?! IL m'a laissée ! C'est LUI qui m'a laissée !

Ben oui, et c'est juste de sa faute à lui, pas de la tienne… Tu vas te remettre à fréquenter des gars d'internet ?

Jamais ! Pour qui tu me prends ?

J'ai ouvert le robinet d'une main tremblante, laissant couler l'eau glacée. J'ai tapoté le coin de mes yeux, là où ça brûlait.

Tu vas ouvrir cette porte, poser tes fesses molles sur le banc, manger ta soupe de farine aux mottons ou ton velouté de légumes pâles, avoir du bon temps (si possible), arrêter de penser (à…) et peut-être te rendre compte qu'il y a d'autres gars sur cette terre (à part…). Et faire comme si de rien n'était.

J'ai repris ma place devant le *prospect* du moment, déterminée à faire bifurquer la conversation vers un sujet moins compromettant.

– Ça avance bien ton projet d'architecture?

– Hein? Quoi?

– Ton travail? Tu m'as dit que tu étais chargé de projet pour la construction d'un hôtel dans le centre-ville, c'est bien ça?

– Euh, non, je t'ai dit que j'étais facteur.

Enfin, c'était un sujet à peine compromettant…

– Ah, excuse-moi, je me mélange avec…

… avec le gars d'hier après-midi.

Il a répondu:

– Ça avance bien, mon travail. Je livre des lettres tous les jours. D'habitude, je marche en avançant vers l'avant. C'est rare que je recule, sauf s'il y a un gros chien méchant.

Tiens, tiens, un pince-sans-rire. Ça valait peut-être la peine d'explorer le terrain…

– Super! Et ton fils? Zachary? Il va bien?

– J'ai une fille.

– Ah oui! Ça me revient! Lilas, c'est ça?

– Non, Rose-Marguerite.

Gros froncement de sourcils de sa part. Pas content le p'tit monsieur papa d'une fleur. En matière de rencontres, j'avais eu mes bons moments, et celui-ci n'en était pas un.

– Pourquoi j'ai l'impression que tu ne m'écoutes pas?

– Je t'écoute, je t'écoute, ai-je tenté de le rassurer.

Sauvée par la soupe! La serveuse a posé nos plats devant nous. Je me suis débattue avec mon emballage de biscuits sodas qui a atterri directement dans mon bol. Eh merde! Après quelques bouchées en silence surmontées d'un regard franchement réprobateur, il a déclaré:

– La communication n'est pas bonne. Notre relation ne peut pas fonctionner, Sunshineboogee. Je ne sens pas de réciprocité.

Oh, là, tu m'énerves…

– En passant, je m'appelle Sophie. Notre relation, Mégaman28? Tantôt, on a pris un verre, maintenant on mange, c'est tout.

Sa fourchette effectuait des tours vertigineux pour emprisonner quelques spaghettis.

– Toi, tu ne m'as même pas demandé comment ça s'est terminé avec MON ex!

Il cotait fort côté tache! J'ai fini par articuler la question requise, non sans un léger grincement de dents.

– Bon. Comment ça s'est terminé avec ton ex?

– Mal.

– Et pourquoi?

– La communication n'était pas bonne!

– Ah bon. Ha. Ha.

Ouh là là! J'avais devant moi M. Communication en personne, avec un gros JE communique, la terre s'arrête de tourner et on m'écoute. Le genre pour qui ça fonctionne à sens unique. Tu vas m'écouter et s'il faut qu'au bout du compte tes oreilles saignent, eh bien, tant pis!

– C'est tout ce que tu as à dire: «Ah bon?»

Je me suis retenue de rouler les yeux.

– Mes condoléances, ça te va?

– Je croyais qu'on était amis. Tu me déçois, Sunshineboogee…

C'en était trop! J'ai explosé:
— J'AI DIT QUE JE M'APPELLE SOPHIE, ET TOI, T'ES PAS LE PREMIER QUE JE DÉÇOIS!

Je me suis levée en grondant. J'ai pris mon sac, sorti un billet de dix dollars que j'ai jeté sur la table. En m'esquivant, j'ai renversé la soupe chaude sur moi.

Horrifiée, à moitié ébouillantée, j'ai lancé:
— Merci! Bonne chance dans tes recherches!

Objet: L'art de ne pas se mêler de SES affaires…
Salut Clara,

Merci de m'avoir mis ma mère sur le dos! Là, elle s'imagine que je suis en dépression et elle m'a booké un rendez-vous d'urgence avec mon doc pour un réajustement de médication. La prochaine fois, regarde-toi le nombril d'un peu plus près et mêle-toi de tes affaires. Parce que tu en as des sérieuses à régler.

Amicalement,
Yan

Objet: RE: L'art de ne pas se mêler de SES affaires…
AMICALEMENT??????????
Tu me niaises????!!!!!!!!!!

Clara

Objet: RE: RE: L'art de ne pas se mêler de SES affaires…
Je ne regrette pas ce que je t'ai dit l'autre soir, si c'est ça que tu insinues à grands coups de ponctuation abusive…
Tu as des choses à comprendre, Clara…

Yan

Objet : Perspectives

Yan,

Je suis désolée pour ta mère. J'étais inquiète et je voulais m'assurer que tout allait bien pour toi. Mais là, je vois que tu reviens à la même histoire… Tu répètes que je suis LA fautive dans ma rupture avec Damien! Pourquoi tu n'es pas de mon bord? Je ne comprends pas!

Clara

Objet : RE : Perspectives

Je suis de ton bord dans la mesure où tu n'agis pas en victime. La vérité est que tu n'as rien fait pour le garder ou le retenir. On s'en reparlera quand tu auras compris ce que ça signifie de faire des efforts pour être en couple.

Yan

Objet : Incompréhension

Yan,

Faire des EFFORTS? Encore cette histoire-là?

Où es-tu, mon ami? Je ne te reconnais plus! J'ai besoin que tu sois cynique avec moi et pas contre moi. J'ai besoin de mon ami qui dit des conneries, mais de belles conneries! J'ai besoin de dédramatiser, de bitcher, qu'on se raconte n'importe quoi et qu'on puisse tout se dire sans filtre, parce qu'on sait que tout peut passer. J'ai besoin de sentir que, même quand tu me bottes le derrière ou que tu me lances un pot à la tête, il y aura des fleurs après… Et que c'est fait avec humour et bienveillance. Là, ce n'est pas le cas.

Dis-moi ce que je dois faire pour que tout redevienne comme avant!

Clara

Objet : Désespérée?

1) Prends un break (du temps pour toi).

43

2) Réfléchis…

3) Pense à ce que tu as à perdre et à gagner.

4) Deviens adulte!

5) Écris à Damien.

Yan

Objet : RE : Désespérée?

1) Ah tiens, je suis justement en pause Kit Kat…

2) C'est exactement ce que je m'évertue à faire. Je ne comprends pas!

3) Une énigme?

4) Je suis adulte et je m'assume.

5) NON.

Yan, est-ce qu'on peut se voir et discuter un peu de vive voix? Je suis très mal à l'aise de communiquer avec toi par courriels… Es-tu libre demain soir?

Clara

Objet : Une pause…

Ce soir, Yanitou et moi on part pour une grosse fin de semaine d'amoureux. On revient juste mardi. Après ça, je dois rattraper mes heures manquées et j'ai plein de rendez-vous bookés. C'est fou comme les gens sont stressés ces temps-ci et à quel point ils ont besoin de massages. La fin de semaine suivante, on s'en va dans un mariage gai, eh oui, le bonheur ça se peut! Après ça, je travaille.

Je te ferai signe.

Yan

Objet : RE : Une pause…

Don't call us, we'll call you? Depuis quand tu n'as plus de temps pour tes amies?

Clara

Objet : RE : RE : Une pause…
Depuis que j'ai besoin d'un break.

Yan

Objet : RE : RE : RE : Une pause…
De moi ?

Clara

Objet : RE : RE : RE : RE : Une pause…
Entre autres…
Sans rancune !

Yan

Objet : QUOI ?!
Yan, est-ce que toi aussi tu casses avec moi par internet ?

Clara

CHAPITRE 4

«Tu vas faire quoi?» Cette question revenait… Cette question qu'on me posait au lieu de «Comment ça va?».

C'est ce qu'on demande à la fille qui s'assume, la fille à qui on ne prodigue pas de conseils, car elle est de celles qui amènent des solutions. Celle qui est conseillère en recrutement et qui sait mieux que quiconque comment régler des problèmes de gestion de personnel, et quels sont les meilleurs *matchs* possibles entre entreprise, employeur et cadre.

Sauf que, dans sa vie personnelle, elle ne sait rien. Elle ne sait pas comment se débarrasser de cette émotion qui s'est matérialisée au travers de sa gorge et qui reste coincée là. Son seul exutoire est la colère. C'est le seul moyen qu'elle a trouvé pour s'armer contre le temps qui s'écoule, contre ses journées bien remplies qui pourtant ne changent rien et ne comblent rien, contre le vide.

Elle ne sait pas comment dompter ce tiroir qui la nargue de sa poignée luisante. Ce tiroir dans lequel gisent les affaires de son ex. Deux ou trois t-shirts, deux paires de bas, trois paires de boxers, un roman de Zola, une poignée de monnaie.

Brouillon – (aucun objet)
Cher Damien,
Je

NON.

Cher trou de cul,

Je t'écris un courriel que tu ne recevras jamais.

Sors de ma tête. Sors de ma peau. Sors de ma vie. Ne pense même pas à venir récupérer tes affaires. Je vais les brûler. Ne pense même pas à m'envoyer un courriel par erreur, à t'approcher de mes amis, à croiser mon chemin, ni à rencontrer une autre fille que tu aimeras plus que moi.

À partir de maintenant, je te hais. Je te hais pour ne plus t'aimer.

Clara

Et puis le téléphone cellulaire. Comment lui redonner son statut de simple objet alors que pesait sur lui tout le poids d'un long silence ? Il n'allait PAS appeler. Pas la peine de sursauter. Qu'on change la sonnerie pour une grande symphonie triomphante n'y changerait rien. Pas la peine d'essayer de le faire sonner par le seul pouvoir d'un regard insistant. Et s'il s'avisait de m'appeler, je raccrocherais sans lui laisser placer un mot.

Je n'osais ouvrir mon ordinateur de peur d'y voir son nom partout dans mes archives de courriels et immanquablement hors-ligne sur Skype. Et les dossiers de photos de nous, pêle-mêle, selon les événements des derniers mois. Tout ce qui subsistait de notre relation se trouvait dans ces images. Elles étaient une preuve irréfutable que nous avions été ensemble le temps d'un été. Notre relation se réduisait à un aperçu de deux pouces par trois sur l'écran. Je ne pouvais les regarder, ces photos, encore moins les glisser vers la corbeille. Les supprimer aurait anéanti notre historique. Affaire classée.

Mais rien n'était classé dans ma tête. Lorsque j'étais chez moi confrontée au silence, je me torturais et ressassais les mêmes questions : pourquoi avait-il seulement songé à avoir une relation avec moi si c'était pour faire volte-face quelques semaines plus tard ? Pourquoi m'étais-je fait avoir, moi qui avais eu si peur de m'abandonner au départ ?

J'avais mordu l'hameçon à pleines dents. Belle dinde.

Un autre rendez-vous. Un autre trajet en métro. Comme d'habitude, j'ai tenté de me faire une place dans la cohue, comme d'habitude quelqu'un qui se croit le centre de l'univers a pris le poteau pour sien et s'est appuyé le dos dessus. La fille dodelinait de la tête en riant. Elle n'était pas seule en communion avec le poteau. Le gars gravitait autour. Elle lui souriait, se laissait bécoter. Ça puait la nouvelle idylle à plein nez. Mme Le-centre-de-l'univers respirait les phéromones et l'endorphine. Belle innocente. Entre le petit couple maudit et la grosse patte de l'homme qui se trouvait derrière moi, il me restait peu d'espace pour tenir le poteau. Soit deux doigts et quart. Puis le petit con a embrassé la fille. Renversée par l'ivresse, elle s'est appuyé la tête, à un millimètre de ma main. Quelques cheveux qui dépassaient du nœud de sa queue de cheval sont venus s'insérer entre mes doigts. J'ai fermé les jointures, emprisonné le tout et serré fort sans en avoir l'air. Dans le reflet de la vitre, aucun rictus sadique ne marquait mon visage, mais en dedans, je me sentais vilaine. Vilaine et jalouse.

S'il lui lèche le cou ou le lobe de l'oreille, je hurle. Je hurle.

Pour toutes les personnes qui ont eu une bulle trop grande et qui se sont approprié un poteau, j'ai serré la main. Pour tous ceux qui ont eu dédain d'un poteau de métro, qui ont considéré qu'EUX ne devaient impérativement pas y toucher et puis tant pis pour les autres qui n'arrivent pas à s'y accrocher, j'ai serré la main. Juste pour voir ce que ça ferait.

Quand la fille a tenté d'esquisser un mouvement de la tête vers son amoureux, j'ai serré ma poigne encore plus fort sur ses cheveux tendus et elle a poussé un petit cri. J'ai dégagé subtilement le tout. Vivement, elle s'est retournée en même temps que son chum, qui cherchait à comprendre l'origine de sa douleur. Elle a toisé avec un mélange de consternation et de colère ma main qui se tenait bien à sa place sur le poteau. J'ai conservé un regard imperturbable, trouvant enfin un espace pour agripper la barre de mes cinq doigts.

— Je dois t'avouer quelque chose, a-t-il dit. L'autre soir, quand on s'est rencontrés, c'était ma première rencontre internet.

J'ai souri en continuant de marcher. Prospect-Pas-Pire#14, trente-deux ans, célibataire depuis assez longtemps pour se qualifier ainsi, propriétaire d'une maison dans l'ouest de Montréal, d'une petite entreprise et de deux gros caniches anglais. Sérieux, honnête, poids proportionnel. Blablabla… Buts sur Rencontres-Montréal : amour, amitié, autre…

— Moi aussi, j'ai quelque chose à t'avouer…

Il s'est arrêté net sur le trottoir, suspendu à mes lèvres. J'ai poursuivi :

— En fait, je ne m'appelle pas Magalie… Mon prénom, c'est Julianne.

— C'est très joli ! Pourquoi mentir sur ton nom ?

— Disons que c'est pour garder un certain mystère…

J'ai joint un clin d'œil. Il a souri en retour. Nous avons traversé la rue Saint-Denis.

— Donc, tu aimes entretenir les mystères… C'est pour ça que tu me parles peu de toi et que tu te contentes de me poser des questions ?

– On peut dire ça…

Il s'est arrêté, la main sur la porte d'un bar.

– On prend une bière ici?

J'ai relevé les yeux, encaissant le coup sans broncher. Nous étions devant l'entrée du Bílý Kůň.

Soudain, je me suis sentie très lasse. Je fixais la porte du bar, envahie par les souvenirs. Lui. Damien… Notre première rencontre. Comme si nous étions toujours là, assis au bar, suspendus dans le temps à nous couler des regards en douce, à nous étudier. Je pouvais visualiser cette fille que j'étais. J'aurais tant voulu revenir en arrière pour la prévenir qu'elle y perdrait au change et qu'elle se ferait duper dès le départ et, finalement, sur toute la ligne.

Fuis pendant qu'il est encore temps.

– Ils ont de bonnes bières. Ils servent du vin aussi, a plaidé Prospect-Pas-Pire#14.

– Je sais.

Voyant mon hésitation, il a proposé d'aller ailleurs, ce que j'ai accueilli avec beaucoup trop d'enthousiasme. Nous avons continué à marcher sur Mont-Royal.

– T'as vu un fantôme ou quelqu'un que tu connais au Bílý Kůň? T'as vraiment pâli.

– Non, j'ai eu une baisse d'énergie. En réalité, j'ai trop faim. On va manger une bouchée?

– Tu ne m'as pas dit que tu soupais avant qu'on se rencontre au métro?

Eh merde…

– J'ai pas eu le temps de manger.

Ce qui était faux. Comme tout le reste…

Nous nous sommes attablés devant une sangria au Plan B et je me suis mise à parler. La bête était lâchée…

– En fait, j'en ai assez des mystères et je vais être honnête avec toi. Mon vrai prénom, c'est Julie-Ange, mais je

préfère Julianne. Mes parents étaient des hippies. Je les soup-
çonne d'avoir beaucoup fumé pour m'avoir appelée comme
ça. C'est romantique, tu dis? Ah oui, ça me décrirait bien. Je
crois en la famille et en l'amour absolu. Je crois aussi qu'on a
chacun notre âme sœur, qu'il y a une seule personne qui peut
nous compléter sur terre. Tu veux bien me montrer ta main
que je vérifie quelque chose?

Il l'a tendue avec une certaine réticence. Je l'ai retournée
pour détailler sa paume. Je me suis mise à tracer les lignes
très lentement. Il s'est incliné, intrigué. J'ai poussé un petit
cri suraigu qui a alerté les autres clients du bar.

— Ah, mon Dieu! C'est incroyable! Toi aussi, tu vas
avoir quatre enfants! Comme moi! Mais dis-moi, es-tu un
être double? Serais-tu Sagittaire ascendant Sagittaire, Poissons ascendant Poissons? Ou en horoscope chinois, Serpent
de bambou ou... Oh! Un Tigre de feu sauvage?!

Je lui ai déployé un de ces sourires rayonnants qui
brillent dans le noir. Je fabulais, bien sûr. Et lui, il était devenu complètement livide, à ma plus grande satisfaction.

— Euh, je ne pense pas, non.

J'ai braqué sur lui le regard le plus intense possible et j'ai
enfoncé mes ongles dans sa paume.

— Parfait! On est faits pour être ensemble! ai-je crié.

— Euh!...

Cinq minutes plus tard, il zieutait compulsivement son
iPhone puis filait vers les toilettes. Moins de deux minutes
plus tard, il s'empêtrait dans ses justifications, il devait absolument aller chercher ses enfants chez sa mère.

— Oh! Mais c'est pas écrit sur ta fiche que tu as DÉJÀ
quatre enfants!

— Non, mais, euh... J'ose pas trop le dire. C'est qu'ils
sont tous de mères différentes.

Menteur!

– Mais j'adore les enfants! J'ai toujours rêvé d'une famille nombreuse! Une belle grosse famille reconstituée de
joie et de bonheur.

Je lui ai servi mon air de pâmoison le plus sincère, du
genre chéri-j'accepte-déjà-tout-de-toi-pourquoi-me-fuis-tu-
chéri-l'instant-est-si-parfait-chéri-chéri-marions-nous-sous-
une-envolée-de-colombes-et-tout-le-tralala. Son visage blanc
a pâli de deux tons. À ce stade-ci, j'en étais à me demander si
je n'en faisais pas trop. Vraiment, le spécimen qui raconte
n'importe quoi y croit tellement qu'il se laisse prendre dans
les filets de la fille qui fait de même. Il ne remarque pas l'im-
posture. Fascinant.

– Elle a attrapé la vermicelle.

– Ta mère?

Oui, mère-grand était atteinte du genre de nouilles qui
collent à la peau.

– Non, je… Mes enfants ont attrapé une va-varicelle…
subite. Ils ont des plaquettes, je veux dire, des plaques partout. Les médecins craignent la mangeuse de chair.

Pauvre lui! Il était tellement affolé qu'il n'en était pas
crédible.

– Oh! C'est terrible!

– Je dois vraiment partir.

Il était sur ses pattes.

– On s'écrit et on remet ça? ai-je demandé, toute mielleuse.

– Ouais, ouais.

Il s'est pris les pieds dans sa chaise, trop pressé qu'il était
de fuir. Avant qu'il ne prenne la porte, comme tous les autres,
je l'ai interpellé avec le même ton enjoué:

– Mais attends! Bisou, bisou!

Je lui ai tendu les joues, qu'il a embrassées avec raideur.
J'ai poussé la chose jusqu'à courir derrière lui pour lui envoyer
des baisers soufflés depuis la sortie.

Bien sûr, il n'aurait jamais de nouvelles de Tendre_ Fleur28 qui, dès le lendemain, emprunterait une autre identité virtuelle. Usurpation d'identité, sabotage dès le premier rendez-vous, ou le deuxième (si je m'amusais vraiment...) : je ne voulais surtout pas m'intéresser à quelqu'un, faire une rencontre qui m'aurait remuée. Aussi, par précaution, je tirais la *plug* rapidement. Parfois de façon plus inspirée que d'autres.

Mes expériences passées m'avaient prouvé que le «*prospect* internet» use d'autosabotage pour se sortir d'une rencontre indésirable au lieu d'avouer qu'il n'est pas intéressé ou tout simplement pas disponible. Il multiplie les conneries, se présente comme un hurluberlu de la pire espèce, le genre qu'il faut fuir à tout prix et le plus vite possible.

Je comptais leur servir la même recette, en version féminine.

À eux tous.

Tous. Des. Cons.

Chapitre 5

Jour 9

Pour une fois, j'ai réussi à dormir à ses côtés plutôt que de passer la nuit à le regarder. Damien grogne dans son sommeil, la tête à moitié enfouie dans l'oreiller.

Mon haleine matinale est épouvantable. Je me sens ankylosée de ne pas avoir bougé de la nuit. Je tente de me dégager de son étreinte. La manœuvre est difficile, son bras repose lourdement autour de ma taille. Je réussis finalement à m'extirper des draps sans le réveiller. Victoire !

Dans la salle de bain, l'image que me renvoie la glace est saisissante. J'ai les paupières bouffies, mon maquillage a coulé et des croûtes se sont formées dans le coin de mes yeux. J'ai la trentaine sauvagement étampée au visage. La belle du matin est franchement défraîchie. Il n'y a que dans les films où les femmes se réveillent en beauté. Elles sont aussi parfaitement maquillées que lorsqu'elles se sont couchées et elles n'ont pas mauvaise haleine. Très surréaliste, mais ça nous fout un complexe malgré tout.

Je file dans la douche. Me brosse les dents, le palais, les gencives et la langue vigoureusement. Ensuite, j'attaque avec la soie dentaire. Goût métallique de sang en bouche. Pas sexy. Rebrossage de dents obligé. Listerine. Ça goûte mauvais. Re-rebrossage de dents. Je m'asperge d'un soupçon de parfum discret et enfile un déshabillé propre. Je reviens sous les draps et me colle contre la peau chaude de son dos. Ni vue, ni connue. La belle du matin est de retour, plus fraîche que dans une publicité de désodorisant aux effluves de printemps. Elle est juste un peu plus essoufflée.

Il sursaute dans son sommeil et se frotte la tête d'une main.

— Salut, Bergie, dit-il d'une voix rauque et endormie.

— Bergie?

— Bergie pour Bergeron. Personne t'a jamais appelée comme ça?

— Non.

— Ben moi, je vais le faire…

— OK…

Il pivote sur lui-même, plie un bras, le glisse sous l'oreiller et se sert de l'autre pour m'attirer à lui, ne manquant pas de couler un regard vers ma tenue.

— Je dois aller travailler, dis-je faiblement tandis qu'il embrasse ma nuque et qu'il me caresse la cuisse du bout des doigts.

— Et c'est pour le boulot que tu sens si bon et que t'as mis ce petit vêtement tout mignon? Hum?

— Juste pour le boulot.

Je tire sur l'élastique de son boxer et m'émerveille de constater que, dans l'expectative de ce qui va suivre, il est déjà excité. Je m'empare de son sexe d'une main agile. Il ferme les yeux, soupire avec un demi-sourire et dit:

— C'est ce que je pensais…

Jour 11

Je marche sur des œufs. Je me fais violence. Je me sens maladroite avec lui. J'ai peur de trop en faire. De ne pas assez en faire. Je suis dans l'impitoyable zone grise du début. J'ai peur d'avoir l'air trop attachée et de le faire fuir. Ou d'être trop distante au point où il pourrait se méprendre sur mes sentiments. J'ai peur de ne pas savoir lui communiquer dans mes gestes, dans mes yeux, les mots que je ne peux lui dire maintenant, ce que je ressens pour lui. Je calcule donc mes marques d'affection. J'essaie de tout doser.

Je surveille ce que je lui dis, tout ce que je lui révèle de moi pour ne garder que le meilleur. Je m'assure d'être toujours parfaitement épilée, d'harmoniser mes sous-vêtements, d'en acheter des nouveaux pour le plaisir de le surprendre alors que nous n'avons pas encore fait le tour de mes tiroirs. Ses boxers ont des trous, mais je m'en fous, chez lui, c'est sexy.

Je veux qu'il soit fou de moi, qu'il ne puisse plus se passer de ma présence, qu'il me décerne le prix de la reine des pipes, mais qu'il me vénère comme si j'étais la huitième merveille du monde.

Quand il retourne chez lui, je m'ennuie déjà. Je m'en veux. Je suis déçue de ne pas réussir à me sentir aussi indépendante et détachée que je m'en donne l'air. J'ai peur. Déjà. Je ne veux pas que ça s'arrête. J'ai peur qu'il m'abandonne, qu'il change d'idée, peur de m'emballer pour rien.

Je continue ma vie, ma petite routine, mais tous mes gestes sont imprégnés de lui.

Je joue le jeu à fond… en hurlant par en dedans.

Jour 14

Ce matin, il s'est levé avant moi pour me servir le déjeuner au lit. Rôties à moitié brûlées et badigeonnées de beurre uniquement au centre. Je me redresse, me contentant d'émettre des interjections admiratives, enfournant et mastiquant prudemment le tout la bouche bien fermée, advenant le grand retour de La-Mauvaise-Haleine-The-Sequel. Avec amusement, il me regarde manger sans dire un mot.

À la façon dont il m'observe, je vois bien que je m'en suis fait pour rien, la veille. Je n'avais pas eu de ses nouvelles depuis plus de quarante-huit heures. J'avais compté les heures… encore! Moi, ça! J'étais paniquée à l'idée de devoir me couper de lui, l'oublier, lui que j'avais dans la peau. J'ai réalisé l'ampleur de mon engouement quand il s'est présenté à ma porte par surprise et que j'ai senti une larme se nicher dans le coin de mon œil droit. J'ai mis cela sur le compte des allergies saisonnières. Lui, il n'a rien vu du tout. Peut-être qu'il m'a juste vue moi et ma saleté de désir. Il m'a emmenée à ma chambre sans dire un mot, sans me laisser la chance de le questionner. Tant pis. Je l'ai déshabillé avec empressement puis il m'a prise un peu plus rudement que d'habitude. J'ai joui dans ses bras, les fesses appuyées sur mon portable fermé. Deux jours d'attente, à espérer le voir en ligne, à faire d'internet le seul canal par lequel je pouvais l'atteindre.

Mais il était là. Et tout s'est effacé.

— Tu savais que je ne pouvais pas te joindre parce qu'on était en show? dit-il en me tendant une serviette de table pour que j'essuie la confiture de framboises qui est tombée sur mon bras.

— Ben oui.

Allô, je suis dinde ou quoi? Tu fais des shows dans une grotte au pôle Nord? Je ne savais pas que tu étais à l'extérieur de Montréal. En avons-nous même discuté? Non. As-tu des comptes à me rendre? Non. Ce n'est pas parce qu'on fait l'amour qu'on s'aime. Et puis, si ça ne marche pas nous deux, je redeviens célibataire dans le temps de dire « merci, bonsoir ».

— Je vais être en retard au travail, dis-je.

Jour 16

Nous sommes au Festival de jazz, car il faut bien mettre le nez dehors. Il fait épouvantablement chaud. Damien est parti me chercher une bière en fût. J'extirpe un mouchoir de mon sac et j'essuie ma nuque mouillée. Ensuite, je ferme les yeux et ose un léger déhanchement sur fond de percussions africaines, puis je m'arrête, gênée, quand je perçois une ombre derrière mes paupières.

Devant moi, le sourire le plus craquant qui soit, surmonté d'un regard clair qui me couve et, bien sûr, de quelques mèches rebelles.

– Salut! me dit-il.

L'envie me prend de me retourner, de jeter un coup d'œil derrière moi pour vérifier si je suis bien la cible d'un tel regard. Ce que je fais, l'espace d'une seconde de doute. Oui, il me regarde… moi. Et la foule tout autour n'est plus qu'un décor flou, ses yeux deviennent mon centre de gravité. Ses yeux qui ne voient que moi. Et le message de protestation qui s'impose à mon esprit est: « Euh, c'est que je, euh… »

Il me tend un gobelet de plastique et ne manque pas d'effleurer mes doigts au passage. Je prends une gorgée de bière sans qu'il me déloge de son radar. Je pousse un petit gémissement de satisfaction, style orgasme léger, alors que le liquide me rafraîchit et que son sourire s'élargit de plus belle. *Cric, crac, boum, badabing…* Ainsi va mon cœur sans aucun synchronisme avec les percussions du spectacle.

Et ça me frappe d'un coup: il n'est parti que dix minutes et je me suis ennuyée de lui.

Merde, merde, merde. Et re-merde!

Jour 19

Nous venons de sortir de chez moi et de mettre le pied sur le trottoir. C'est comme si nous émergions d'une grotte, le soleil m'aveugle presque. Et lui encore plus. Il est beau à en couper le souffle avec sa chemise bien coupée et son pantalon propre. Ses cheveux sont encore humides de la douche que nous avons partagée. Je ne voulais pas mettre une robe de demoiselle d'honneur même si j'en ai des tonnes qui auraient été appropriées à un bal des finissants. J'ai plutôt choisi une robe d'été noire, la même que je portais la première fois qu'on s'est embrassés. Il me l'a fait remarquer. J'ai relevé mes cheveux dans un chignon savamment négligé et j'ai perfectionné l'art de l'œil charbonneux. Rien de sérieux ou de trop formel, et surtout, pas moyen de qualifier la soirée à venir de bal des finissants sans le voir rougir d'embarras. C'est une soirée d'amis. Un faux bal des finissants. Pas de fla-fla. Il me l'a spécifié.

Je marche, ralentie par les talons hauts qui me font déjà souffrir. Pourtant, j'ai pris soin de les « casser » la veille en prévision de la soirée. C'était de toute beauté : je marchais chez moi avec des bas aux pieds et du décolorant pour les poils sur la lèvre supérieure. Ce n'est pas que je sois moustachue, mais une brune doit prendre ses précautions. Le genre d'accoutrement hyper sexy qu'on ne se permet pas quand on commence à fréquenter un gars. Mieux vaut donc procéder à tout rituel hors de sa vue.

Après, il n'y voit que du feu.

Ou presque…

– Tu veux qu'on retourne chez toi pour que tu puisses changer de souliers ?

– Ça va aller comme ça.

– T'es sûre ? T'as pas l'air super à l'aise…

Enfin, il arrive qu'il n'y voie que du feu…

Je voulais être sexy, avoir de la classe, être belle pour qu'il soit fier d'être en ma compagnie. Je lui sers mon sourire le plus décontracté pour lui signifier que tout est sous contrôle, que le soleil ne trahit pas de pilosité, que je suis une pro du talon aiguille à l'épreuve des ampoules aux pieds.

En silence, nous continuons donc d'avancer côte à côte sur le trottoir. J'ose à peine le regarder, lui qui marche à une distance raisonnable de moi, avec les mains enfoncées dans les poches de son pantalon. Il semble perdu dans ses pensées avec une expression sérieuse que je ne lui connais pas. Je sens une grande distance entre nous et je me mets aussitôt à douter. J'ai une envie inexplicable de lui demander si nous sommes ensemble seulement pour le sexe. De le mettre au pied du mur et d'en finir. Après tout, c'est comme ça que notre relation a commencé. Pas au tout début, parce qu'elle a été parsemée de conversations internet pendant des mois, sans attente ni attirance. Puis quand on s'est rencontrés : pas de *date*. Des intentions claires. Baiser sans attaches, c'est ce que je croyais au départ. Et s'il me voyait comme une fille facile qui avait résisté un peu pour la forme, mais qui avait fini par céder ? Une fille dont il commençait déjà à se lasser ?

– Hé ! Mais qu'est-ce qu'on fait, là ? lance-t-il en s'arrêtant. Ça ne marche pas.

Je me fige sur place, mortifiée à l'idée de ce qu'il va me dire. Je ravale ma salive et me compose un air digne. Ses mains ont quitté ses poches. Il se tient à un mètre de moi, les paumes ouvertes, la mine déconcertée.

Qu'est-ce qu'on fait, là ? On sort, je t'emmène à mon pseudo bal des finissants, mais c'est pas ça que je veux au fond. Est-ce qu'on est vraiment obligés de faire comme si ?... On ne peut pas seulement se fréquenter ? Juste se voir, baiser ? Bref, au fond, nous deux, ça ne marche pas.

D'une main, il joue avec ses cheveux, envoie valser une mèche en l'air.

– Quoi, Damien ?
– Viens ici.

Je m'avance vers lui avec hésitation. Alors que je tente de décoder son expression faciale, je sens qu'il capture ma main dans la sienne. Nos doigts s'entrelacent et je m'entends pousser un faible « Han ? ». Puis je fonds sur place quand il me fait le plus beau des sourires, un sourire qui fait briller ses yeux. Son pouce caresse mon index et nous recommençons à marcher.

J'ai encore douté. Il voulait seulement me tenir la main. Juste… ça.

— Ça te va comme ça ? dit-il doucement. C'est correct si je te tiens la main ?

Je rougis instantanément.

— Oui, ça me va.

J'observe mes pieds dont les orteils sont de plus en plus comprimés et je synchronise mes pas aux siens.

— Ah, autre chose…

Il s'arrête net et se tourne vers moi avec un peu de raideur.

— Juste pour être sûr de ne pas gaffer… Si c'est pas trop vite pour toi, prématuré ou fou… Je ne sais pas si ça se demande…

— Oui ?

— Oui, ahem… Je voudrais savoir…

Raclement de gorge, il se passe une main dans les cheveux comme chaque fois qu'il est mal à l'aise ou séducteur ou fatigué ou hésitant ou relax ou nerveux ou sexy (bref, constamment…) et dit dans un souffle :

— Est-ce que j'ai le droit de te présenter comme ma blonde ?

Je sens une vague de panique s'emparer de mes genoux et menacer de les faire claquer ensemble. Je mets la faute de ma quasi-perte d'équilibre sur le compte de mes talons aiguilles que je n'ai pas eu le temps de casser. C'est à croire que ce sont nos pieds qu'il faut casser et non les souliers.

J'aurais vraiment dû les porter plus longtemps hier et utili-ser le séchoir pour en assouplir le cuir. J'aurais été beaucoup plus à l'aise qu'en ce moment. Bon sang! Je n'ai que cette robe. On va quand même sur un bateau et sur l'eau, la nuit sera fraîche...

– Clara?

– Oui?

Je vois le doute qui traverse ses yeux et, à cet instant précis, j'en viens à me demander s'il ne vit pas le même genre d'angoisses que moi. Aussitôt, je baisse ma garde. Et si nous étions vraiment sur la même longueur d'onde?

– Est-ce que c'est oui? demande-t-il en se grattant la tête.

Il plante ses yeux pers dans les miens, il me sonde. Il y a des accents de gravité dans son sérieux et sa nervosité. Sa demande a un caractère presque solennel, je l'imagine sur le point de se mettre à genoux devant moi. Mais non, ma peur me fait halluciner. C'est simplement mignon. Veux-tu être ma blonde? Coche oui ou non.

– Oui.

Le sentiment d'insécurité qui semblait le tenailler disparaît aussitôt qu'il voit mon sourire.

– Donc, t'es ma blonde?

– Oui.

Et là, j'aperçois pour la toute première fois les petites lignes qui se forment au coin de ses yeux. C'est qu'il arbore un sourire que je ne lui connais pas. Il y a quelque chose comme de la fierté dans son regard, mais je ne peux mettre le doigt dessus.

Et nous nous remettons aussitôt à marcher, main dans la main.

– *Good*, dit-il, toujours en souriant.

Saletés de souliers...

Chapitre 6

– Tu t'ennuies pas trop à la maison ?

– Non, ça va.

Mélo m'a lancé un regard à la fois déçu et incertain. Elle se demandait sûrement si je regrettais sa présence quotidienne dans l'appartement. En fait, j'aurais aimé lui dire que je profitais de ces instants de solitude pour me ressourcer, mais ce n'était pas le cas. Je multipliais les heures supplémentaires et j'alternais les rendez-vous d'affaires avec les rencontres de *prospects* d'internet. J'étais partout sauf à la maison. J'étais surtout loin de ce qui me rappelait Damien.

Je voyais clairement où Mélo voulait en venir. Elle se trahissait dans son hésitation à choisir un sushi, à le poser dans son assiette, à le tourner de façon quasi compulsive, à le déposer et à reprendre ses baguettes en faisant des « hum » songeurs avant de s'essuyer les coins de la bouche, le tout en me jetant des coups d'œil intermittents.

– Oui, Mélo ?

– Han, quoi ?

– T'as quelque chose à me demander ?

Elle a soupiré, prise en flagrant délit. Elle était si peu subtile quand elle avait une question en tête ou une offre à me faire. On pouvait voir ses émotions, le moindre malaise balayer son visage. J'avais appris à lire en elle au fil des années de sorte qu'elle était presque devenue transparente à mes yeux.

Elle s'est lancée.

– Comment ça va, Clara ? T'as reparlé à Yan ?

– Non. Pas de nouvelles.

– T'es toujours fâchée contre lui ?

– Non, mais je crois que c'est à lui de faire le premier pas.

– Mon Dieu, vous êtes tellement orgueilleux tous les deux !

– Yan t'a dit quelque chose ?

– Mais non, rien… On ne se voit pas beaucoup. Il est souvent avec « Yan deuxième ».

Pour Yan, son amoureux était surnommé Yanitou. Pour moi, il était « Yan numéro deux ». Mélo, elle, avait une de ces façons de parler du chum de Yan, avec une pointe de dépit dans la voix… Il n'y avait pas si longtemps, elle s'était avouée amoureuse de notre ami d'enfance. Depuis cette prise de conscience, elle arrivait petit à petit à se détacher de lui tout en essayant de garder intacte leur amitié. Heureusement que Yan n'était au courant de rien.

– Ah, bon…

– Hum…

Nous avons continué à manger en silence. Mélo poursuivait son petit manège. Hésitation, rotation du sushi, mouvements de baguettes et regards fuyants.

– Quoi, Mélo ?

– Ça t'arrive de penser à Damien ?

– Ben oui…

Je me suis fourré un sushi dans la bouche. Je l'ai savouré avec délice tout en affrontant les yeux maintenant tristes de mon amie.

– Et ça t'arrive d'avoir de la peine en pensant à lui ?

– Pas vraiment.

Devant l'insistance de son regard, j'ai cru bon de me justifier :

– J'ai été déprimée quand je me suis séparée de Vitto il y a deux ans et je ne veux plus vivre ça. Qu'est-ce que ça a donné au bout du compte? Absolument rien!

– Mais avec Damien... c'était différent. Tu me le disais toi-même...

Je l'ai corrigée:

– Avec Damien, ça a été très court. Une amourette d'été! Le temps pour lui de me mettre de la crème solaire sur le dos et de repartir comme un champion.

– Clara, c'était bien plus que ça, voyons, tu le sais!

– Le sujet est clos.

Je me suis levée de table prestement et j'ai ramassé nos assiettes. J'ai jeté les restes de sushis à la poubelle, rempli le bol de moulée de Monsieur-Monsieur qui était resté bien patiemment près de la table dans l'espoir de récolter quelques miettes, sans toutefois se montrer trop insistant. Dans mes gestes, toute colère était contenue. J'espérais que Mélo en viendrait à changer de sujet, à détourner la conversation vers une question moins épineuse que celle du club des ex. Il n'en était rien. Elle se contentait d'observer un silence de marbre et de suivre mes mouvements des yeux. Elle ne lâcherait pas le morceau tant que je ne cracherais pas le mien.

– Mélo, je suis tellement...

J'ai repris mon souffle et poursuivi:

– Tellement en colère que je... Soixante-douze jours! *Fuck!* C'est tout ce que je vaux? Je me sens humiliée! Un vrai beau salaud! Maudit Damien! Je l'haïs! Je l'haïs tellement que je...

Je me suis tournée vers mon amie. Au lieu de me renvoyer l'air horrifié auquel je m'attendais, Mélo me souriait avec encouragement.

– C'est bon!

– Comment ça, c'est bon? ai-je demandé, désorientée par la mine presque réjouie qu'elle affichait.

– Ben, c'est juste normal que tu sois fâchée. T'as un deuil amoureux à vivre. C'est écrit partout sur internet. D'abord, le choc, la colère… Après, ça sera la peine et finalement, l'acceptation…

J'ai secoué la tête devant la théorie. Tout ça se réduisait à des étapes et pas moyen d'y échapper? J'étais donc normale? Moi? Ah, si seulement elle savait…

– Je suis humiliée et je m'en veux tellement de m'être fait avoir comme une belle dinde. Il m'a vraiment raconté n'importe quoi!

– Je ne crois pas que Damien t'ait raconté n'importe quoi, a plaidé mon amie en me lançant un regard prudent. Il me semble que c'est pas son genre. En fait, je pense qu'il était sincère…

– Merde! Mais s'il était sincère, explique-moi comment il a pu changer d'idée aussi vite! Est-ce qu'on peut vraiment arrêter d'aimer du jour au lendemain?

J'avais devant moi le troisième candidat du jour. Nous passions à travers une série de questions. Où vous voyez-vous dans dix ans? Est-ce que votre employeur actuel répond à vos aspirations? Quelles sont les forces et les faiblesses de l'entreprise pour laquelle vous travaillez? Si vous aviez à changer une seule chose à votre poste, quelle serait-elle? Qu'attendez-vous d'un futur employeur? En quoi pourriez-vous contribuer au succès d'une autre entreprise? Le but était de dénicher le candidat idéal sans avoir l'air de lui vendre le poste. Il fallait trouver le *match* parfait sans que le postulant en arrive à savoir ce qu'on cherchait exactement et qu'il puisse modeler ses réponses sur celles qui étaient attendues. Bien entendu, il serait rappelé en deuxième entrevue s'il avait satisfait aux conditions préalables, et là, je lui vendrais la job jusqu'à ce que la seule avenue pour lui soit de l'accepter.

Vous avez reçu un message de Quelqu'un d'insignifiant sur Rencontres-Montréal :
Salut BellaNamaste, à quelle heure se rencontre-t-on ?

Un autre message d'un autre insignifiant sur Rencontres-Montréal :
Bonjour InconnuePourtoi,
Ta fiche m'interpelle même si elle est très courte. Une fille directe ! J'aime ça ! Je suis d'accord pour un café. Pourquoi perdre un temps inutile en clavardant ?

Et un autre de… :
Chère Nathalie,
J'ai été enchanté de te rencontrer l'autre soir. Je me demandais si tu aimerais qu'on se revoie. En tout cas, moi, j'aimerais bien. Désolé pour ce quatrième message. J'ai essayé le numéro de cellulaire que tu m'as laissé, mais il ne fonctionne pas. Je ne veux pas être trop insistant. Il me semble que ça cliquait nous deux… Comme on dit : qui sait ce que l'avenir nous réserve et… qui ne risque rien n'a rien.

Vous avez reçu un message de…
Et un message à supprimer de…
Un autre message de…
Tout pour se geler. Oublier.

Les questions étaient toutes là, jusque dans l'attitude professionnelle teintée d'écoute et de connivence. Créer le lien, mettre en confiance, hocher la tête, prendre des notes et laisser le stylo suspendu en l'air pour marquer un moment d'intense écoute. Je mimais les gestes qu'il fallait quand il le fallait. Extérieurement, je donnais l'impression d'être en pleine possession de mes moyens. Extérieurement.

Et pour les rencontres internet, c'était le même processus. Et les notes à prendre ? Au suivant… et au suivant. Tous des numéros.

Prospect-Pas-Pire#18 m'avait conviée chez Schwartz's, boulevard Saint-Laurent, le comble du romantisme. Mon scénario n'était pas au point ce soir-là. Je n'avais qu'une envie : celle de dévorer un de ces fameux sandwichs à la viande fumée dont tout le monde parlait et surtout, surtout, de ne pas manger seule à la maison. J'étais donc Cynthia, alias Soleildeminuit31, professeure de yoga, végétarienne en rechute de viande.

– J'ai une de ces faims !

– Moi, j'ai plutôt soif d'en connaître plus sur toi.

– Ha ! Ha !

– Parle-moi de toi…

– Ahem… Je ne vais pas garder le mystère longtemps. En fait, je suis une fille qui commence par une entrée, puis qui mange le plat principal et le dessert, dans l'ordre. Et je mange tout ça par la bouche. Des fois avec les doigts.

– Wow…

– Eh oui.

– Quelle chance d'avoir été le premier à t'écrire au moment où tu as mis ta fiche en ligne !

J'ai froncé les sourcils par-dessus le menu, déconcertée par le ton sérieux avec lequel il répondait à mes boutades. Avais-je affaire à un pince-sans-rire ? Non, aucune lueur de plaisanterie dans les yeux. Pas une trace d'humour. Rien.

La serveuse est arrivée à ce moment-là et a pris ma commande. De son côté, Prospect-Pas-Pire#18 ne voulait rien manger, se disant lui-même trop capricieux pour arriver à trouver quelque chose à se mettre sous la dent. Il a demandé une petite assiette de cornichons, rien de plus.

– As-tu la langue géographique ? me suis-je informée en me rappelant LeJackPot, un ancien *prospect* qui avait des goûts douteux.

– C'est quoi ça ?

– Tu chercheras sur Google…

– Google, c'est fou ce qu'on y trouve !

– En effet…

Bon… au secours. Banalités entre inconnus. J'avais respecté la première condition (sécurité : endroit public). Mon personnage d'ex-végétarienne n'était pas assez au point pour meubler la conversation avec autre chose que :

– Hum… Un bon *smoked meat* !

– Tu fais bien de dire « *smoked meat* », a-t-il répliqué en prononçant exagérément tous les mots. C'est tellement mieux que « sandwich à la viande fumée ». Il me semble que c'est plus long à dire et, quand on y pense, ça goûte moins bon.

J'ai haussé les épaules en retenant un soupir d'ennui.

– Ah bon…

– *Smoked meat*… Juste de te l'entendre dire et j'ai faim.

– Mange, alors…

– Hum… manger…

Je me suis retenue de rouler des yeux pour regarder distraitement l'endroit. On avait connu lieu plus inspirant et plus rénové. Sans cette faim qui me tenaillait, j'aurais utilisé mon ingrédient magique de prédilection : la poudre d'escampette ! Bon, j'allais manger pronto et partir dans une sortie abracadabrante, du genre j'ai-une-vaginite-grimpante-il-faut-que-je-me-sauve.

– C'est quoi ton vrai nom ?

– Joe.

– Mais ça, c'est ton pseudo, Joe Bleau.

– Ah… Mystère…

– Moi, je te dis mon VRAI nom et toi, tu ne me rends pas la pareille ? Super !

– Mystère, mystère…

Je n'en pouvais déjà plus.

J'ai levé un sourcil, incertaine de l'angle sous lequel envisager le personnage. Mon assiette est arrivée. J'étais affamée. Enthousiaste, j'ai pris une grosse bouchée.

Il insistait :

– Bleau comme dans *blow*. La comprends-tu ?

J'ai secoué la tête en signe de négation tout en mastiquant mon sandwich.

– B-l-o-w. Joe Bleau… *You blow Joe.*

Il m'a pointée du doigt avec, pour appuyer ses dires, un clin d'œil sans équivoque.

– Gneuh ? ai-je réussi à articuler, la bouche toujours pleine.

Pendant que j'enfournais le plus de nourriture possible, me mettant dans l'impossibilité buccale de lui répondre, j'analysais la situation avec trois questions fondamentales. Un : faisait-il réellement allusion à une possible fellation ? Deux : est-ce qu'il me plaisait un minimum ? Trois : pourquoi n'avais-je jamais mangé chez Schwartz's auparavant ? Ce sandwich était, ma foi, d'une *délicieuseté* incomparable ! Mon verdict : le sandwich était drôlement plus intéressant que le gars qui me faisait face.

Puis il a ajouté sa propre petite question au lot, répondant au passage à la question *uno*.

– On va chez moi ou chez toi ?

– Pouah ha ha ! T'en as d'autres, des clichés comme ça ? me suis-je moquée, sentant le piège se tendre. C'est quoi ton signe ?

– Taureau. Dans tous les sens…

– Gneuh ?

– T'es belle quand tu manges…

J'ai mordu à pleines dents dans mon sandwich, mâchouillant le tout avec assez de grâce pour qu'il voie bien le contenu de ma bouchée, y allant même de quelques effets spéciaux buccaux, sapement inclus. Joe-Bleau-comme-dans-blow n'en démordait pas. J'ai pris une autre mordée de mon sandwich.

— Bon… assez niaisé! Où est-ce que tu veux qu'on aille pour que je te baise comme une reine?

Et j'ai avalé de travers.

— Ben làààààààààà!

Prise d'un fou rire, je me suis essuyé la bouche et les larmes qui me coulaient des yeux. J'ai dû me moucher dans ma serviette de table, la moutarde au nez dans tous les sens du terme. J'ai repris mon souffle à grands coups de «Wouh!». Et lui attendait patiemment une réponse.

— T'es sérieux? ai-je réussi à demander une fois que j'ai eu retrouvé mon calme. T'es vraiment sérieux?

— J'ai jamais été aussi sérieux de toute ma vie!

Pfft.

— Dis-moi donc, ça ne serait pas un truc pour me faire peur, parce qu'au fond, t'es pas intéressé et que tu cherches la meilleure façon de t'en sortir? Je connais la game!

Je lui ai lancé un clin d'œil.

— Pas du tout, a-t-il dit. Je suis vraiment sérieux. J'ai même une grosse érection sous la table…

Ark! Mon Dieu… Avais-je affaire à un fétichiste de la viande? Jurez-vous de dire la vérité, toute la vérité, dites: je suis bandé.

— Eh bien, une chance que l'érection est sous la table et pas derrière ton oreille… Sinon, tu aurais un sérieux problème…

C'était à se demander où il était, le morceau de viande… Dans mon assiette ou juste au-dessus à l'observer avec consternation? C'est vrai qu'on disait que le boulevard Saint-Laurent, c'était le *meat market*.

– Si je comprends bien, regarder une fille manger son « sandwich à la viande fumée », c'est un assez bon préliminaire pour toi ?

Il a souri. J'ai renchéri :

– Et tu crois que je suis en quête d'une aventure ?

– Ben, c'est écrit sur ta fiche. Pis une fille qui accepte une rencontre à 11 heures du soir, si c'est pas pour baiser, c'est pour quoi ?

– Manger ? Jaser ? Faire connaissance ? Et tout ce qu'on peut faire pendant une rencontre NORMALE…

– C'est toi qui me parles de MANGER avec la BOU-CHE… et les DOIGTS. Pas moi !

– Euh…

– Et de mon érection…

– C'est TOI qui as abordé le sujet !

– Et de langue…

– De langue GÉOGRAPHIQUE ! Franchement…

– Bon, OK, je m'en fous du pays de la langue que tu parles ! C'est oui ou non ? Décide, et vite ! Je travaille demain matin et j'ai mis de l'argent dans le parcomètre.

Et il a brassé son trousseau de clés juste sous mon nez. J'ai montré les dents, un peu.

– Tu veux ma réponse ?

– Oui !

– Ben c'est non, champion ! NON !

Il s'est levé de façon presque majestueuse et j'ai évité soigneusement de regarder la protubérance de son entrejambe.

– Bon… C'est ça ! Une autre maudite agace !

Il a quitté Schwartz's au moment même où je lui lançais une patate frite garnie de ketchup à la tête.

– Ben oui, c'est ça ! Va donc te la coincer dans une porte, espèce de maniaque !

CHAPITRE 7

Jour 23

Nos soupirs sous les draps, sur les draps, il n'y a pas un oreiller qu'il n'ait adopté, nous roulons d'un côté comme de l'autre selon l'endroit où nous échouons, à bout de souffle, un peu troublés, tout à fait ravis. C'est mon lit, mais je ne sais plus quel est mon bord. Peu m'importe. Le lit lui appartient et moi aussi, un peu. Il me regarde avec tellement d'attention, l'ombre d'un sourire pas loin devant tout ce que je dis, tout ce que je fais, même quand j'ai l'impression que c'est juste des conneries. J'essaie de me lever, il me ramène, m'étreint par-derrière. Il me dit, l'air gamin, le cheveu fou : « Ne pars pas… » Et je dis : « Je vais juste faire pipi, Dam. » Il pouffe de rire. Confus, il se gratte la tête, la mèche encore plus rebelle. À la vision de son biceps qui se tend, je ris comme une petite fille, mais avec des pensées beaucoup plus lubriques. Je me surprends à sautiller jusqu'à la toilette. À la seconde où je réapparais dans ma chambre, il me fait basculer dans les draps dans un éclat de rire, sous lui, là où je ne peux plus bouger, d'où je ne veux pas bouger. Et de longues conversations s'ensuivent. Je le questionne juste pour entendre sa voix. On ne peut être en silence sans se toucher.

Damien me fait une petite place sur l'oreiller pour que j'y pose ma tête et me demande :

– Ça a été quoi ta pire rencontre par internet ?

– Toi !

– Ha! Ha! Très drôle…

Il me pince gentiment une fesse et puis nous nous regardons sans rien dire, en nous rappelant comment tout ça a commencé, les malentendus, les quiproquos, les mots qu'on tapait trop vite sur le clavier et qu'on regrettait par la suite. Depuis, notre relation a changé. Si maintenant nous utilisons parfois le cyberespace pour communiquer, il n'y a plus de non-dits. Enfin, peut-être plus autant…

– Et toi, tu as fait des rencontres par internet?

– Juste une… une belle brune avec un caractère épouvantable. Cette fille-là m'en a fait baver…

Je ris et me niche dans le creux de son bras. Il m'embrasse le sommet de la tête.

– Arrête! T'as aimé ça…

– J'avoue… J'avoue…

Je détourne le visage, les mains appuyées contre sa poitrine, et le questionne, taquine:

– Je me demande à quoi aurait ressemblé ta fiche si tu avais été sur un site de rencontre. Mais qu'est-ce que j'imagine là? Pouah, toi sur internet? Avec toutes les groupies qui viennent à tes shows?

Il se gratte la tête, regarde le plafond, légèrement embarrassé.

– Pas tant que ça…

– Pfft. Pas tant que ça…

– Hé, tu ris de moi?

– Jeune homme dans la fin vingtaine, beau bonhomme, qui ne le sait pas ou… qui fait juste semblant de ne pas le savoir. Aime: jouer de la basse de façon désinvolte, se passer la main dans les cheveux, utiliser de la pommade en cachette, livrer du poulet…

Il plisse le nez et me lance un regard de côté.

– T'es baveuse…

Puis il rit. Je poursuis:

— Aime la bière, les chiens, le cinéma d'auteur, la littérature, le poker, la musique…

— Dormir chez Clara Bergeron.

— Téteux…

Son sourire s'élargit.

— Un peu…

Il tapote ma tête et décoiffe mes cheveux d'une main. Je le laisse faire, tout occupée à tracer des cercles sur sa poitrine en l'observant à la dérobée.

— Aime cacher son emploi du temps et ses projets cinéma à sa nouvelle blonde? dis-je en levant un sourcil.

— C'est vrai? J'ai l'air de te cacher des choses? demande-t-il en fronçant les sourcils et en saisissant mon doigt dans sa paume.

— Mais non… Ben oui…

— C'est pas mon intention. Rien n'est sûr encore, c'est pour ça que je ne t'en ai pas parlé. J'attends de voir ce qui peut débloquer avant de t'expliquer ce que je fais.

— Monsieur le mystérieux réalisateur…

— Mais attends… Ma fiche imaginaire et hypothétique, elle aurait été écrite dans le temps de notre rencontre? Je n'avais pas de blonde.

— Donc: Buts sur le réseau? Amour, amitié, aventure, autre?

— Autre? demande-t-il, perplexe.

— Échange de semis, démos de Tupperware érotiques à domicile?

Il rit et porte ma main à sa bouche pour embrasser le bout de mon doigt, puis il redevient songeur, fixe son regard au plafond et répond:

— Amour, c'est sûr…

Il sourit pour lui-même. Je pianote sur sa poitrine alors que le rouge me monte aux joues. Je poursuis:

— Et finalement, comme pseudo, pas T.R., non… Tranche-Radis28.

Il pouffe de rire.

— Mais là, Bergie, ma fiche est tout à l'envers! D'abord le pseudo, après la description! Toi, tu commences par la fin…

— Vaut mieux commencer par la fin…

Je me glisse sur lui, sa peau chaude contre la mienne.

— Et comment ça finit? demande-t-il doucement.

Je déglutis. Il place une mèche de mes cheveux derrière mon oreille.

— Bien. Ça finit bien.

Jour 24

Damien est au volant de ma voiture. Nous sommes stationnés en double depuis un long moment devant une maison blanche où des tas d'arrangements floraux voyants rivalisent avec un gazon qui se donne des airs synthétiques. Un rideau opaque bouge derrière une des fenêtres sans laisser entrevoir personne, mais je sais d'instinct et par expérience qui nous épie.

Il me demande avec un sourire encourageant:

— Vas-tu réussir à sortir de la voiture?

Et je réponds par d'autres questions, ne pouvant dissimuler ma nervosité.

— Pensais-tu que j'avais grandi dans une maison où il y a des lions en pierre de chaque côté de l'escalier? L'imaginais-tu comme ça?

Il s'incline vers moi et jette un coup d'œil par la vitre du passager pour constater par lui-même. Il ne peut masquer un sourire malicieux.

— Euh, oui. J'imaginais tout le kit italien…

Je relève à peine la taquinerie tant je suis angoissée à l'idée d'entrer chez ma mère. C'est bien sûr Nita, ma sœur,

76

qui a insisté, comme toujours. «Tu ne viens pas souvent sou-per chez maman» (c'est un fait). «Elle serait contente de te voir» (ah oui? Contente? Le mot n'est pas un peu fort?). «J'ai quelque chose d'important à annoncer» (dans ce cas, je crois qu'il serait mal vu de décliner l'invitation...).

– Ouf... On est bien à l'air conditionné, dis-je en tour-nant le bouton pour en monter l'intensité.

Même s'il y a l'air conditionné à l'intérieur, dans la mai-son, il faudra quand même que je marche jusqu'à la porte et, franchement, j'ai vraiment pas le goût de vivre ça.

En fait, c'est un énième affrontement avec ma mère que je ne veux pas vivre.

Je m'évente d'une main avec ma robe d'été pour appuyer mes dires. Damien pose ses avant-bras sur le volant, en at-tente, et marque un rythme avec ses pouces.

– Remarque, on peut rester stationnés comme ça encore un bout. Mais ma pratique commence dans une heure... À moins que tu annules ton souper et que ça te tente de jouer du triangle dans le *band*?

Il a adopté ma voiture pour transporter sa basse et son ampli. Ça s'est fait tout seul. Je lui lance les clés, il prend le volant et je me laisse conduire.

– Non, ça va aller, dis-je d'une voix un peu étranglée.

– T'es sûre?

– Non!

Damien étouffe un petit rire et glisse sa main dans mon cou dans l'espoir de me relaxer, or, je suis tendue comme jamais. Dans l'expectative de ce qui va suivre, une foule d'images me viennent en tête. Des mots surtout, et un flot de reproches: je ne la vois pas assez, je n'appelle jamais. Je n'ap-pelle pas mon frère non plus. J'arrive encore en retard. Je ne suis pas allée au baptême de l'un et au *shower* de l'autre, ni au salon funéraire quand le cousin de ma mère est mort.

– Pourquoi tu hésites à entrer?

– Parce que… ma mère va encore me demander : « *Dio mio !*, quand est-ce que tu vas te marier ? »

J'ai imité l'accent italien typique en insistant sur les grands gestes de la main. Une longue seconde de silence passe avant que Damien s'esclaffe.

– Mais c'est très drôle !

– Non, ce n'est PAS drôle !

– C'est ça qui te stresse ? Qu'elle te pose cette question ?

– Je ne suis pas stressée.

– Ah bon.

Damien ne me connaît pas encore assez bien. Il ne connaît pas cette partie de moi qui a une tendance au déni aussitôt que je suis acculée au pied du mur. Il se contente de me regarder avec incertitude, probablement en train de se demander comment interpréter mes expressions faciales et quelle est la source de cette panique qui m'empêche d'ouvrir la portière, de marcher sur l'allée de dalles et de cogner chez ma mère. Il m'en coûte qu'il me voie comme ça, à anticiper une question existentielle qui est somme toute sans importance.

– Tu vois, ma mère aussi raconte les mêmes histoires : « Quand est-ce que tu vas enfin terminer tes études et te trouver un vrai travail ? » Par chance, elle n'est pas rendue au mariage…

– Se marier, pfft.

– Ah bon, répète-t-il, songeur.

Nous avons échangé sur le sujet sans même nous regarder, chacun dans son malaise. Damien semble assimiler les informations que je lui donne au compte-gouttes. Je regrette d'avoir abordé la question, enfin, celle qui préoccupe tant ma mère et toute Italienne qui se respecte.

– Bon, j'y vais. Tu passes me chercher vers 9 h, c'est bon ?

– D'ac.

Le contact se rétablit, sa main sur ma joue, un long baiser, un sourire.

– *Go*, beauté farouche, *go*, lance-t-il au moment où j'ouvre enfin la portière et sors de la voiture, aussitôt assommée par une chaleur plus qu'accablante.

– Beauté farouche? Où t'as pris ça?

Il secoue la tête en riant, hausse les épaules et tourne la clé dans le contact.

– Aucune idée… À tantôt, Bergie!

Il m'envoie un salut de la main, je ferme la portière et regarde la voiture s'éloigner à contrecœur. Je pivote sur mes talons et vois aussitôt ma sœur qui accourt vers moi dans l'allée.

– *Oh my God!* C'est qui? T'as-tu un chum? crie-t-elle en me sautant presque dans les bras. *Was it your boyfriend?* Mon Dieu!

– Salut, Nita! Ça va?

Je l'embrasse à mon tour et aperçois par-dessus son épaule notre mère qui nous regarde depuis la porte d'entrée avec ses bras croisés et son air le plus sévère. Depuis combien de temps est-elle plantée là? A-t-elle vu Damien? M'a-t-elle vue l'embrasser? À l'idée d'avoir été prise sur le fait, j'éprouve une angoisse d'adolescente. Et il est parti avec MA voiture. Ce qu'elle peut s'imaginer, je n'aime mieux pas y songer!

– *Me?* Moi, je vais… enceinte, oui, Clara, *I'm pregnant*, je suis enceinte! *My God, I'm so excited!* C'était ça la grosse nouvelle!

J'écarte aussitôt les mains en m'écriant:

– Mon Dieu, Nita! Mais qu'est-ce qui va arriver avec tes gros seins?

Appelons un chat un chat, et des gros seins des mosus de gros seins. Nita a des prothèses mammaires flambant neuves. Elle est passée d'un respectable B à un plantureux D. Sans vouloir porter de jugement, je considère 1) que l'opération n'était vraiment pas nécessaire dans son cas, 2) que les soutiens-gorge pigeonnants offrent la possibilité d'en mettre plein la vue, 3) qu'avec d'aussi gros attributs et la taille fine qu'elle a, elle s'en trouve disproportionnée et en constant danger de tomber vers l'avant, 4) que finalement, ça lui va comme un gant, elle est superbe et donc 5) qu'en comparaison, j'ai presque l'air plate comme une planche.

– Ils vont être plus gros ! s'exclame-t-elle en riant. *Like this!*

Et elle mime des seins ayant chacun la taille d'un melon d'eau.

– Alors, je suis *vraiment* contente pour toi !

Je l'embrasse à nouveau, sincèrement heureuse pour elle. Elle a toujours parlé de bébés, depuis qu'elle est petite. J'avais cinq ans lorsqu'elle est née et, aussitôt qu'elle a développé des réflexes de préhension, c'était pour m'arracher mes poupées des mains. Ma demi-sœur, ma moitié de petite sœur de vingt-six ans qui est enceinte. Le temps passe si vite…

Puis nous marchons bras dessus, bras dessous vers la maison. J'en oublie ma mère, qui n'a pas bougé d'un poil, qui n'a pas dit un seul mot de bienvenue. Ma sœur trépigne sur place. Je la revois enfant. Ça me met du baume au cœur et j'accueille le sentiment avec plaisir.

– Mais toi, t'as un chum ! Enfin ! *It was about time*, je peux te dire ! Allez-vous vous marier ?

– Nita ! Franchement !

Son rire cristallin éclate. Elle remarque la mine que je fais, m'étreint et me plante un gros baiser mouillé sur la joue. Au moins, avec elle, mon anticonformisme est accepté.

Chapitre 8

– Et là, il m'a dit : «Où est-ce qu'on va pour que je te baise comme une reine?» J'ai failli m'étouffer avec mon sandwich, je vous jure…

– C'est pas croyable!

– Mon Dieu!

– Et… c'est pas tout…

J'ai fait une pause pour marquer mon effet. J'ai pris une gorgée de cappuccino sous le regard de mes collègues Brigitte et Marie qui étaient suspendues à mes lèvres. C'était devenu une sorte de routine matinale, mon petit moment de gloire. Je faisais un compte-rendu de mes rencontres de la veille et j'arrivais plus tôt chaque matin pour leur relater mes déboires (non) amoureux.

– Je lui ai demandé s'il était sérieux et il m'a dit qu'il était tellement sérieux qu'il avait une grosse érection sous la table.

– Doux Jésus!

– Je lui ai fait remarquer que c'est mieux d'avoir une érection sous la table plutôt que derrière l'oreille.

– Ha! Ha! Ha!

Il faut dire que je ne donnais pas ma place en matière «hurluberlue» en jouant des rôles. Bien entendu, j'omettais mes nombreux mensonges, tout ce qui m'incriminait, pour me concentrer sur les personnages et les dialogues cocasses. Pour les alimenter, je juxtaposais les anecdotes, j'allais même jusqu'à inventer des courriels échangés où mes *prospects* étaient pires que dans la réalité.

— Mais comment tu peux tomber sur autant de gars bizarres?

— Ils sont tous comme ça! Je vous jure… Il n'y a plus un seul homme normal!

J'y allais fort sur les généralisations. En réalité, en multipliant les rencontres, je multipliais aussi mes chances de tomber sur les pires spécimens. Mes collègues se mettaient à sourire, soulagées de constater qu'elles n'avaient rien à m'envier et que leur mari était finalement plutôt bien. Une fois à la maison, elles passaient par-dessus les petits travers de chéri et disaient: «Mon loup, je suis si chanceuse de t'avoir rencontré!» C'est qu'elles avaient réussi à mettre le grappin sur une espèce rare: «l'homme qui a du bon sens». Si elles m'avaient envié ma vie pleine d'aventures, d'insouciance et de liberté, là, ce n'était plus le cas.

— Je n'aimerais pas être célibataire, a affirmé Marie. C'est si compliqué de nos jours!

— Je n'arrive pas à y croire, a renchéri Brigitte en prenant une gorgée de café à son tour. Il faut vraiment vouloir rencontrer quelqu'un… Je ne dis pas que tu es désespérée, Clara. Pas toi! Mais les hommes… Oh là là…

La vérité est que je me sentais seule, terriblement seule, et que je refusais d'avoir l'air pitoyable. À défaut d'avoir Yan pour échanger des anecdotes amusantes, et avec Mélo qui ne semblait vouloir discuter que de mes émotions, je m'étais rabattue sur mes deux collègues mariées. Et pour être bon public, elles l'étaient. C'était ça ou endurer leurs regards qui frôlaient la pitié parce qu'elles avaient déjà aperçu Damien alors qu'il venait me chercher après le travail. Comment auraient-elles pu oublier un garçon aussi beau et charmant? Être célibataire était un vilain virus et le fait de s'être fait larguer était le symptôme d'une maladie incurable. J'avais choisi de jouer la fille détachée, celle qui est passée rapidement à autre chose et qui se cherche d'autres options. «Au fond, si elle ne rencontre pas un homme digne d'elle, c'est qu'ils sont tous des cas pathétiques.» L'équation allait de soi.

— C'est quoi l'intérêt de faire des rencontres par internet, surtout si tu tiens à rester célibataire?

— Le divertissement, mesdames! Est-ce qu'on a besoin d'aller au cinéma, d'écouter la télévision, quand on a devant soi une vraie comédie de situation et qu'on peut même y participer?

Je ne voulais pas rester seule dans mon appartement. Quand je ne faisais pas d'heures supplémentaires et que je ne voyais pas d'amis, je me trouvais toujours un gars à rencontrer. Alors, je rentrais chez moi, je mettais la musique à fond pour meubler le silence, je sortais mon chien, je mangeais en vitesse, je me préparais et je filais aussitôt à mon rendez-vous. Je revenais assez tard pour tomber raide morte de fatigue et ne penser à rien.

— Mais ça ne devient pas un peu lassant à la longue?

— Non, pas du tout! Mais là, n'allez surtout pas vous imaginer que je fais juste ça de mes temps libres… Une petite rencontre, un petit café, ensuite, c'est les cours de tennis, de photographie, de salsa. Je suis une fille occupée.

Mais il n'y avait que ça. Les rencontres. Parfois même trois par soir. Et j'en perdais le compte.

J'en étais au stade où je pouvais mentir sans ciller et j'en éprouvais une sorte de fierté malsaine. C'était un petit jeu qui me plaisait beaucoup.

Gilles, mon collègue avec qui j'avais flirté (à son insu) via internet sous le pseudo de Ginette_avec_ses_seins48, est venu s'immiscer dans la conversation.

— Moi, j'aimerais pas ça tomber sur une fille comme toi! Tu dois pas mal être castratrice avec les hommes.

Je lui ai lancé un regard qui lui donnait entièrement raison avant de reporter mon attention sur mes collègues, puis sur ma montre.

– Bon, on se voit demain à la même heure, les filles? Je vous imprimerai quelques fiches intéressantes… Vous allez voir, il y en a des pas pires…

Un dernier clin d'œil et je filais à mon bureau sans regarder derrière. Chaque chose était à sa place. Chaque dossier en ordre. Un agenda avec des codes de couleurs, des affiches, des organigrammes, rien de personnel, cela aurait pu être la place de quelqu'un d'autre. Toujours les deux mêmes causeuses qui ne servaient à rien d'autre qu'à limiter l'espace disponible. Il y avait longtemps que je ne m'y étais pas assise pour prendre une pause de cinq minutes et contempler la ville, le boulevard de Maisonneuve et ces nombreuses voitures qui y défilaient. Il était l'heure de se mettre au travail… J'ai laissé mon regard errer par-delà la fenêtre, appuyé ma main sur la vitre froide. Nous étions en octobre et le beau temps avait filé.

Je me suis installée à mon bureau et j'ai allumé mon ordinateur. Un courriel de ma sœur à la syntaxe douteuse m'attendait.

You girl!
Tu peux me répondre à propos mon *shower* de bébé, oui ou non? *Answer, pleeeease!* Je veux que ma sœur le fait. Est-ce que je demande trop? Ma belle-sœur veut prendre le *lead*, mais je dis à elle non merci. *But now*, je suis pas sûre que tu veux. Alors, tu veux-tu? *Pleeeeease!*
Tons of love and kisses,
Mommy Nita

J'ai roulé les yeux devant l'écran. Vraiment, ma sœur faisait tout un plat de ce *shower* de bébé, bien qu'elle n'en soit

84

qu'au cinquième mois de sa grossesse. Elle passait par-dessus toute règle sociale, du genre : jouer à l'innocente, faire comme si elle ne se doutait de rien et surtout, mais surtout, ne pas s'en mêler. Ce qu'elle faisait présentement était justement de mettre son grain de sel et d'organiser elle-même son *shower* à travers moi. L'argument qu'elle m'avait servi pour une célébration prématurée : «Je ne veux pas être grosse à mon *shower*.» Alors, l'événement devait se tenir au cours de son septième mois de grossesse afin de faire en quelque sorte office de vernissage de ses photos de bedaine, rendez-vous déjà pris depuis des semaines. Ce que je craignais par-dessus tout, c'était de m'embarquer dans une entreprise colossale. Elle avait dit : «Je veux un enfant depuis longtemps. Le *shower, I want it big*!» Ses souhaits (lire : exigences) prenaient des tournures nuptiales : une liste interminable d'invités, un thème avec des couleurs (tout en beige et rose), plusieurs choix de location de salles, un super DJ. Je n'aurais pas été surprise qu'elle ait demandé une envolée de colombes. Mais c'était important pour elle, et le rôle d'organisatrice me revenait à moi, sa sœur.

Chère Nita,
Avant que notre mère ne me téléphone une huitième fois pour me culpabiliser et qu'elle ne décide de faire un sit-in chez moi avec un plat de boulettes italiennes à la sauce de regard meurtrier, je te réponds. Tu peux compter sur moi, je m'occupe de ton *shower*.

Clara xx

Cher trou de cul,
Je t'écris parce que je ne peux pas m'empêcher de penser à toi, même si tout ce que je fais, tout ce que je veux, c'est t'oublier. Est-ce que c'est vraiment moi la coupable dans tout ça? Est-ce que j'aurais vraiment pu te retenir si j'avais agi

différemment? Je repense à tout ce qu'on a vécu et... c'est insensé... Est-ce qu'on peut arrêter d'aimer du jour au lendemain? Parce que moi, je ne crois pas que j'y arrive...

Bien sûr, je ne t'enverrai pas ce foutu message. Je vais appuyer sur la touche *delete*. Je vais oublier que j'ai fait comme si. Parce qu'au fond, tout ça n'est qu'une suite de lettres et de mots qui ne mènent à rien, parce que j'ai du boulot, d'autres chats à fouetter, des gars à rencontrer. Oui, c'est ça, je vais tout supprimer, boire une autre gorgée de café, porter un toast à cette journée qui sera comme toutes les autres, et je vais t'écrire un vrai petit courriel bien comme il faut où tu ne pourras décoder aucune putain d'émotion. Et après, quand tout sera réglé, tu seras officiellement sorti de ma vie.

Clara

Objet: Tes affaires
Salut Damien,
J'ai quelques trucs qui t'appartiennent. En voici l'inventaire: deux t-shirts (un noir et un gris), trois paires de boxers, dont un avec des trous près de l'élastique, quatre bas (en fait une paire et deux orphelins), un roman écorné d'Émile Zola et l'incroyable somme de 6,32 $.

Tu me feras signe quand tu seras de retour à Montréal pour que je vienne t'apporter tes choses.

Clara xx

J'ai cliqué sur « Envoyer » d'une main tremblante. J'étais rivée à l'écran. J'avais complètement perdu la notion du temps... et de la réalité.

Deux becs? Deux « x » innocents. Non! D'innocente!

Non, non, non, non, non!

Mon café avait refroidi, la panique s'est emparée de moi. Qu'est-ce que j'avais fait?

Bon sang... mais calme-toi!

Après tout, qui voudrait conserver les choses de son ex comme souvenirs ? J'avais bien détruit un de ses t-shirts.

Calme-toi.

J'ai relu mon courriel. Le tout était très correct, avec un brin d'humour, un peu de détachement. Rien qui laissait transparaître de la graine de désespérée ou la moindre rancœur. Et les deux becs ? Un pur réflexe.

Rassurée et de retour à mes mécanismes de fuite, je suis allée jeter un œil sur mes courriels du site de rencontre.

Vous avez reçu un message de LesbienneAlbinos sur Rencontres-Montréal :

Bonjour Sexychick31,

Je te remercie de m'avoir répondu, même si je trouve que tu t'es montrée un peu trop catégorique. Pourquoi ne pourrait-on pas se rencontrer malgré tout ? Même si tu es hétérosexuelle, rien n'empêche d'envisager une expérience bisexuelle…

Vous avez reçu une photo de AMagicMoment sur Rencontres-Montréal :

Salut Sexychick31,

Je t'envoie une photo de moi comme tu me l'as demandé. Je suis prêt et disponible pour une rencontre quand tu le désires, comme en témoigne ma photo.

(Cliquez ici pour ouvrir la photo envoyée par AMagic-Moment.)

Et clic.

J'ai poussé un hoquet en découvrant le contenu de l'envoi. J'avais devant moi non pas un portrait, comme je m'y attendais, mais la photo d'un pénis. Un membre masculin… gros et fier ! J'ai fermé la fenêtre de mon ordinateur en panique, me coinçant la pointe d'un pied dans la roulette de ma chaise de bureau. Nouveau hoquet, mais de douleur cette fois-ci.

C'était tout un affront visuel avant 10 h du matin. Si j'avais eu la moindre crotte d'yeux obstruant une seule parcelle de mon champ de vision, elle aurait fait un époustouflant vol plané. Quelle sorte d'obsédé sexuel envoyait une photo de son membre plutôt que de son visage? Était-il même l'heureux propriétaire dudit attribut ou avait-il chipé cette photo sur un site porno? Mon expérience en la matière était assez limitée. Et puis, quelle insulte pour les femmes! Comme si ça pouvait attirer qui que ce soit un gros pénis... voyons...

Mais... J'ai rapproché ma chaise. J'ai rouvert la fenêtre de mon ordinateur. Puis, la tête inclinée vers l'écran, j'ai cliqué pour agrandir l'image, juste par curiosité, évaluant la taille, l'esthétique et l'ergonomie probable de la chose.

Quand même... Mais quand même! La nature fait parfois si bien les choses...

– Clara?

– AAAAAAAAH! Mon Dieuuuuuuuuuuu!

– Non, pas Dieu! Jean-Pierre!

En d'autres temps, j'aurais roulé des yeux. J'emmerde ce genre de blague convenue. Le récepteur éprouve une sorte d'incrédulité un peu chrétienne devant le mégalomane d'un instant qui, immanquablement, bombe le torse. Dans le classement des blagues, « Ne m'appelle pas Dieu » est du même calibre que « Connais-tu la *joke* de l'assiette? Réponse: elle est plate » ou « Pet pis Répète s'en vont en bateau... ». Bref, du gros cliché à éviter.

– Bonjour, ai-je dit à mon patron d'une voix faussement enjouée, alors que toute mon attention était consacrée à 1) fermer la fenêtre de mon ordinateur, 2) vider le cache, 3) évacuer le rouge de mon visage par la seule force de la pensée et 4) me forger en vitesse un air imperturbablement professionnel.

Et il était déjà 9 h 42. Bon sang!

– Vous m'avez fait une de ces peurs!

– J'ai cogné à trois reprises…

– Oh… Désolée! J'étais trop absorbée par un dossier…

Un dossier d'approximativement neuf pouces… ou dix ou onze ou…

– J'aimerais te voir dans mon bureau.

– Moi ça? Oh…

Pourquoi s'était-il donné la peine de se déplacer jusqu'à mon bureau alors que, d'habitude, il utilisait le téléphone pour me contacter? Et pourquoi me convoquait-il dans le sien alors que j'avais moi-même un mobilier assez confortable et propice à la discussion? Ce n'était sûrement pas pour parler de la pluie et du beau temps, ni du costume d'Halloween de ses enfants. C'était du sérieux. Et son expression faciale en témoignait. Le boss n'entendait pas à rire. La seule hypothèse était qu'au moment même où un pénis géant se dressait sur l'écran de mon ordinateur, l'alerte à la quéquette retentissait dans son bureau à grands coups de: «*PORN! PORN! PORN!*»

– Oh, ai-je répété.

– Dans cinq minutes.

– D'accord. J'arrive tout de suite.

Il a hoché la tête, toujours avec le même air, et a tourné les talons en prenant soin de laisser la porte de mon bureau entrouverte, juste au cas où j'oublierais de le suivre.

Avec des doigts tout aussi tremblants, j'ai cliqué brièvement sur la fenêtre de ma boîte de réception Hotmail. Aucune réponse d'un certain D. Archambault. J'ai fermé le tout. Je me suis levée prestement, mes plus récents dossiers sous le bras, et je me suis dirigée vers le bureau de mon patron avec une démarche que je voulais assurée. J'ai cogné à la porte. Je l'ai ouverte et il s'est exclamé sans l'ombre d'un sourire, mais avec une surprise feinte, comme s'il ne s'attendait aucunement à me trouver là:

– Ah, tiens, Clara…

Difficile de lire dans le ton de sa voix. Les sourcils froncés, dans un silence imperturbable, il a pris la peine de faire une pile avec tous ses papiers sans me jeter un coup d'œil, absorbé qu'il était par le mouvement de ses propres mains. Je me suis assise, anxieuse, mes dossiers sur mes genoux serrés. J'ai observé avec inquiétude ses gestes : roulement de manches, craquement de jointures, raclement de gorge. Une fois son bureau bien rangé et ses nombreux papiers formant une pile irréprochable, il s'est appuyé les coudes sur la surface de bois et a croisé ses doigts en me regardant enfin.

– Oui ? ai-je osé.

– D'abord, une question, si tu me le permets…

– Oui, bien sûr.

Mon patron n'avait pas l'habitude de mettre des gants blancs. Il se montrait direct la plupart du temps et n'y allait pas par quatre chemins pour en venir au but, mais de le voir ainsi hésiter et user du ménage comme préambule m'avait dangereusement mise en garde sur ce qui allait suivre. Dans ma tête, ça hurlait : « Alerte au pénis ! Alerte au pénis ! » Mais j'essayais de me raisonner. Comment aurait-il pu être avisé ? Nos ordinateurs étaient-ils placés sous surveillance ? Si oui, depuis combien de temps ? J'imaginais tous les courriels interceptés et songeais au temps que j'avais passé en ligne sur Rencontres-Montréal à faire l'inventaire des fiches. Bien sûr, pour ma défense, je pouvais toujours comptabiliser toutes les heures supplémentaires que j'avais faites ces derniers mois et lui montrer mon implication, lui montrer tous mes derniers bons coups. Parce qu'il y en avait. J'avais donné tout ce que je pouvais… dans les circonstances.

À moins que cette convocation ait pour but de me réprimander sur le fait que « j'étalais » (pas tant que ça) ma vie privée (d'intérêt général) auprès de mes pauvres collègues (friandes de potins) pendant les heures de boulot (c'est-à-dire pendant les pauses café matinales)?

— Aimes-tu ton travail?

J'ai froncé les sourcils à mon tour. Où voulait-il en venir? C'était la première fois qu'il me posait une telle question. Interprétation affective. Sentez-vous que vous êtes apprécié à votre juste valeur? Au-delà de vos ambitions professionnelles, comment vous sentez-vous au début d'une journée de travail? Et à la fin? Avez-vous un sentiment d'accomplissement? Quels seraient selon vous les paramètres de votre emploi à modifier ou à améliorer afin de vous assurer un sentiment d'harmonie au travail?

— Bien sûr que j'aime mon travail... Pourquoi?

— Et le sabotage, tu aimes ça?

Je me suis redressée vivement.

— Pardon?

— Il t'arrive souvent de revenir plus tard du dîner, a-t-il renchéri en plissant les paupières légèrement.

Bon, voilà. Un fait. J'étais presque soulagée que nous abordions ce sujet plutôt que celui de mon bonheur au travail, une question purement rhétorique et utopique sur laquelle je ne désirais aucunement me pencher. Et, fait encore plus important, l'alerte à la quéquette n'avait pas sonné. Je pouvais contre-attaquer avec les arguments déjà mis sur la table.

— En effet, je prends de plus longues pauses pour rentrer chez moi. C'est que je dois aller promener mon chien, ai-je menti, prenant un air affligé et me tortillant les mains sans qu'il puisse les voir. On a découvert qu'il est diabétique, ce qui explique qu'il doive uriner plus souvent que la normale. Je vous assure que je me reprends en double et que je fais des heures supplémentaires en soirée. Le concierge peut en témoigner. Je peux d'ailleurs vous montrer les candidats sur lesquels je travaille présentement.

— Parlons-en des candidats…, a-t-il dit avec une pointe de cynisme que j'ai choisi d'ignorer.

J'ai déposé les dossiers nerveusement sur son bureau et, en farfouillant dans les papiers, j'ai poursuivi :

— Celui qui est pressenti comme PDG de Carbours est Michael Aboute de Starfly. Je l'ai d'ailleurs rencontré hier pour discuter avec lui des perspectives d'emploi. Je dois vous avouer que pour l'instant, je n'ai pas senti une très grande ouverture de sa part, mais je vais le travailler…

— Michael Aboute ?

— Oui, Michael Aboute, ai-je répété avec une voix faiblissante, prenant peu à peu conscience de la sonorité du nom. Michael Aboute.

À boute ?

La panique s'est aussitôt emparée de moi. Je me suis mise à parcourir mes notes nerveusement, incapable de respirer tant que je n'aurais pas son nom sous les yeux. Je ne pouvais empêcher mes mains de trembler.

Non. Non. Non. Non. Non. Non. Non. Non. Non. Non. Non. Non. Non. Non. Non. Non.

Mike Babadouch !

J'ai senti mon corps se liquéfier sur mon siège et mon visage se décomposer sous le regard de mon patron qui s'est incliné davantage vers moi en m'observant d'un air mi-sévère, mi-perplexe.

— Clara, peux-tu me dire pourquoi tu t'es présentée à notre meilleur candidat comme une certaine Pamela… marchande de plaisir ?

Et le sol s'est ouvert sous mes pieds.

CHAPITRE 9

Le lendemain, en me réveillant, le souvenir de ma bévue m'a atteinte d'un coup au ventre. Je me suis levée comme les autres matins. J'ai enchaîné les gestes, fait le minimum pour être présentable. Je suis sortie dans la fraîcheur matinale d'octobre, sans mon manteau, avec pour seule expression faciale des lèvres qui tremblaient de froid. Je me suis laissé promener par un enthousiaste Monsieur-Monsieur, qui a saisi l'occasion pour s'écarter majestueusement et lâcher une grosse molle dont l'ampleur a semblé le rendre perplexe. J'ai laissé sa merde sur le parterre du voisin, aux yeux de tous, sur ce gazon plus vert que le mien, et je suis repartie, précédée d'un chien plus léger.

De retour chez moi, à peine cinq minutes plus tard, avec plein de temps à tuer, pas tuable, dans ce vide encore plus vide, je me suis fait un café que j'ai oublié de boire, j'ai ouvert le journal que j'ai oublié de lire et Monsieur-Monsieur se promenait avec la laisse que j'avais oublié de lui retirer. Je ne pensais qu'à une seule chose, à la plus grande erreur de ma vie. Une erreur professionnelle de taille. Le genre de taille qui t'écrase et qui te chie dessus.

Dans l'espace d'une même pause-repas, dans deux lieux différents et avec un changement de vêtements en prime entre-temps, j'avais confondu *prospect* et candidat. Moi, Clara Bergeron, chasseuse de têtes qui avait toujours si brillamment séparé vie personnelle et travail, j'avais failli!

Récapitulation : à 12 h 30, je tentais de vendre le poste de PDG de Carbours à celui que je croyais être Mike Babadouch, mais qui était en fait Michael Aboute, alias Prospect-Pas-Pire#22. Un homme en quête des services d'une escorte de luxe. Si celui-ci m'avait accueillie avec un regard salace que j'avais ignoré sciemment, le ton avait vite bifurqué. J'avais lissé la veste de mon tailleur d'une main avant de plonger dans le vif du sujet. Il s'était tout de même montré bon joueur en répondant du mieux qu'il le pouvait à mes questions pour un poste qui n'était ni de son calibre, ni dans son domaine. J'avais esquivé chaque question qu'il m'adressait, ramenant le tout à ses aspirations professionnelles à grands coups de « vous » et de « re-vous ». Le pauvre m'était apparu soudain affligé d'un tel sentiment d'insécurité que j'avais tout de suite abordé le volet de son insatisfaction au travail, l'incitant à la confidence. « Comment es-tu au courant de ce que je vis ? » s'était-il enquis avec stupéfaction. « Tout est noté dans ma banque de données », avais-je répondu avec un ton qui veut dire : je suis celle qui prend tout en charge, comptez sur moi. « Va-t-on se revoir ? » avait-il demandé, et je lui avais répondu : « Nous allons vous contacter quand nous aurons plus de détails » en lui serrant la main fermement. Il avait paru un instant décontenancé devant la solennité de mon geste.

De mon côté, j'avais noté sur mon iPhone : « Candidat réticent, mais grande expertise sur papier. À investiguer et booker un 2e rdv. NB : Devrait s'habiller + professionnel. Affaire classée pour aujourd'hui. »

À 13 h 21, j'étais arrivée à bout de souffle, équipée d'une joyeuse poitrine rebondie qu'exhibait un décolleté plongeant, devant un Mike Babadouch chic comme tout dans son complet dernier cri. Il avait risqué un sourire à mon endroit. Je m'étais assise en face de lui. Il avait levé un sourcil puis s'était mis à regarder autour de nous, avant de s'incliner vers moi avec un intérêt non dissimulé. Enfin, telle avait été mon interprétation. Un coup d'œil à sa main gauche m'avait suffi. Joli salaud! Mais j'avais quand même pensé: oh, mais il est vraiment plus beau que sur la photo de sa fiche de rencontre! Calibre George Clooney, mais avec un petit hâle en bonus. Pour une fois, ça me chatouillait là où je pensais que tout était mort... Il fallait que j'agisse en conséquence. Flirter et lui déballer la totale. Et faire fi de mes grands principes de ne jamais, au grand jamais toucher à un poil d'homme marié.

J'avais minaudé, raconté tout un tas de choses qui me laissaient maintenant dans la confusion la plus totale, y allant de tous les synonymes du mot escorte. «Je suis une tentatrice professionnelle, une marchande de plaisir, une femme qui sait mettre du baume là où ça chauffe...» (regard en douce vers son entrejambe). Sa posture s'était modifiée. Il m'avait regardée en plissant les yeux, me laissait parler (lire: me planter), le haut de son corps plaqué sur le dossier de la chaise, les bras croisés. Et moi, j'étais sur ma lancée, émoustillée par mon propre jeu. Est-ce que mon scénario mettant en vedette la sulfureuse Pamela allait prendre une tournure autre qu'une simple rigolade au profit d'une petite *quicky* du midi? Et puis, ça faisait longtemps... Il y avait des jours où je me serais fait une joie de tomber à l'horizontale. J'avais pensé tout ça avec la pointe du doigt entre les lèvres, le regard suggestif et tout. Je n'allais pas me laisser décourager par son attitude qui était devenue subitement plus distante.

George... toi et moi, les quatre pattes en l'air, quel beau dessert. Hum...

J'allais ouvrir la bouche pour passer ma commande à la serveuse (en fait, ma bouche était restée ouverte tout au long de notre très bref rendez-vous pour différents motifs, soit: dire des conneries, me lécher les lèvres, baver devant le spécimen plus que ragoûtant) quand il s'était levé de table. Il avait dit avec autant de hâte : « C'est que je devais rencontrer quelqu'un d'autre. Veuillez m'excuser, mademoiselle. » Et il avait quitté le restaurant.

C'était ce qu'on peut appeler se faire *georgeclooniser*. Et hop, le camion à ordures était passé et l'avait mis sur la pile des cons à oublier.

Comment avais-je pu confondre deux hommes qui ne se ressemblaient pas ? Peut-être parce que la photo de Prospect-Pas-Pire#22 était floue, trop petite, trop pixélisée pour que j'aie la moindre once de discernement ? Les deux avaient les cheveux bruns et courts (signe distinctif très rare…). Comment le candidat en était-il venu à contacter Jean-Pierre, mon patron, et à faire le lien entre Pamela la marchande de plaisir et notre agence ? En fait, il ne m'avait pas reconnue sur le coup, mais en entendant ma voix, il s'était rappelé qu'il m'avait aperçue dans les corridors de l'agence. Où étais-je ? Pourquoi ne l'avais-je pas vu ? C'est que, bon sang, on s'en souvient quand on croise un quasi-George Clooney !

– Mike Babadouch a porté plainte.

– Mais je ne pensais pas que…

– Qu'est-ce qui se passe avec toi, Clara ?

Mon patron m'avait regardée avec un air irrité et une pointe de dédain.

– Je…

– Tu nous as mis dans l'embarras !

– Merde…

Atterrée, j'avais fixé l'espace devant moi, qui s'embrouillait sous l'effet de la panique et des motifs abstraits de la cravate de mon patron. Mon Dieu… Mon Dieu… J'avais dit à Mike Babadouch quelque chose comme : « Je pourrais t'attacher avec cette cravate et te faire des choses très très vilaines. »

Me remémorant le tout, j'avais étouffé une plainte dans ma main, observant avec horreur le visage de mon patron.

Ce devait être un cauchemar ou un coup de la caméra cachée. Je l'avais sondé du regard, affolée à l'idée que ma bévue lui ait été rapportée textuellement. Est-ce que Mike Babadouch avait tout raconté? Tout?

Comment pouvais-je justifier un tel comportement? Une telle méprise? Patron, voyez-vous, c'est que j'ai le cancer du cerveau? Un trouble de personnalité multiple et, dans ce lot de joyeux personnages qui hantent ma tête, il y a une *wannabe* nymphomane? J'ai une vilaine araignée au plafond et, là-dedans, ça ne tourne pas rond?

Cette fois-ci, il n'y avait aucun mensonge qui pouvait me sortir de l'embarras.

Peut-être seulement la vérité.

– Je crois que je ne vais pas bien, avais-je murmuré.

– Si tu ne vas pas bien… prends une semaine de congé et après ça, tu nous reviens en pleine forme.

Il avait insisté sur les trois derniers mots. C'était sans appel. Il avait reporté son attention sur ses différents dossiers avec un coup d'œil furtif aux miens, que j'avais osé poser sur son bureau. Voyant que je ne bougeais pas d'un poil, il avait poussé un soupir d'agacement. J'avais acquiescé sans savoir quoi ajouter. Qu'aurais-je pu dire, d'ailleurs? Je m'étais enfoncée dans la merde jusqu'au cou.

– Une semaine, avait-il tranché sans un dernier regard. Et c'est effectif à partir de maintenant.

C'est avec la volonté de manger mes émotions en gros que j'ai abouti chez Costco. J'ai rempli mon panier comme une Italienne qui craint la fin du monde. *Mangiare! Mangiare!* Des conserves, des boîtes, des sacs, bref, de quoi nourrir une famille de dix et ajouter une telle charge au panier qu'il est devenu difficile à manœuvrer. Si je devais être en congé forcé, ordre du patron, j'allais m'occuper en cuisinant de façon excessive, en fille qui ne fait rien à moitié.

J'ai pesté contre les roues qui grinçaient, contre les clients qui étaient dans mon chemin, pour aboutir au bout de l'allée des congélateurs et apercevoir un homme qui avait décidé de stationner son panier en plein milieu de tout, et en diagonale de surcroît. Il créait par le fait même un embouteillage monstre dans son empressement à vouloir essayer les petites bouchées proposées en dégustation. L'épais ne remarquait pas les regards agacés des clients, les paniers qu'il bloquait, et il avait même le culot de reprendre des bouchées supplémentaires, de rester là à les goûter avec l'air songeur du gars qui se demande comment il pourrait se bourrer la face gratos sans avoir à acheter le produit en démo. Le twit a pris la boîte, l'a retournée pour consulter la liste des ingrédients. J'imaginais déjà, à l'air qu'il avait, qu'il se débarrasserait du paquet de bouchées surgelées sur un étalage non surgelé (bien entendu) parce que les mots «bêtise humaine» étaient carrément étampés sur son front.

– Hé! Mais oui, vas-y, prends toute la place qu'il faut! Franchement!

C'était sorti de ma bouche. Les regards se sont braqués sur moi, tous sauf celui du con. Il ne se sentait pas interpellé.

– EILLE! ai-je insisté avec une voix encore plus forte. Tu avances oui ou non? Imbécile!

Cette fois-ci, l'invective ayant fait son chemin, il a relevé la tête.

– Oui, TOI! TOÉ, IMBÉCILE! ai-je crié en effectuant des gestes d'impatience. DÉGAGE!

Je me suis imaginé prendre mon élan, avec comme effet sonore, les paniers en métal qui s'entrechoquent et les applaudissements des clients réjouis qui s'étaient agglutinés autour de la scène. Mais au lieu de cela, je suis demeurée là, tremblante, grande justicière de l'allée des surgelés avec le visage bouillant d'une rage contenue, car oui, il en restait de ce trop-plein qui menaçait de déborder. Ma gorge était prête à déverser tout son venin. S'il s'avisait de répliquer quoi que ce soit, s'il contre-attaquait, je ne répondrais plus de moi.

— *I'm sorry ?!*

Oh, mon Dieu…

Il n'était pas seulement anglophone ou blindé contre toute interprétation du non-verbal. Le timbre étouffé de la voix et les tonalités nasillardes ne trompaient pas. Il était sourd, très sourd. Et variable non négligeable : l'épaisseur fond de bouteille des lunettes qui brouillait son regard… Il était donc tout à fait compréhensible qu'il n'y voie rien. J'en ai subitement perdu mon bilinguisme. Honteuse, j'ai bourrassé mon panier. J'aurais voulu le faire pivoter élégamment et rebrousser chemin pour repartir la tête haute. Au lieu de ça, ma sortie théâtrale a consisté à faire demi-tour au ralenti, en forçant derrière le panier dont les roues grinçaient comme une vieille porte de film d'horreur dans un quasi-silence gêné, avec bruit de fond d'entrepôt.

La honte totale.

Objet : Yan…

Mon ami,

Tu me manques tellement ! Je suis en congé forcé pour une semaine. Je ne vais pas bien… J'aimerais t'expliquer ce qui m'arrive… En fait, je ne sais pas ce qui m'arrive… Tu es si loin, Yan… S'il reste un peu d'amitié entre nous, une infime graine d'amitié… Je t'en supplie…

Clara xx

Objet : Mes plus sincères excuses

Monsieur Babadouch,

Veuillez accepter mes plus sincères excuses pour ma méprise de l'autre jour. Rien ne saurait expliquer cette bévue. Je suis profondément accablée par le comportement que j'ai adopté avec vous. C'est un terrible malentendu. Je n'aurais jamais agi de la sorte si j'avais su qui vous étiez. Vous trouverez un excellent service-conseil dans notre agence, et j'espère que vous réviserez votre position et accepterez de rencontrer un de mes collègues.

Clara Bergeron, chasseuse de têtes
Agence de recrutement Gagnon, Smith & Co.

Objet : RE : Un soir cette semaine ?

Salut Clara,

Ouf ! Sortir cette semaine ? Je suis crevée avec tout ce qui se passe à l'école… Figure-toi donc que je m'endors tous les soirs à 9 h !

On se reprend bientôt ?

Mélo xx

Objet : SHOWER TIME !!!!!!!!!!!!

Salut *sister*,

Voilà les dates que tu peux choisir : 2, 9 décembre (pas de papier d'emballage de Noël, *pleeeeaaaaaase* !) ou 6 janvier (mais je vais être grosse… *so, forget it* !) As-tu communiquer (communiqué ?) avec mes deux belles-sœurs, la mère de mon mari et maman ? *They can help ! Let me know !* Tu viens soupé (souper ?) chez maman dimanche ?

Love and bits !

Mommy Nita xx

100

Objet : Besoin de te voir…
Bonjour Lucien,
Si tu viens à Montréal prochainement, j'aimerais bien qu'on passe un peu de temps ensemble. J'aurais besoin de te parler… Le moral va moyen. Tu sais, le gars dont je t'avais parlé ? Damien. L'artiste, comme tu disais… C'est fini avec lui. Mais ce n'est pas juste ça… Ça va mal avec mon ami Yan aussi. Et ça va mal au boulot. Et moi… je ne me reconnais plus. Peut-on être en *burn-out* de la vie ?

Clara xx

Objet : RE : Besoin de te voir…
Clara, ma belle,
Tu m'inquiètes sérieusement ! Si ce n'était mon travail, j'irais en courant à Montréal ! Peux-tu venir au New Jersey et prendre quelques jours de vacances ? Sinon, je m'achète une webcam pour qu'on puisse au moins se voir et se parler par internet. Avec Skype, c'est ça ?
Un *burn-out* de la vie ? Ouf !

Ton père qui t'aime

Objet : RE : RE : Besoin de te voir…
Papa,
Va pour Skype.

Clara xx

Chapitre 10

C'est terminé. J'ai mis une croix plus que définitive sur les rencontres par internet. J'ai désactivé tous mes profils, rangé mes nombreux costumes et dit adieu à Julie-Ange, Pamela et toutes les autres. Après cette overdose où je me suis perdue moi-même sans rien y trouver qui vaille, j'ai choisi de faire un avec mon lit, permettant même à mon chien de s'y installer alors qu'il avait abandonné tout espoir que ce grand jour arrive enfin. Déjà quatre jours de congé, quatre longs jours qui ressemblaient à des semaines… Je pouvais compter les taches sur le plafond, m'amuser à reconnaître les bruits de la maison, ceux des tuyaux de la voisine d'au-dessus qui se faisait un café toutes les heures, qui tirait la chasse d'eau trente-quatre minutes plus tard. Son mari qui arrivait entre 17 h 25 et 17 h 37, la porte du frigo qui était ouverte et refermée plusieurs fois. En fait, les heures n'étaient sans doute pas exactes, mais le monde m'apparaissait ainsi : prévisible et d'un ennui perpétuel. Chacun avait sa routine et la terre continuait de tourner. Monsieur-Monsieur, lui, ne me demandait rien qu'un peu d'attention.

J'essayais de ne pas toucher à mon portable, mais c'était plus fort que moi. En éliminant une compulsion, une autre apparaissait : vérifier mes courriels, dans l'attente d'une réponse de Damien. En vain.

Un jour, je m'étais perdue dans cette histoire. Il s'était fait un chemin en moi et m'avait fait perdre ma route. J'avais choisi la voie rocailleuse, une des plus sombres, celle de l'évi-tement. J'avais espéré qu'en m'inventant des personnages truculents, je trouverais de quoi passer le temps et l'oublier. Maintenant, étendue sur mon lit, il ne me restait que du temps. Du temps à écouler dans la plus longue semaine de ma vie.

Puis j'ai abouti sur Facebook.

J'avais voulu me tenir éloignée de ce «dévore-temps», ne pas me conformer à la mode et je m'étais même sentie fière d'avoir résisté aussi longtemps, moi, la pire accro d'in-ternet. C'était comme consommer toutes les drogues et ne pas succomber à celle que tout le monde vante, celle qui te fait du bien, la drogue suprême avec un grand *F*. Là où il y avait eu le boulot pour m'occuper l'esprit, les rencontres in-ternet pour me divertir, mes amis pour mettre du baume sur le tout, il ne me restait que le néant.

Sur Facebook, j'ai pu constater que tout le monde avait continué son chemin. Mélo avait fini par s'y inscrire, à ce que je pouvais voir.

Mélodie Proulx : «On est en octobre et j'ai déjà hâte à mes prochaines vacances d'été! Mes élèves m'énervent! Au secours!»

Même Yan avait un profil sur Facebook. «Yan Légaré est en couple avec Yannick Brosseau.» La citation de son profil, «Sois toi-même», m'a fait pouffer de rire. Le plus ironique dans tout ça, c'est que je lui ai envoyé une demande d'ami. Une demande d'amitié à mon ami.

Ma sœur n'avait qu'un mot à la bouche, ou plutôt à la touche : «*shower*». Nita Lorenzo : «*Gonna have the best shower ever thanks to my dear sister Clara Bergeron! Benvenuta su Facebook! Yay!*»

Mon frère m'a surprise. Tous ses statuts étaient en français. Joe Lorenzo : «J'ai connu des jours meilleurs.» «*GO* les Habs! On va l'avoir cette année!»

Même mon père y était! Et en couple! J'ai observé le visage de l'élue et les photos qu'ils avaient en commun. Je n'avais jamais entendu parler d'elle. Ils étaient ensemble depuis plusieurs mois. Un voyage à Cancún, plusieurs sorties, des photos avec ses enfants à elle. Il faisait des activités avec ses enfants à elle, et moi, il ne m'avait même pas mise au courant de son existence!

Puis, dans l'espace de recherche, j'ai tapé «Damien Archambault». Cinq résultats. Un danseur bisexuel à la photo étrange, un enfant de douze ans, un profil sans photo, un autre Damien qui était français et une photo que j'ai reconnue. Un certain guitariste. La gueule pas rasée. Une photo que j'avais prise. J'ai inspiré profondément avant de cliquer.

Informations de base:

«Sexe masculin»

«Damien ne partage que certaines informations de son profil avec tout le monde. Si vous connaissez Damien, vous pouvez l'ajouter comme ami ou lui envoyer un message.»

«Vous et Damien: 2 ami(e)s en commun: Yan Légaré, Mélodie Proulx.»

QUOI?

Ils étaient amis Facebook avec Damien? Quel affront! Surtout pour Yan, qui n'acceptait pas MA demande.

«Envoyer une demande d'amitié à Damien Archambault.»

Pas question!

Nouvelle recherche: «Vittorio Passi est en couple avec Nancy Beaulieu.»

Bon, voilà, ils étaient encore ensemble. Mon ex-chum qui m'avait trompée avec mon ex-amie quelques années auparavant. Mais cela ne me faisait plus rien. Je leur souhaitais même d'être heureux.

Et d'autres noms, d'autres ex-copains: Éric Tremblay, Mathieu Fontaine, Frédérick St-Jean. Tac, tac, tac. Demandes d'ami et re-demandes d'ami. J'ai pianoté sur mon portable, ramené la couverture de mon lit sur moi et j'ai patienté quelques instants, la tête enfoncée dans mon oreiller, avant d'obtenir une réponse.

Vous avez reçu un message privé de Frédérick St-Jean sur Facebook :
Salut Clara !
Ça fait longtemps ! Qu'est-ce que tu deviens ?

Fred

Frédérick St-Jean ! Bon sang ! Oui, ça fait longtemps !
Je deviens… plein de choses. Toi, tu n'as pas changé !

Clara

Chère Clara,
Le temps a passé… Non, effectivement, je n'ai pas changé, si ce n'est la monture de mes lunettes. Et toi ? Je ne peux pas savoir si tu as changé ou pas… Vas-tu mettre une photo sur ton profil ? J'aimerais bien te voir.
P.-S. : Oups ! Je vois que tu viens d'arriver et je te laisse t'installer. Bienvenue sur Facebook !

Fred

Tu veux me voir ? Un verre ce soir ?

Clara

Coquine Clara,
T'es toujours aussi vite sur la gâchette à ce que je vois !
Et là, tu m'as valu un éclat de rire devant mon ordinateur…
Juste pour ça, laisse-moi ton adresse et je passe te chercher à 22 h.

Fred

⏻

À 22 h 03, on sonnait à la porte et j'ouvrais dans un effluve de parfum à un Frédérick souriant. Le même look, mais en plus actuel. Des cheveux bruns courts, des lunettes à monture noire qui lui donnaient du style, un jean décontracté, le genre de chemise qui s'agence avec un complet après avoir relâché la cravate et le même regard vif du gars qui ne s'en laisse pas conter facilement. Il a baissé les yeux sur mes talons aiguilles, puis a remonté ses lunettes d'un doigt avec un hochement de tête dubitatif.

— On va prendre un verre ou on s'en va dans un mariage italien ? a-t-il lancé sans plus de préambule en regardant ma robe courte. Si j'étais toi, je mettrais un jean. J'ai pas de siège chauffant dans ma voiture.

Une jolie façon de me dire que j'en faisais trop. Il n'avait pas perdu son sens de la répartie et son côté directif. Puis il a souri à demi en restant appuyé à la porte.

— Fais ça simple ! m'a-t-il crié alors que je filais vers ma chambre et qu'il s'accroupissait pour caresser Monsieur-Monsieur, qui était venu l'accueillir et qui s'était positionné comme un vrai chien de garde, soit complètement affalé sur le sol.

— Je me lave aussi pour ne plus sentir le parfum ?

— Mais non, j'aime bien les dames qui en mettent trop !

J'ai grogné depuis ma chambre. En vitesse, j'ai troqué ma robe contre un jean et un chemisier ajusté, et mes talons contre des ballerines. J'avais oublié que Frédérick n'était pas très grand, mais pas qu'il avait du charme. J'ai défait mon chignon pour laisser mes cheveux retomber en cascade, appliqué un peu de gloss à nouveau, et voilà. J'ai presque réussi à me sourire devant la glace. Presque.

Prise deux. J'ai marché dans le passage en me déhanchant, simulant un défilé de mode, puis j'ai ouvert grand les bras vers Frédérick en signe d'interrogation. Monsieur-Monsieur, qui l'avait complètement adopté, était retourné sur le dos et laissait aller ses pattes molles tandis qu'il lui grattait le ventre.

– Et là, je suis sortable?

– Ah, tiens, Clara Bergeron. Là, je te reconnais.

Il m'a tenu la main pour que j'enjambe mon chien et nous avons ri de la grosse bête qui grognait de façon assez piteuse pour quémander d'autres caresses. J'ai attrapé mon manteau.

– Bonsoir, Fred!

Nous nous sommes embrassés sur les joues. Lui s'était mis de l'eau de Cologne, en tout cas.

– Ça fait combien de temps?

– Dix ans, ai-je répondu en refermant la porte derrière moi.

C'était comme si nous nous retrouvions après les vacances d'été du cégep, prêts à attaquer d'autres travaux de fin de session et à former un duo d'enfer. Nous avons pris place dans sa voiture, non sans qu'il ait pris la peine de déplacer plusieurs papiers. C'était à croire que son auto lui servait de bureau.

– Je t'ai connu plus organisé, ai-je remarqué.

– Je suis dans un rush de mi-session.

– Ah? Encore aux études?

– Non…

– Et où on va?

– Au party de mes étudiants, a-t-il dit avec un grand sourire.

Au terme d'une balade en voiture d'une quinzaine de minutes, il nous a trouvé par miracle une place de stationnement sur le boulevard Saint-Laurent. Nous avions eu l'occasion de nous faire respectivement un compte-rendu des dernières années. Après avoir étudié en ressources humaines au cégep et avoir obtenu d'excellents résultats, nos chemins à la fois personnels et professionnels s'étaient séparés. J'avais bifurqué vers la gestion de carrière et lui vers l'enseignement. C'était tout de même assez fou de constater qu'il n'y avait aucun malaise entre nous, malgré les années qui avaient passé. Il avait été mon camarade pendant trois ans à l'époque de nos études et le premier sur lequel je me rabattais pour faire des travaux d'équipe. Les choses s'étaient un peu compliquées entre nous lors d'une certaine fin de session, mais c'était il y a si longtemps...

Nous sommes entrés au Divan orange. Déjà, la fête battait son plein et le brouhaha des conversations et des éclats de rire emplissait la place. Certains jeunes dansaient. Nous nous sommes assis l'un en face de l'autre et nous avons commandé nos consommations. Une bière pour lui, un verre de vin rouge pour moi.

– Vois-tu encore tes amis, Yan et, euh?...

– Mélo.

– Oui, Mélo. Tous les trois, vous êtes toujours aussi proches qu'avant?

– Oui, bien sûr. On est encore et toujours comme ça, ai-je dit en croisant mon index et mon majeur par-dessus la table.

Quoique dans le cas de Yan, c'est le majeur qui l'emportait.

La discussion s'est poursuivie. Des nouvelles de l'un et de l'autre, et même de nos anciens professeurs qui étaient devenus ses collègues. Les étudiants de Frédérick passaient près de notre table, l'interpellaient, l'appelaient par son prénom. Il était le type de prof cool qui fait plus office de confident, de membre du groupe que de chaperon. Il était présent sans porter de jugement sur la conduite de ses étudiants, une présence rassurante, sensible au choc des générations.

– Es-tu allé aux retrouvailles de la technique l'année dernière? ai-je demandé après un moment.

– Pfft, non.

Nous avons ri.

– Pas mon genre non plus! me suis-je exclamée. Si c'est pour ne pas savoir quoi dire et côtoyer des inconnus, non merci. En plus, c'est tellement agaçant de voir tout le monde sortir les photos de bébés. Tu te sens obligé de faire des «oh» et des «ah, qu'il est beau»! Quand tout ce à quoi tu penses c'est: «Ayoye! Il a vraiment une tête d'œuf!»

Frédérick est devenu mal à l'aise et a incliné la tête en me faisant une mine piteuse.

– Oh, oh, ai-je fait.

J'ai alors su que j'avais sérieusement gaffé. Il a levé une fesse pour extraire son portefeuille de la poche arrière de son jean. J'étais absolument mortifiée quand il m'a tendu deux photos. J'en ai eu des sueurs froides.

– Mes deux bébés, a-t-il dit alors que je le dévisageais sans dire un mot.

J'avais lancé cette opinion comme ça, sûre qu'il répliquerait avec le cynisme qui le caractérisait, mais les temps avaient changé. Lui aussi était devenu adulte. Il a ajouté:

– Voici Pompon et Mogli. Mes bébés.

J'ai incliné la tête pour découvrir avec soulagement deux superbes portraits de chien, un grand caniche royal et un saint-bernard... J'ai ri en gardant les photos entre mes doigts.

– Mais t'as quand même la photo de tes chiens dans ton portefeuille!

– En effet, à défaut d'avoir quelqu'un dans ma vie et de porter sa photo sur moi. Toi, t'as un gars dans ton portefeuille?

– Non, personne.

Belle façon de me demander si j'étais disponible. Il a souri en se croisant les bras sur la table.

– Alors, tu devrais y mettre une photo de ton Monsieur-Monsieur! J'y pense, ça te dirait d'accoupler ton chien avec ma chienne? Ça serait un bon *match* et ça ferait des petits saint-bernards-mastiffs. Qu'est-ce que tu en penses?

— Il est opéré, désolée. Autrement, je suis sûre qu'il aurait été très content de saisir l'occasion.

Et moi, allais-je saisir l'occasion? Il y avait si longtemps… Je ne me souvenais plus de ce que c'était, d'être dans ses bras. Il me semblait que ce n'était pas si mal. J'aurais pu coucher avec lui à nouveau. Il était beau, séduisant, attentif, possiblement désireux d'aller plus loin…

Mais je n'étais pas là pour ça ce soir. Je voulais des réponses.

Nous nous sommes souri en voyant des jeunes se taquiner, se bousculer, s'enfiler des boissons. Des jeunes de vingt ans. Il n'y avait pas si longtemps, c'était nous. Bien sûr, les succès de l'heure n'étaient pas les mêmes, mais la recette était semblable. Il y a des données qui ne changent pas, même une décennie plus tard : les gars trop gênés qui s'accoudent aux tables et qui font marcher leur radar à distance, vaguement amusés par les cris des filles qui, elles, dansent sur les haut-parleurs comme si leur vie en dépendait en criant : «C'est ma touuuuuuune!» Notre aisance à être ensemble, Frédérick et moi, ça aussi c'était une donnée qui ne changeait pas. Il y avait longtemps, on s'enfilait des shooters de tequila, et puis, une chose en amenant une autre, notre relation avait basculé. J'avais laissé mon mafioso de quartier auquel j'étais fiancée pour être avec lui. Notre histoire avait duré à peine quelques semaines. Nous avions préféré rester des amis. Il faisait partie du club des ex, comme tous les gars que j'avais contactés sur Facebook. Mais il était le seul à qui je pouvais dire la vérité. Enfin, un soupçon de ma vérité.

— Pourquoi ça n'a pas marché, nous deux? lui ai-je demandé après un long silence.

Il a paru perplexe un instant.

– Je ne me souviens pas…

– De rien?

– Je me souviens de toi, de notre amitié, mais pas quand on était… ensemble…

Étrange… Moi non plus, mais je m'en suis quand même sentie un peu offusquée.

– J'étais si peu mémorable?

– Voyons, Clara, ça fait longtemps. Je ne me rappelle même pas de la personne avec qui j'ai baisé le mois passé.

J'ai observé un long silence avant de dire comme pour moi-même:

– Moi oui.

Le mois passé… j'étais avec Damien.

J'ai fait tourner mon verre entre mes doigts, les yeux sur le liquide. Frédérick s'est incliné et a posé sa main sur la mienne.

– Ça va? a-t-il demandé avec douceur.

Je ne savais pas quel air je faisais, s'il paraissait que j'avais l'esprit ailleurs. Il restait là à me regarder, dans l'attente de ce que j'allais dire. Il était facile de lui faire confiance et de m'ouvrir à lui. Il y avait quelque chose d'attentif dans son regard, une lueur bienveillante qui donnait l'impression à son interlocuteur que ce qu'il disait était d'une importance capitale et que plus rien n'existait autour.

– Je me sens seule.

C'était sorti sans filtre. Cette vérité qui me taraudait et minait ma vie. Frédérick a gardé sa main sur la mienne et a attendu que j'en dise plus, mais ça ne venait pas. J'avais lâché une bombe et je n'étais pas prête à en laisser exploser d'autres.

– Est-ce que tu peux me dire si ça n'a pas marché à cause de… mon caractère?

Il voyait clairement ce dont je parlais. Il a reculé sur sa chaise, libérant ma main pour prendre le temps de méditer sur la question, fouillant sa mémoire puis, tout en remontant ses lunettes d'un doigt, il a dit :

— Nous avons été amis avant et après. Je crois que je pouvais très bien supporter ton caractère. Si tu m'avais laissé de si mauvais souvenirs, je n'aurais pas accepté de te rencontrer ce soir. En fait, ça me fait vraiment plaisir que tu m'aies contacté.

J'allais le questionner davantage, mais un de ses collègues l'a interpellé. Il s'est excusé poliment et m'a promis de revenir dans un instant et de reprendre l'échange là où nous en étions. Je me doutais qu'il ne souhaitait pas creuser l'épineuse question de mon tempérament prompt ni revenir sur le passé. Il était sans doute soulagé de pouvoir s'éclipser, car après tout, pourquoi cette ancienne copine lui demandait des comptes après tout ce temps ? Était-elle en quête d'une réponse qu'elle-même n'était pas en mesure de fournir ? Pourquoi ça n'a pas fonctionné ? Parce que les relations ne fonctionnent jamais. Point.

La conversation entre mon ami et son collègue semblait s'éterniser et il me lançait des coups d'œil intermittents, comme pour s'excuser. Mon verre en main, je me suis levée pour me dégourdir les jambes, lui signifiant en portant mon attention ailleurs qu'il n'y avait pas de malaise et que rien ne le pressait de revenir à notre table. Je me suis dirigée vers le babillard dans l'entrée où une affiche a attiré mon regard. Malgré la pénombre, je pouvais deviner les contours d'un logo. Je me suis approchée avec un sentiment d'indignation aussi subit que vif.

« Toxic Robot, Divan orange, 14 octobre, 22 h. »

Toxic Robot : le *band* de Damien. Il était venu ici. Il était là la semaine dernière avec son groupe. Il était de retour à Montréal.

J'ai regardé autour de moi, pris connaissance des lieux sous un autre angle. Subitement, j'ai ressenti à la fois sa présence et son absence, les deux notions comme une même trahison pointue. De l'entrée, on pouvait voir la scène qui avait été aménagée en piste de danse pour accueillir les étudiants. Il avait été ici. J'ai été prise d'un léger vertige, mon verre m'a glissé des mains et son contenu s'est répandu à mes pieds. Le temps de signaler mon dégât à une serveuse et de saisir mon sac à main et je sortais en coup de vent sans un regard pour Frédérick qui, maintenant, conversait avec animation avec deux étudiants et son collègue.

Sur mon iPhone, j'ai composé un numéro de mémoire. Un numéro que je n'avais pas oublié. La sonnerie a retenti, une barre a traversé mon ventre et j'ai cessé de respirer avant de me lancer et de laisser un message sur la boîte vocale :

– Damien, j'ai appris que tu étais à Montréal... Il me semble que ce serait la moindre des choses que tu répondes au courriel que je t'ai envoyé au lieu de l'ignorer. Écrire, tu devrais être capable de faire ça ! BYE !

J'ai coupé la communication avec un sentiment d'effroi et je me suis aperçue que je tremblais de tous mes membres. Je me suis mise à marcher d'un pas vif. Marcher, marcher pour oublier que ma voix avait vibré, que j'avais omis de respirer, mais surtout que j'avais omis de réfléchir avant de lui laisser un message. Marcher, marcher loin de ce lieu où il avait laissé sa trace. Il était partout, il était partout.

J'étais rendue dans la ruelle arrière. La nuit était froide, la ruelle sombre et étroite. Une affiche indiquait où se trouvait le Divan orange. J'ai pressé ma main sur le mur de brique. Avait-il été ici ? Était-il sorti par-derrière avec une autre fille ? L'avait-il embrassée comme moi il m'avait embrassée la première fois que j'étais allée le voir en show ? Comment pouvais-je autant sentir sa présence ? Et comment pouvait-il encore me manquer jusqu'au plus profond de mes tripes ?

— Ah, t'es là, a lancé Frédérick en ouvrant la porte. Il me semblait que tu ne devais pas être bien loin. Je m'excuse de tout ce temps que j'ai pris avant de…

Il est resté sur place à me regarder. J'ai dit d'une voix sans timbre :

— C'est à cause de mon caractère… J'ai un sale caractère.

Frédérick a haussé les épaules sans me voir venir. Je me suis approchée comme pour le suivre à l'intérieur, mais au lieu d'entrer, je me suis jetée sur lui et j'ai posé mes lèvres sur les siennes. Il est d'abord resté immobile un instant sans répondre à mon baiser, puis j'ai senti son bras se glisser autour de ma taille pour m'amener à lui, ses lèvres s'entrouvrir et la pointe de sa langue toucher la mienne.

Là où il aurait dû y avoir la quête d'une moindre étincelle, l'espoir de faire revivre une vieille histoire, il n'y avait que le jeu des comparaisons. Non. Ce n'était pas comme ça. Pas comme ça. Pas lui.

Les mains sur sa poitrine, j'ai rompu notre baiser aussitôt.

— Arrête, ai-je dit sans bouger.

— C'est toi qui as commencé à m'embrasser, Clara, a-t-il dit contre ma joue. Et c'était pas désagréable.

Ça, c'était le genre de truc que Damien aurait dit, avec une autre voix, avec d'autres bras autour de moi, d'autres lèvres, une autre *vibe* que celle-là. J'avais été folle de croire l'espace de quelques secondes qu'il pourrait le remplacer. Un gars, une fille dans une ruelle, qui sortent par la porte d'un bar. L'équation est pourtant si simple, mais elle ne mène pas toujours à ce qu'on voudrait. Quand tout ce qu'on voudrait, c'est qu'il ne soit plus son point de repère, l'unité de mesure à laquelle tous les autres se retrouvent immanquablement comparés en n'étant pas à la hauteur, en n'étant qu'une infime fraction de l'original.

Frédérick a reculé. Déjà, il ne me touchait plus et je ne désirais plus qu'il me touche. Je n'ai pu réprimer le besoin de m'essuyer la bouche du revers de la main, saisie par l'étrangeté de la sensation de ses lèvres sur les miennes. Gênée par ce geste de répulsion qui ne lui avait pas échappé, je me suis rappelé qu'il venait de me déclarer instigatrice d'un baiser que je n'avais pas souhaité.

Je me suis aussitôt sentie sur la défensive.

— Mais oui, c'est ça, c'est encore de ma faute.

— Pourquoi t'es fâchée comme ça?

— Je ne suis pas fâchée!

J'avais crié. Et lui, il a paru songeur un instant, comme s'il voulait me décoder.

— T'es souvent dans le déni comme ça?

— Et toi, tu penses toujours que tu peux tout régler, Frédérick St-Jean?

Il a hoché la tête avec un demi-sourire, l'air de dire qu'il savait ce qu'il faisait.

— Pourquoi est-ce que j'ai l'impression de vivre une scène qui ne me concerne pas? a-t-il demandé, un peu trop perspicace. Parce que toi et moi, c'est de la vieille histoire et c'est réglé depuis longtemps. À moins que je me trompe, mais sois bien à l'aise. Vas-y, explique…

Et il était là à m'observer, toujours aussi attentif. Son regard me sondait, tentait de franchir mes barrières. Je ne voulais pas.

— Et pour ce qui est de ton caractère, a-t-il ajouté comme je ne disais rien, je n'y crois pas. C'est une belle façade pleine d'épines…

J'ai fait un pas en arrière. Malgré moi.

— Je ferais mieux de m'en aller. Excuse-moi…

J'avais mal réagi, mal agi. Frédérick appartenait à un autre passé, un passé antérieur qui n'avait aucun lien avec Damien. Il ne devait pas payer pour quelqu'un d'autre. Personne ne méritait ça. Je regrettais amèrement de l'avoir rendu témoin de mes états d'âme.

— Et tu fuis toujours comme ça ? a-t-il rétorqué avec un mélange d'amusement et de sérieux.

Je lui ai lancé un regard vide avant de le contourner et d'ouvrir la porte. Je ne voulais pas jouer à ça.

— Merci pour cette belle soirée, monsieur le prof de psycho.

CHAPITRE 11

Je suis repartie en taxi sans demander mon reste. Les cinq marches menant à mon appartement tanguaient sous mes pieds. Je riais. Pourquoi est-ce que je riais comme ça? Je n'avais bu que deux verres de vin, mais je me sentais ivre. Ivre de chagrin, peut-être. D'un chagrin amplifié par le vide, celui que je retrouvais soir après soir et qui, ce soir-là, sonnait encore plus creux. L'alcool que j'avais ingurgité en valait le triple, le quadruple, le quintuple.

Je me suis installée devant mon portable, prête à affronter une boîte de courriel exempte de la réponse que j'attendais. Monsieur-Monsieur est venu se coller contre ma jambe, sa grosse tête redressée vers l'écran comme s'il s'apprêtait à en déchiffrer le contenu.

Quatre jours de silence. Quatre jours depuis mon dernier courriel. Deux heures depuis mon message sur sa boîte vocale. Et là, une réponse. Enfin. Un courriel de Damien est apparu sous forme d'avertissement sur mon iPhone comme je le posais sur ma table de chevet.

J'ai préféré utiliser mon ordinateur. Prendre le temps de respirer, de le laisser sortir du mode veille. Tout avait été en veille jusqu'au moment où j'aurais de ses nouvelles. Je me suis sentie anesthésiée en voyant son nom. J'ai cliqué sans attendre. Sans même être préparée à ce que j'allais y trouver.

(Pas d'objet)

Salut,

Je vais très bien. Merci.

J'ai eu ton message pour mes trucs. Je ne pense pas manquer de t-shirts, ni de petite monnaie. Le roman de Zola, je l'ai trop lu, garde-le. Fais ce que tu veux avec mes affaires. C'est pas vraiment important.

Damien

C'est pas vraiment important. Fais ce que tu veux. C'est pas vraiment important. Manquer de… Trop de… Fais ce que tu veux. C'est pas important.

Et j'ai réalisé ce que j'avais espéré en lui écrivant. J'avais marchandé la possibilité de le revoir. Juste une fois. Lui remettre ses choses et qu'il comprenne qu'il ne pouvait pas se passer de moi. Mais il le pouvait. Il pouvait très bien vivre sans moi. C'est ce qu'il voulait.

– Bien contente que toi, tu ailles bien, ai-je répondu au silence de mon appartement. Parce que moi… je pète le feu! Wouh!

Mon ton était convaincant. Le genre de certitude qui pousse à vendre de la glucosamine alors que tout le monde sait que ça ne fonctionne pas. J'ai éclaté de rire, d'un rire sans joie.

Je me suis imaginée montrant une photo imprimée de Damien à mon chien. Ce portrait de lui que j'adorais, qui se trouvait encore dans un dossier sur mon portable. Une fin de semaine où nous étions allés en camping, j'avais sorti l'appareil et l'avais surpris au réveil dans la tente. Ses cheveux plus indomptables que jamais, l'air étonné qu'il avait, avec dans les yeux de la fatigue, mais aussi plein de tendresse.

Allez, fais pipi dessus. Piiiii-piii… Allez! Fais pipi sur la photo.

Je mimais la scène à Monsieur-Monsieur qui ne comprenait rien à ma requête, bougeant sa grosse tête de mon visage à ma main, au sol, à mon visage.

Mais si la photo avait été devant lui, il aurait gémi un «wouuh houuu» voulant dire en langage de chien : «Es-tu folle?! J'ai été entraîné à me retenir et c'est pas aujourd'hui que je vais relâcher mon sphincter pour satisfaire tes desseins de vengeance. Le gars sur la photo, il était cool avec moi et il me grattait à des endroits que je ne peux pas atteindre moi-même. Fais-le toi-même, ton pipi.»

L'idée en soi était hilarante. Si seulement j'avais pu en rire.

J'ai cliqué sur le dossier.

«Êtes-vous sûr de vouloir supprimer "Damien"? Cette action est irréversible.»

Delete.

Et le vide encore plus vide. Sauf pour ma grosse bête à poils qui était toujours là pour moi.

– C'est toi mon homme, maintenant, ai-je dit d'une voix brisée à Monsieur-Monsieur qui me reniflait le nez. Hein, mon gros?

Mon chien en avait vu d'autres. Il me testait avec son museau. J'ai aperçu mon reflet dans ses grands yeux bruns. Une fille ivre en apparence. Une vision faussement hilare de moi-même, complètement pathétique. Puis, tandis que la pièce se remettait à tourner, les murs à tanguer et à se resserrer autour de moi, tandis que je ne respirais plus, je me suis mise à trembler sur ma chaise. J'ai entendu mes pleurs avant même de les ressentir. Engourdie, j'ai senti mes joues s'humidifier, ma vision devenir trouble, la boule qui se trouvait dans ma gorge depuis quelques heures prendre de l'expansion.

Fais ce que tu veux. C'est pas vraiment important. C'est pas important.

L'écran, avec sa lumière bleutée, me brûlait les yeux. Gênée par le bruit qui est sorti de ma bouche, ces sanglots qui résonnaient dans le silence de mon appartement, je me suis mordue la main pour les étouffer. Un filet de morve a coulé sur le museau de Monsieur-Monsieur. Ma morve. J'ai enjambé mon chien, voulant me précipiter à la salle de bain avec l'idée absurde que j'y trouverais plus d'intimité pour pleurer.

Pourquoi se réfugie-t-on dans la salle de bain en cas de détresse ?

Pourquoi ?

Parce que.

Mon cœur. Mon cœur était partout. Oppressant, gonflé, comme s'il allait exploser en milliers d'épines, des petites constellations douloureuses à chacun de ses battements, une douleur qui anéantit à chaque coup. Et cette barre qui me traversait le ventre, elle remontait maintenant, insidieuse, vers ma gorge pour la serrer et la serrer encore. J'étais une tête sur deux pattes, une mâchoire coincée dans un pleur déchirant, scandé par une respiration affolée. Qui panique. Qui déborde d'avoir trop refoulé.

C'est pas important. Pas important.

T'es pas importante pour moi. Débarrasse-toi de mes choses. Fais ce que tu veux. Et puis, tu sais quoi ? Je m'en fous et j'aime mieux ne pas te revoir.

Les murs bougeaient tandis qu'en arrière-plan, la porte m'apparaissait hors d'atteinte, infranchissable. Je ne voyais plus clair avec toute cette eau qui me brouillait les yeux. Au moment même où j'ai posé le pied sur le carrelage de la salle de bain, j'ai vomi par terre à côté de la toilette.

Je ne pensais pas tomber aussi bas.

Puis, la joue mouillée sur le sol froid, j'ai fixé les moutons de poussière qui s'étaient accumulés depuis que c'était terminé, depuis que le ménage était devenu aussi secondaire que le reste. Des vulgaires moutons de poussière à l'image de ma peine. On sait qu'ils sont là, mais quand on regarde droit devant, on ne les voit pas, on ne les ramasse pas, ils s'amoncellent… jusqu'au moment où on n'a d'autre choix que d'y faire face et de ramasser. Mais il n'y avait personne pour me ramasser.

C'est pas important. Pas important.

Monsieur-Monsieur est venu coller son flanc contre mon dos. Sa chaleur et sa présence bienveillante ont fini par avoir raison des hoquets et des sanglots qui me secouaient.

Je ne sais comment j'ai trouvé la force de me relever, une éternité plus tard, si ce n'est qu'aucun trou béant ne m'avait aspirée et que j'étais toujours en vie. Chancelante, j'ai regagné ma chambre, mon chien sur les talons, pour me raviser en touchant mes draps d'une main. Non, pas mon lit. Non. Mon lit me rapprochait de lui.

Je me suis endormie sur le sofa, sans couverture, dans un sommeil sans rêves, sans rien. Un sommeil sans lui. L'immuable réalité m'avait frappée, un mois plus tard dans les Maritimes.

Il m'avait appelée, enfin. Nous nous sommes donné rendez-vous à 16 h dans un café. Nous retrouver dans un endroit public pour clore une chicane, ça ne nous arrivait jamais. D'habitude, c'était chez lui ou chez moi. Le tout débutant par un gros câlin. Mais là, rien. Aucun geste pour m'accueillir. Je suis restée plantée là, les joues congelées, la tuque enfoncée sur le front et les larmes au bord des yeux. J'ai baissé la tête et vu le café au lait qu'il avait déjà commandé pour moi.

– Octobre et c'est déjà l'hiver, a dit Yan. Ça se peut pas!

La météo, ô saint sujet quand on ne trouve rien à dire, mais le regard qu'il m'a lancé voulait tout dire. J'ai pris place en face de lui et j'ai déclaré d'une voix faible qui ne me ressemblait pas, mais qui était moi, à ce moment-là, une voix que je ne pouvais plus renier :

– Bonjour, je m'appelle Clara Bergeron et je suis en peine d'amour.

Yan m'a fait un sourire désolé. Par-dessus la table, il a saisi ma main et l'a serrée très fort dans la sienne.

– Je m'excuse tellement, mais tellement ! J'ai été un mauvais ami ! Je pourrais me retrouver avec le record Guinness du pire mauvais ami !

La vérité était que je pouvais survivre à une peine d'amour, me faire abandonner par tous les Damien de l'univers, mais perdre mon meilleur ami, ça je ne pourrais jamais m'en relever.

J'ai retenu un sanglot.

– Je ne sais pas comment m'excuser proportionnellement à ce que je t'ai fait vivre, a-t-il continué en me suppliant du regard, ma main toujours prise en étau dans la sienne.

– C'est pas grave.

– Oui, c'est grave !

Sa voix s'est étouffée et ses yeux se sont embués. Je suis demeurée immobile sur ma chaise, enveloppée de mon manteau, ne sachant comment réagir. En plus de quinze ans d'amitié, je ne l'avais jamais vu pleurer. Sa réaction a fait naître tout un torrent de larmes qui ont mouillé mon visage.

– Ah... Yan... Arrête, tu vas me faire pleurer !

– Mais tu pleures déjà, Poune !

– Je sais...

De l'entendre m'appeler par mon surnom comme ça, avec la même tendresse qu'avant, me remuait encore plus. J'ai dégagé ma main de sa poigne et j'ai essuyé mes larmes avec le coin de mon foulard. Toute excuse supplémentaire était vaine. Sa présence devant moi me suffisait.

J'avais retrouvé mon ami.

– Mais reste pas comme ça, enlève ton manteau, bois ton café, a-t-il dit en se séchant les yeux avec une serviette de table.

Nous avons ri doucement. Il m'a tendu des serviettes et nous nous sommes mouchés bruyamment, ce qui nous a fait nous esclaffer encore plus fort, à un point tel qu'il m'était impossible de savoir si je pleurais de rire, de tristesse ou de soulagement. Puis nous sommes restés un moment en silence, le temps de reprendre notre souffle et d'essuyer les dernières larmes. J'ai bu lentement mon café avant de lui sourire faiblement par-dessus ma tasse.

– T'as de la peine, Poune ?

– Oui, ai-je admis.

Plus de faux-semblants. C'était étampé sur mes traits de toute façon.

– Je ne sais pas quoi faire pour te consoler. Je sais juste faire des massages.

– T'es là, c'est tout ce qui compte.

Yan nous a commandé d'autres cafés comme pour se sentir utile. J'ai dégusté du bout des lèvres un biscuit à la farine d'avoine parce qu'il s'était inquiété de voir que j'avais maigri (probable), me demandait si j'avais mangé depuis que je m'étais levée (à peine) et si je tenais le coup (plus vraiment).

– Faut que tu prennes soin de toi.

– Oui, je sais.

J'ai hoché la tête docilement, enfonçant mes dents dans le biscuit pour le convaincre que j'avais bon appétit et qu'il s'en faisait pour rien.

– Ah ! Une anecdote comme ça, a-t-il lâché, l'air de rien. C'est terminé avec Yannick.

Il a fait un mouvement circulaire de la main, signifiant à la fois que le sujet était clos, que l'intéressé avait pris le bord et que c'était tant mieux. Une combinaison de tout ça. Mais je n'étais pas dupe.

– En fait, c'est plus une révélation-choc qu'une anecdote, a-t-il ajouté dans un murmure.

– Oh non! C'est fini avec Yan numéro deux!?

– Ouin, c'est la vie! Mon pétage de coche de l'autre fois, c'était de la projection totale! Ça allait mal dans mon couple. Je me suis vu en toi. Je l'admets! Et t'avais raison pour les contes de fifs… Ça se peut pas!

Je lui ai lancé un regard mortifié. Il a émis un rire sans joie, avec une ombre voilant ses yeux, avant de se mettre à reluquer par-delà la vitrine un homme en veston-cravate qui marchait sur le trottoir. Typique de Yan.

– Qu'est-ce qui s'est passé?

– Tu sais bien, je suis pas capable de rester en couple. Avec ma bipolarité et tout… Je suis pas du monde.

J'ai esquissé un geste pour lui tapoter la main, mais il a agrippé son cappuccino pour en prendre une autre gorgée.

– Tu es du monde… pour moi.

Je lui ai souri doucement, encore un peu émue. Malgré toutes les embûches, malgré ses hauts et ses bas, Yan était un homme d'exception et je le pensais sincèrement.

Et il s'est mis à parler. Ça avait commencé par des cauchemars. Il n'avait cessé de rêver de cette fois où il avait été poignardé par un inconnu quelques mois plus tôt. Cette fois où j'avais pensé qu'il allait mourir. Pour Yan, cet épisode s'était répété dans son sommeil, nuit après nuit, comme pour le tirer vers le bas, pour le ramener à sa vie d'avant. Cette vie d'insouciance et de baises sans lendemain. Dans ses cauchemars, son agresseur était un tueur à gages embauché par ses anciens amants. Il se réveillait toujours dans le même hôpital, et toujours seul. Il appelait et personne ne venait. Tout le monde était en couple et heureux.

Cette image l'avait hanté. L'idée que tout aurait été différent s'il ne s'était pas fait attaquer. Il ne se serait jamais retrouvé dans la section des cosmétiques chez Jean Coutu, entre les mains d'un jeune homme qui avait masqué son œil tuméfié et mis du baume sur son cœur. Yannick (alias Yan numéro deux), celui qui l'avait fait basculer dans la vie de couple, un univers jusqu'alors étranger pour lui. S'il n'avait pas fait sa connaissance, il serait resté dans son petit confort de célibataire endurci et il n'aurait jamais eu peur de perdre quelqu'un.

– Ah… Un p'tit *trivia* pour toi… J'ai googlé «soixante-douze jours», a-t-il dit en mimant des guillemets.

Il a souri et a mordu dans son croissant aux amandes.

– Hum?

– Ta relation avec Damien, a-t-il expliqué en mâchouillant. Ça a duré le temps de gestation du cochon d'Inde. Alors, je comprends ta frustration!

J'ai étouffé un petit rire. Qu'il était bon de le revoir! Il était tout en ombres et en lumières et, même lorsqu'il s'épanchait et révélait ses angoisses, il réussissait toujours à me faire rire en lâchant un mot d'esprit ou une parole à la fois absurde et apaisante.

– Cochon d'Inde? Ça doit être pour ça que je me sens comme une belle dinde!

– C'est vrai que c'est un coup de cochon que Damien t'ait laissée par internet, a-t-il admis.

Yan est devenu mal à l'aise et s'est aussitôt ravisé:

– Excuse-moi de dire son nom… Peut-être que tu aimerais mieux qu'on ne le nomme pas?

J'ai haussé les épaules.

– Oui, je préférerais… Tiens, appelons-le *Celui-qui-est-parti*.

– D'accord.

Il m'a regardée avec un sourire piteux et plein de sollicitude.

– Qu'est-ce que ça représente dans une vie, soixante-douze jours? ai-je poursuivi avec un haussement d'épaules. Rien. Dans quarante ans, je l'aurai complètement oublié.

C'était une mince consolation de m'imaginer dans quarante ans. Vieille. Rabougrie. Seule. Sénile probablement. Les gens en couple vivent plus vieux, les autres crèvent. *Bang.* Une belle vision du futur. La joie.

Et je ne voyais pas plus loin que le bout de mon nez.

– Tu ne sais jamais ce qui peut arriver…

Et si le bout de mon nez m'indiquait la mauvaise direction?

– Quoi?

J'ai eu un petit sursaut. Mon cœur s'est serré et a bondi dans ma poitrine en même temps.

– Yan, est-ce que tu sais quelque chose? ai-je insisté. Est-ce que Damien t'a parlé? Est-ce que?…

– Non, pas de nouvelles.

– Et Mélo? Elle t'a dit si elle en avait?

– Rien non plus…

– Franchement! Il est donc ben cheap!

– Tu nous as dit de ne pas chercher à savoir, de ne pas poser de questions, c'est ce qu'on a fait. On n'a pas insisté.

– Mais vous êtes amis Facebook avec lui!

– Ça veut rien dire, ça!

Je me suis renfrognée. J'ai tourné la cuillère dans mon café en faisant un bref calcul mental après m'être enquise de la date de sa rupture.

– T'as été quatre-vingt-treize jours en couple avec ton Yannick. Tu chercheras sur Google…

– Certain! Quatre-vingt-treize jours? Wow! J'ai battu mon record!

– Je suis fière de toi!

Je lui ai fait une grimace qui manquait un peu de conviction. Yan a déclaré:

– Retour à la case départ. Ou plutôt à la case célibat!

– Peut-être qu'on n'est jamais partis de la case départ? Ou qu'on est restés sur la case prison? ai-je demandé, un brin philosophe.

– On est pareils toi et moi, Clara. On n'est pas vraiment capables de s'engager… ni d'aimer pour de vrai.

Sa révélation m'a fait l'effet d'un coup de massue. J'étais complètement atterrée. Nous avons échangé un long regard sans rien dire de plus. Pour Yan, le tout s'expliquait par nos blocages, notre peur de l'engagement, nos incapacités. Si nous avions abordé le sujet plusieurs fois, sans être aussi dé-sillusionnés qu'en ce moment, je ne voulais tout à coup plus y croire. Nos échecs ne pouvaient pas se résumer en une théorie à la fois simpliste et insurmontable. Je ne voulais pas y accorder de crédit. Prise au piège, j'ai fait dévier la conversation. Ou je l'ai ramenée à la source, c'est selon.

– J'ai fait des rencontres par internet. Une trentaine. Juste des cas pas terribles…

– T'as pas honte!? s'est écrié Yan en frappant sur la table, le regard soudainement allumé. Pouah! Je te niaise! Moi aussi, le soir où Yannick et moi, on s'est laissés! Je te l'ai dit… On est pareils! Pathétiques!

Ses paroles résonnaient encore dans mon esprit.

On n'est pas capables de s'engager, d'aimer. On est pathétiques.

– Moi, deux jours plus tard… Tu vois, tu bats encore mon record! J'ai tellement d'anecdotes à te raconter…

– Bah… quand t'as faim, tu manges n'importe quoi…

– Ark, Yan!

Nous avons éclaté de rire. Cette fois-ci, les larmes fusaient, mais pas pour les mêmes raisons. Qu'il était bon de le revoir avec ses répliques cocasses et ce sens de la dérision qui lui était si particulier.

– Donnes-tu encore des notes sur dix? a-t-il demandé après un retour au calme qui nous laissait un peu essoufflés.

J'ai pris une gorgée de mon café qui était devenu tiède. J'ai murmuré :

— C'est fini, ça.

— C'est triste...

— Oui.

Chapitre 12

Le lendemain, Mélo débarquait chez moi avec son sac de voyage et ses deux chats (mais une seule litière). Elle avait apporté sa trousse de secours : une grosse boîte de chocolats noirs (parce que c'est bon pour le moral), des bombes effervescentes Lush pour le bain (parce que c'est bon pour se relaxer) et une série de DVD (tout sauf des comédies romantique). Elle s'est mise à concocter des recettes réconfortantes faites à base de légumes saisonniers. C'était comme si elle n'était jamais partie, sauf pour le matelas gonflable qu'elle avait pris soin d'installer dans son ancienne chambre maintenant exempte de meubles. Même Grosse-Minoune, sa chatte, était de retour dans le giron de Monsieur-Monsieur. Il n'y avait que son nouveau chat, nommé Touffu (un chat sans poils), qui tentait de montrer des griffes inexistantes à mon chien qui, de son côté, ne bronchait pas.

J'étais devenue intarissable sur ma douleur, m'épanchant comme je ne l'avais jamais fait auparavant. Mélo masquait sa surprise derrière un regard attentif.

– J'ai le cœur en miettes… et je ne voulais pas voir la réalité en face. Je suis devenue méchante, menteuse. Je ne sais plus quoi faire pour me le sortir de la tête… Merde… j'ai mal jusque dans les tripes…

Venait alors un hoquet, et je clignais des paupières pour tenter de stopper les larmes qui affluaient, sans toutefois parvenir à les réprimer. Mélo me tendait un mouchoir sans rien dire et me laissait parler. Elle m'épargnait ses théories sur les étapes du deuil amoureux, ne me disait pas des trucs comme : « Je te l'avais bien dit ! » Et bien sûr, je lui avais avoué mes multiples rencontres par internet, confidences qu'elle avait accueillies sans même sourciller, acceptant le récit de mes déboires sans porter de jugement. Cette indulgence tout à fait inattendue chez elle me faisait du bien.

Puis Yan s'est pointé avec, sur les talons, Noémie, sa fille issue de la seule et unique relation hétérosexuelle, complètement chaotique, qu'il avait vécue alors qu'il n'avait pas vingt ans. J'ai ouvert la porte d'entrée et je les ai aperçus tous les deux, elle avec un air profondément bouleversé, les écouteurs de son iPod enfoncés dans les oreilles, lui mal à l'aise avec leurs sacs de voyage en main.

Il s'est penché vers moi avec une mine soucieuse et m'a murmuré :

— Je ne voulais pas l'amener ici ce soir, mais je ne pouvais pas faire autrement, parce qu'elle ne veut plus rien savoir de sa mère. Et son gars d'internet l'a laissée… Allô la coïncidence !

Il a déposé les sacs à mes pieds, comme pour me signifier qu'ils s'installaient eux aussi, et a ajouté entre ses dents :

— Je ne sais pas si ma fille est passée à l'acte et si elle lui a taillé la pipe de ses rêves ou n'importe quoi d'autre de dégueu avec des fluides, je ne veux pas le savoir… Je suis en ta… Et avant que tu me demandes…, ça a duré dix-huit jours. Maudits gars !

Noémie avait l'air complètement défaite en se départissant de son sac à dos. J'étais surprise de la voir ainsi maquillée avec un trait d'eye-liner et vêtue de noir. Elle avait totalement changé de style depuis la dernière fois que je l'avais vue. C'est fou ce qu'à treize ans, presque quatorze, les choses basculaient vite. Elle avait perdu sa belle candeur d'enfant.

— En passant, je lui ai dit pour *Celui-qui-est-parti* et toi… donc pas de stress, a tenu à me préciser Yan.

Pas de stress ?!

Je n'en voulais aucunement à Yan d'avoir amené sa fille avec lui, mais je n'étais pas certaine de pouvoir m'épancher devant elle. Je savais quelle admiration elle me portait. Depuis qu'elle était toute petite, elle voulait être comme moi, tout faire comme moi. Et dernièrement, en vivant une journée de stage dans mon entreprise, elle avait eu un coup de cœur pour ma profession et souhaitait devenir chasseuse de têtes elle aussi. Je ne souhaitais en aucun cas prêcher par l'exemple et, dans la situation présente, les similitudes étaient criantes. D'abord, un rejet de sa mère étouffante et contrôlante, et ensuite, un gars rencontré par internet qui rompt avec elle. Bien sûr, ma vie ne se résumait pas à ces deux blessures, mais si c'était une façon pour elle de s'identifier davantage à moi ? Je ne voulais pas qu'elle devienne comme moi ! Qu'elle soit moi...

Elle a posé ses grands yeux maquillés sur mon visage qui ne l'était pas, a vu mes vêtements de type « confort intérieur » et a retiré ses écouteurs lentement. Sa lèvre inférieure s'est mise à trembler. J'ai dit doucement :

– Allô, ma cocotte !

Et elle a fondu sur moi. Un vrai torrent quasi gothique a commencé à sangloter de façon incontrôlable dans mes bras sans que je sache quoi en faire. Je me suis mise à frotter son dos et à murmurer des paroles de petite maman. Bientôt, mon chandail était taché de maquillage. J'étais désemparée de la voir pleurer ainsi.

Yan me regardait d'un air aussi accablé que mal à l'aise. Il articulait : « M'excuse. »

– Ah, pauvre 'tite chouette. Pauvre 'tite chouette ! ai-je roucoulé avant de me mettre à pleurer à mon tour.

Yan s'est frappé le front avec une main, complètement découragé par mon manque de retenue.

⏻

J'avais demandé à Mélo de jeter tout ce qui appartenait à Damien, du tiroir de la table de chevet aux quelques trucs qu'il avait laissés dans la salle de bain. Dans le réfrigérateur, elle avait découvert un vieux contenant de yogourt aux framboises périmé. Sa saveur à lui. C'est fou, en si peu de temps, il s'était installé dans ma vie pour partir aussi vite qu'il était arrivé. Même sa brosse à dents était toujours là. Il fallait faire table rase de tout ça.

J'étais dans un état comateux, émergeant d'une sieste d'après-midi. Je marchais dans le corridor d'un pas traînant, entendant Yan et Mélo qui faisaient le ménage dans la cuisine et qui conversaient.

– Allez... T'as rencontré quelqu'un, avoue !

– Ben là...

– Avoue, Mélo !

– Qu'est-ce qui te fait dire que j'ai rencontré quelqu'un ?

– Je lis en toi !

J'ai souri pour moi-même. Mais oui, Yan lisait tellement bien en elle qu'il n'avait jamais remarqué qu'elle avait eu le béguin pour lui pendant des années. Toute une perspicacité !

– Ben oui, ben pas vraiment... Peut-être que j'ai rencontré quelqu'un...

Yan a ri.

– C'est qui ? C'est qui ?

– C'est pas le moment d'en parler...

Je m'approchais de la cuisine et j'allais me mêler à leur conversation, la taquiner à mon tour, quand j'ai entendu Mélo dire mon nom. J'ai stoppé net et je me suis collée au mur, par réflexe, en proie à la fois à la curiosité et au sentiment d'être prise au piège.

– Clara a fait plein de rencontres de façon compulsive. Plein de gars d'internet ! Je ne comprends pas...

– Ah oui? Je ne suis pas au courant…

– Yan, ne fais pas l'innocent! Tu sais qu'elle me l'a dit et je sais qu'elle t'en a parlé! Et je sais que toi aussi, tu as fait beaucoup de rencontres. Pour toi, je comprends… parce que tu… Ben, c'est que tu as besoin de… de…

– De cul?

Mélo s'est mise à bafouiller. J'entendais ses pas qui se précipitaient sur le plancher de la cuisine et je pouvais deviner son malaise.

– Argh! Yan… Oui, bon, mais pour Clara… C'est sûrement autre chose, tu ne penses pas?

– Tu as une théorie?

Ils se sont tiré une chaise. J'ai dû tendre l'oreille pour entendre la suite, car Mélo avait soudain baissé la voix.

– Oui. J'ai ma théorie là-dessus. Tu te souviens du contexte de leur rencontre? Qu'elle et Damien ont jasé des mois sans se voir et qu'elle ne savait même pas de quoi il avait l'air. Il se faisait passer pour J.-P., son coloc, jusqu'au moment où il est venu la rencontrer par surprise…

– Oui, oui.

– Clara aussi a utilisé des pseudos. Elle a fait la même chose que lui. Je crois qu'inconsciemment, Clara cherchait Damien dans ses rendez-vous… Qu'elle aurait aimé qu'il se soit caché derrière un pseudo comme avant et que le hasard les amène à se revoir.

J'ai étouffé une exclamation. Qu'est-ce que c'était que cette théorie? Je me suis calée contre le mur comme pour m'y fondre. Voilà que j'espionnais la conversation, mais comme elle me concernait, j'avais de bonnes raisons.

– Je ne pense pas que Damien ait la tête à rencontrer quelqu'un…

– C'est ce qu'il t'a dit, Yan?

– Non, mais j'ai pu deviner…

Mon cœur s'est arrêté, comme chaque fois qu'on parlait de lui. Par moments, Damien n'existait plus pour moi, et l'idée qu'il interagisse avec un de mes amis me bouleversait totalement. Il continuait d'exister en dehors de moi, en dehors de nous. Il était peut-être à cet instant même chez lui, à dix minutes en voiture de chez moi, et je ne le savais même pas. Je ne le sentais pas.

— Et elle te vient d'où, cette petite théorie un peu beaucoup tirée par les cheveux ?

— De Frédérick St-Jean…

— Fred ?

Mes deux amis se sont mis à pouffer de rire. Je ne comprenais plus. Qu'est-ce que Frédérick venait faire là-dedans ?

— J'ai vu que Clara était amie avec lui sur Facebook, expliquait Mélo. On s'est contactés et on a jasé de plein de choses. De Clara, entre autres… J'ai compris pas mal d'affaires…

Mais qu'est-ce qu'il lui avait dit ? Frédérick lui avait-il relaté ce qui s'était passé lors de notre rencontre ? Non, il me semblait qu'il était beaucoup trop discret pour faire ça. Sinon, qu'est-ce que mon amie était allée lui raconter sur mon compte ?

— Moi aussi, j'ai écrit à Fred ! s'est exclamé Yan.

Nouvel éclat de rire. Puis ils sont redevenus sérieux aussi subitement que leurs rires s'étaient envolés.

— Frédérick a toujours bien saisi Clara, a dit Mélo, songeuse.

— Pas juste Clara…

Je ne sais pas quel air a pris Mélo devant le sous-entendu de Yan, mais celui-ci a fait bifurquer la conversation vers un fait divers du journal. Je suis retournée me coucher. Tout était si compliqué et j'étais si lasse. Je ne voulais même pas affronter mes amis. Dans d'autres circonstances, je serais montée aux barricades et je leur aurais signifié que s'ils avaient quelque chose à me dire, ils n'avaient qu'à me le dire en pleine face. Je n'avais pas d'énergie pour ça. J'ai été prise d'un haut-le-cœur aussi subit qu'inattendu et j'ai couru à la salle de bain, apercevant en vision périphérique mes amis à la table de la cuisine.

Chaque matin depuis les derniers jours, depuis que j'avais ouvert les valves, à la seconde où je soulevais les paupières, ça me frappait d'un coup. Inertie, mal de tête et de gorge, de cœur, estomac retourné, sentiment profond d'accablement, vision qui se brouille. J'ouvrais les yeux sur les murs de ma chambre avec une envie poignante de pleurer que je réprimais comme je le pouvais. Le diagnostic était posé : le manque de lui. En langage populaire : la saleté de peine d'amour. Dans mon cas : à retardement. Je me sentais malade, anéantie. Rien à voir avec un rhume qui part au bout de deux jours.

L'envie de rien. Marcher comme une apathique, incapable de céder à l'idée d'un quelconque soulagement. L'épuisement total. Dormir, dormir et dormir à condition de ne pas rêver de lui. Broyer du noir, du gris ou une autre couleur moche.

Heureusement que mes amis étaient là, mais l'ambiance n'était pas à la fête. Le tabou flottait dans l'air. Aucune mention de *Celui-qui-est-parti*. J'étais l'unique détentrice du droit de parler de lui, de le ramener sur le tapis. Mais je ne le faisais déjà plus.

— Demain, je retourne travailler, ai-je dit le dimanche matin.

Les protestations ont fusé de toutes parts, même de Noémie, qui trouvait ça « dé-gueu-lasse ».

— Ils ont besoin de moi.

Je me sentais l'âme d'une missionnaire sans en avoir l'énergie. J'ai finalement laissé un message sur la boîte vocale de Marie, la réceptionniste. Je prenais trois jours supplémentaires. J'avais l'impression de demander une faveur. La culpabilité me rongeait, je la mettais sur le compte de mon désir d'être indispensable et irremplaçable, alors qu'en vérité j'avais commis une bévue que mon patron n'était pas près de me pardonner. Bref, j'étais dans la merde.

J'étais à un cheveu de me complaire dans la douleur, jusqu'à ce qu'un autre voyage à la toilette m'éclaire d'une réalité, comme une claque en plein visage, comme un dix roues qui freine pour ne pas heurter un piéton. Je venais de vomir sans raison, comme pour me rappeler que j'avais des tripes. Pourtant, je n'avais pas pleuré. Je n'avais pas bu. Je n'avais pas la gastro. Je n'avais même pas pensé à lui ces dernières heures. J'avais regardé la télé à moitié dans les vapes. Rien dans le crâne. Rien pour déclencher des haut-le-cœur. Ça m'a frappée d'une grande gifle empreinte de vérité.

Je suis… Je… suis…

La glace me renvoyait un visage blafard, des yeux cernés. Je me suis toisée un moment, avec l'envie de demander à cette inconnue qui elle était et pourquoi elle était dans un si piteux état.

Mais voyons… Mais voyons…

Jour un, jour deux, jour trois… J'avais perdu le compte depuis notre rupture. J'avais ouvert les petites portes du calendrier de l'*avant-rupture*, mais j'avais oublié tout le reste. Des bouts, j'en avais perdu, et surtout ceux du calendrier de l'après.

Les poussées de colère, les hauts et les bas, les bas encore plus creux, les larmes, l'apathie, les sautes d'humeur, le café qui goûte la cendre jour après jour, les nausées, l'estomac retourné, les vertiges, la perte d'appétit.

Peine d'amour, oui… mais à quel point?

J'avais déjà eu tous ces symptômes. Ils remontaient à l'été de mes vingt ans. Mon premier copain. Un accident de parcours qui s'était conclu par un avortement.

– *Oh my God! Oh my GOD! MÉLOOOO!*

– Quoi? QUOI!

Elle a accouru en glissant sur ses bas, percevant dans mon appel à l'aide que je n'avais pas utilisé le trio «interjection, interpellation divine et prénom» en vain. Elle s'est immobilisée dans le cadre de la porte, la bouche ouverte, et quand je lui ai fait part de mon hypothèse en tremblant de tous mes membres, elle a eu l'air d'aspirer mes mots en encaissant le coup.

Quand Yan s'est pointé dans la salle de bain peu après, appelé d'urgence et encore tout endormi, nous en étions à analyser les signes et les symptômes. Mélo tâtait mon sein du bout des doigts avec l'air concentré et songeur d'un médecin suspectant la présence d'un kyste chez sa patiente.

– Woh! Un party de gouines! s'est exclamé Yan en se cachant les yeux.

– Clara est enceinte! s'est écriée Mélo en se redressant. Ben… *possiblement* enceinte, là!

J'ai relevé la tête avec hésitation et appréhension. Yan était pétrifié. Il a ouvert la bouche comme notre amie l'avait fait, digérant l'information. Il a répliqué d'un ton monocorde :

– Ah… Euh… Ouin.

– Ouin, ai-je répondu.

– Oh que ouin, a entériné Mélo.

CHAPITRE 13

Dans une procession surréaliste, nous nous sommes retrouvés à la pharmacie une heure plus tard, dans l'allée de la honte, comme l'appelait Yan. Je piétinais devant la grande variété de tests de grossesse, alors que Yan s'emparait d'une boîte de condoms XL et d'une bouteille de K-Y. Mélo et moi nous sommes questionnées du regard sur la taille des préservatifs. Elle s'est mise à bafouiller et, pour masquer son trouble, elle a pris les devants et a choisi pour moi le test de grossesse le plus économique.

— Je le savais qu'il y avait quelque chose qui clochait avec tes hormones, Clara. On a toujours eu nos règles en même temps. Comment on appelle ça, déjà? Du synchronisme? C'est pas juste parce qu'on habite plus ensemble que tu es déréglée. Et c'est pas juste à cause d'une peine d'amour. Ça fait combien de temps, là, que tu n'as plus tes règles?

— Ça fait longtemps… Je ne me souviens plus… J'ai des nausées depuis des semaines…

Yan nous lançait un regard grave. Mélo retenait son souffle.

Une fois arrivé à la caisse, Yan a pris la boîte des mains de Mélo, lui a balancé une claque sur les fesses et a dit assez fort pour que tout le monde entende :

— Envoye, on se grouille! La grosse à' maison nous attend!

— Han!? nous sommes-nous exclamées toutes les deux.

— La grosse à' maison…

Devant notre air perplexe et le fait qu'il semblait s'être créé un public en la personne de la caissière et de la dame âgée qui se faisait servir à l'autre caisse, il a insisté, haussant le ton en brandissant bien haut la boîte de condoms et le test de grossesse :

– J'voudrais pas t'en faire un autre à toé (il a levé le nez vers Mélo), déjà que je vais avoir le sien à torcher (il m'a désignée du menton) pis celui de la grosse en plus !

J'ai étouffé un rire dans mon foulard, baissant la tête, consciente que mon attitude pouvait dénoter de la honte pour quelqu'un qui ne saisissait pas l'humour de la situation. Mélo a lancé un sourire gêné à la caissière qui en avait perdu ses comptes, mais qui essayait de faire payer Yan. La grand-mère avait poussé une exclamation horrifiée. Il nous a tapé les fesses simultanément avant de balancer le sac à Mélo. Nous sommes sortis avec une démarche digne et solennelle, Yan au milieu nous agrippant chacune par le cou, Mélo et moi tenant fermement ses pectoraux. Ce n'est qu'un coin de rue plus loin, alors que nous étions sûrs de ne pas avoir été suivis (?!), que nous avons éclaté de rire. J'ai ri comme je n'avais pas ri depuis longtemps, avec des crampes d'estomac en prime et un étrange sentiment de jubilation qui s'est poursuivi jusque chez moi. Jusqu'au grand moment où nous nous sommes retrouvés tous les trois penchés, le souffle suspendu, complètement hypnotisés par le petit bidule de plastique dont l'éventuelle deuxième ligne menaçait de bouleverser ma vie à jamais.

Noémie était venue voir ce qui causait tout cet émoi, mais comme son père lui avait exhibé sa boîte de préservatifs en disant haut et fort : « Ça, ma Mimi, c'est des con-doms ! Ça se met sur les pé-nis pour ne pas faire des bé-bés… », elle s'était éclipsée, complètement mortifiée, dans sa chambre d'adoption sans demander plus d'explications.

– Allez ! Allez ! chuchotait Mélo en direction du test de grossesse. Allez !

Je sentais de l'impatience dans sa voix, et à la limite une sorte de hâte, comme si elle espérait qu'une deuxième ligne apparaîtrait. De mon côté, je ne savais qu'en penser. J'avais l'impression que la pointe de mes orteils se trouvait au bord du précipice.

Mais bon sang, de quand dataient mes dernières règles? La panique m'empêchait de calculer. Et si j'étais enceinte?

Jour 58

Il est sexy quand il conduit ma voiture. Je lui laisse prendre le contrôle. Jamais je ne prends le volant quand il est là, ce qui donne à mes mains tout le loisir d'intervenir comme elles le veulent. Là, ce qu'elles veulent, c'est caresser son sexe par-dessus le jean. Je m'amuse à voir la mine qu'il fait en tentant en vain de rester imperturbable. Je laisse mes doigts aller et venir de sa cuisse à son érection grandissante.

– Arrête avec ta main, sinon je vais être obligé de nous trouver un stationnement.

Je la retire. Il pousse un soupir où se mêlent le soulagement et la déception, fixe avec un sourire amusé la route devant lui. Ma main, je ne l'ai enlevée que pour la passer prestement sous ma jupe. J'échappe un petit rire et il secoue la tête.

– Hé! Ho! Qu'est-ce que tu fais?

Je retire ma culotte et l'envoie valser sur le tableau de bord. Il sursaute sur son siège, ses mains se crispent sur le volant.

– Trouve un stationnement, Damien…

– OK…, dit-il.

Ce qu'il fait. Nous nous garons dans un quartier industriel. Sans nous consulter, nous sortons chacun de notre côté, sachant la manœuvre impossible sur le siège du conducteur.

Avant d'ouvrir la portière arrière, il lance un regard circulaire sur le stationnement désert. Pas âme qui vive. Le lieu est sûr. Il m'adresse un clin d'œil.

– *Roger, all clear.*

On n'oublie pas une baise de banquette arrière. L'aspect rétro. Mal pris. Avec juste assez de latitude pour bouger le bassin, se frapper la tête au plafond. Inconfortable. Mais… excitant… Ô combien excitant!

Les deux portières claquent en même temps. Je me glisse sur la banquette, il m'attire à lui, sa bouche me dévore déjà.

Combien de fois pour lui? L'idée des autres filles avant moi, sa bouche qui en a embrassé d'autres. Sa bouche ailleurs, sur d'autres. Je veux chasser cette pensée. Je lui facilite le passage, déboutonne mon chemisier pour lui faire oublier toutes les filles d'avant.

Il dit en riant:

– Grossière indécence… J'aime ça.

Il se démène pour trouver une position pour ses longues jambes. Je ris, manie la fermeture éclair de son jean. Il plaque une main ferme sous ma jupe, sur mes fesses nues, pousse un «hum» appréciatif.

Je demande:

– Connais-tu quelqu'un qui s'est fait prendre à faire ça?…

Il tire mon soutien-gorge vers le bas sans ménagement, sourit de me voir tressaillir et dit:

– Prendre?

Sa langue glisse sur mon mamelon. Je gémis, agrippe ses cheveux. Puis il répond à mon interrogation:

– Personne. Je ne connais personne qui s'est fait prendre. Toi?

– Non.

Je repousse ses mains et pars à l'attaque. Je monte sur lui, sa langue entre dans ma bouche. Je libère son sexe, le tiens entre mes mains, il soulève ses fesses pour baisser son jean. La manœuvre n'est pas facile et demande plusieurs contorsions. Entre deux gémissements, nous pouffons de rire.

Sans cesser de m'embrasser, il me retient d'une main et cherche à maintenir mon bassin à distance alors que je plane dangereusement au-dessus de son sexe que j'étreins de mes doigts.

– Attends, supplie-t-il d'une voix rauque.

– Mais je te veux...

Il rit doucement. Sa main glisse sous ma jupe et, avec son pouce, il se met à caresser l'intérieur de ma cuisse et remonte lentement, très lentement.

– Je vois ça. Moi aussi, je te veux... au cas où ça ne paraîtrait pas...

– Du tout.

Il se mord les lèvres tandis que je le caresse avec plus d'ardeur. Il grogne. Impatient, il fouille ses poches à la recherche d'un préservatif.

– Dans ton sac à main ?

– Non.

– Quoi ? s'exclame-t-il, paniqué.

– Pas de condom !

– Oh non, merde de merde... C'est pas vrai !

À cet instant, je crois presque qu'il va se mettre à pleurer. J'étouffe sa plainte d'un baiser gourmand et en profite pour évaluer mentalement la situation. Mes calculs se brouillent, je perds la raison. Je suis excitée. Je le veux. Et puis, *fuck* !

– Dam... C'est pas grave...

– Pas grave ?

– Tout est beau...

– Tout est beau ? Mais tu ne prends pas la pilule...

Je joue la totale, je l'embrasse, détache mon soutien-gorge, guide sa main sur ma poitrine, mordille le lobe de son oreille et presse mes doigts sur son sexe dur. Il répond en grognant encore plus fort. Il mord doucement mon mamelon, ses lèvres entrouvertes effleurant mon sein, alternant entre un baiser, un halètement et un mordillement.

– C'est OK.

– T'es vraiment sûre?... On n'a jamais eu cette discu...

Je l'enfourche, me laisse tomber sur lui. La syllabe restante, il la dit dans mon cou : « ssiiiiooonnn !!! » Il pousse un mélange de gémissement et de rire alors qu'un long frisson le parcourt tout entier. Il renverse la tête en arrière et je l'embrasse à pleine bouche. Mes mains fourragent ses cheveux et je me mets à bouger sur lui sans lui donner de répit.

– T'es tellement... Hum... *Fuck*... Clara...

Il me presse contre lui, mord mon sein, plaque la paume de ses mains sur mes fesses et m'envoie un coup de hanches bien senti. Mon sexe fond sur lui, brûle sur lui.

– *Fuck*...

– Et... c'est... NÉ-GA-TIF ! s'est exclamé Yan, brandissant le test de grossesse au-dessus de nos têtes. Champagne, les filles ?

Mon cœur a manqué un battement. Ma gorge s'est nouée et tout ce qui est sorti de ma bouche, c'est :

– *FUCK !*

Un *fuck* tout mêlé. Un *fuck* de flashback et de choc. Un paradoxal *fuck* de déception et de soulagement. Yan a levé les bras en l'air, parallèlement à un sourcil interrogateur, et a exécuté une petite danse avec le peu de coordination qu'il possédait. Mélodie lui a arraché le test des mains et a objecté :

– Non, Yan. T'es dans les patates ! Regarde, il n'y a pas de ligne de test, donc le résultat n'est PAS valide ! C'est extrêmement rare de tomber sur un test défectueux, mais ça arrive. Il faut qu'elle en fasse un autre.

– *Oh my God*...

Mes genoux se sont entrechoqués. Je me suis assise sur le siège de la toilette, la tête entre les mains, prise d'un réel vertige. Mes amis continuaient de discuter, ignorant ma réaction.

– T'es donc ben au courant, toi! l'a taquinée Yan.

– C'est mon passe-temps préféré, faire des tests de grossesse pour le fun… Ben non, niaiseux! J'ai trois sœurs, cinq neveux et trois nièces. J'en ai vu d'autres. Allez, pousse-toi de là. Je retourne à la pharmacie.

Elle a contourné Yan et s'est emparée de son manteau. Juste avant de partir, elle m'a crié haut et fort:

– Penses-tu qu'il te reste du pipi dans ta vessie?

– Je peux pas y croire, ai-je marmonné sans déloger mon visage de mes mains.

Qu'elle me dise ça… comme si j'avais quatre ans. Et que j'en sois là, à quelques gouttes d'urine de voir ma vie basculer.

– Bois de l'eau si tu penses que tu ne seras pas capable de faire pipi, a insisté Mélo comme si je n'avais pas compris. Mais il faudra attendre quelque temps pour que ton urine soit plus concentrée. Quoique, si jamais tu es enceinte de plusieurs semaines, ton taux d'hormones de grossesse doit être élevé et tu auras une réponse rapide.

Merde…

Mélo est repartie, laissant un silence lourd derrière elle. On entendait toujours la musique venant de la petite pièce du fond, que Noémie avait prise d'assaut. Yan s'est assis par terre, dos à la porte de la salle de bain. Il m'a tendu un bout de papier de toilette quand j'ai été prise de vomissements.

J'avais encore la tête dans la cuvette lorsqu'il a repris la parole.

– Ça me rappelle nos années de beuverie, a-t-il dit en affectant plus d'amusement qu'il ne devait en ressentir. Ou l'été de tes vingt ans… Beuverie et avortement au gaz hilarant. Du déjà vu plein de joie!

J'ai hoché la tête, chassant aussitôt les souvenirs qui m'assaillaient et consacrant toute mon énergie à me redresser et à m'asperger le visage d'eau froide. J'ai risqué un coup d'œil vers mon ventre dont je pouvais percevoir le léger renflement malgré le fait que j'avais maigri. J'avais négligé de me nourrir correctement. J'avais perdu du poids… sauf au niveau du ventre. J'ai replacé mon t-shirt pour me couvrir.

— Je suis sûre que je suis enceinte.

— Une brioche au four… Partie en balloune… Engrossée…

— J'attends un bébé.

— Un bébé? a-t-il articulé, testant les mots dans sa bouche. Ça serait la cerise sur le sundae. Sauf que le sundae, il n'est plus là.

Yan guettait ma réaction. Je savais de quel sundae on parlait. Je n'ai rien dit en retour. Je me suis contentée de hausser les épaules.

— Est-ce qu'on parle bien du possible rejeton de *Celui-qui-est-parti*?

— Il n'y a eu personne d'autre.

— Wow… Tu veux dire que personne d'autre n'est passé par là?

D'un doigt, il a désigné mon entrejambe.

— Oui.

Il a poussé un sifflement admiratif et s'est gratté la tête, l'air de chercher à assimiler les nouvelles données. Des dizaines et des dizaines de rencontres et de possibilités de s'envoyer en l'air. Mais… personne d'autre. Juste lui. Celui qui est parti.

Tant qu'à être dans la salle de bain, je me suis appliquée à me maquiller. Il était temps que je recommence à prendre soin de moi. Manger mieux, prendre des vitamines. Arrêter définitivement l'alcool. M'adonner à l'aquaforme ou au yoga.

– Belle finale pour un couple, a dit Yan, songeur. Ils vécurent malheureux et eurent un avortement…

– Non, je pense que je vais le garder.

– Quoi ?!

– Non, je VAIS le garder.

– Ben là… Poune… Franchement…

J'ai pris une grande inspiration. Yan me dévisageait comme si j'étais tombée sur la tête. Je me sentais tout à coup à la fois fragile et forte.

J'occupais une place différente dans l'univers.

– Je ne veux pas me faire avorter cette fois-ci… À mon âge, ça serait irresponsable…

– Irresponsable ? Clara, tu dis ça sous le coup de l'émotion ! En plus, t'es même pas sûre d'être enceinte. Et si tu l'étais, tu ne serais pas en position de prendre une décision maintenant. Et je ne savais même pas que tu voulais des enfants !

Je me suis redressée, toute droite, avec la détermination qui m'avait fait défaut ces derniers jours.

– Moi non plus, je ne savais pas que j'en voulais ! Mais j'y pense depuis tantôt et ça a du sens. Pourquoi je ne pourrais pas le garder ? Je suis à l'aise financièrement, j'ai un grand appartement, donc beaucoup de place. Je vais y arriver seule. Le scénario est parfait comme ça.

– Parfait ? Tes arguments sont théoriques, mais Damien, dans ton scénario, il est où ?

– Nulle part…

– Tu veux dire que tu ne lui dirais pas ?

J'ai choisi d'ignorer sa question.

– Toi, tu es papa. Tu as eu Noémie et tu t'en es très bien sorti…

Sceptique, Yan a haussé les épaules puis a insisté :

– Change pas de sujet ! Tu garderais le bébé et tu ne dirais rien à Damien ? Vraiment ?

J'ai haussé les épaules à mon tour et affirmé :

— Oui, j'élèverai le bébé toute seule. Combien de femmes se font inséminer de nos jours et décident d'avoir un enfant pour elles-mêmes ? Pourquoi pas moi ?

Plus je parlais, plus tout se mettait en place. Oui, c'est ce que je voulais. Je voulais un enfant. L'image était claire dans ma tête. Au-delà de toute logique, de tout argument, le désir était là, bien présent et plus réel que jamais. J'imaginais un petit être blotti dans mes bras, contre mon sein. Il avait toujours été là, dans un recoin de mon inconscient. Clara l'indécise. Clara qui avait si peur de s'engager avec un homme. Clara qui n'avait pas l'esprit de famille.

Clara qui aurait un bébé seule et qui serait heureuse.

Je me prenais à voir dans toutes mes incertitudes l'aboutissement de quelque chose d'insoupçonné. C'était la vie qui avait été dessinée pour moi et, maintenant que le tout était enclenché, je ne ressentais qu'un sentiment de paix. Un bébé à moi. Oui. Un petit cocon symbiotique et tout doux.

J'ai souri à cette idée. Mon premier véritable sourire depuis des semaines.

Mais Yan ne se laissait pas convaincre.

— Excuse-moi, mais Damien, c'est pas un donneur de sperme. C'est un ex dont tu es toujours amoureuse. Si tu ne vois pas le dilemme moral, moi, je le vois.

Je lui ai lancé un regard noir. Bravo pour le pétage de bulle ! Mais j'avais d'autres préoccupations…

— Eh merde ! Avec Nita qui est enceinte, c'est tout un mauvais timing !

— Han ? Qu'est-ce que la grossesse de ta sœur vient faire là-dedans ?

— Chez les Italiennes, il ne faut pas être enceintes en même temps. Chacune doit avoir son moment à elle… C'est un principe qu'il faut respecter…

Confus, Yan secouait la tête.

– Ben là, attends de voir les résultats du test! Tu parles comme si c'était sûr et certain que t'es enceinte!

– J'ai un de ces pressentiments… J'ai tous les symptômes… Mes seins sont super durs… Touche!

J'ai saisi sa main et il l'a dégagée promptement avec des yeux horrifiés.

– Argh, Clara! Arrête ça! Je ne suis pas un pro de la détection de grossesse par palpation du téton de béton. C'est contre ma religion. Et s'il m'est déjà arrivé de toucher à ça, là, je-ne-palpe-pas-le-téton, point final. Et ne compte pas sur moi pour élever ton enfant illégitime. J'ai donné.

Chapitre 14

Merde.
Merde…
Merde et re-merde !

DEUXIÈME PARTIE

Chapitre 15

Jour 32

Je suis à table et déjeune en compagnie de Damien et de Mélodie qui s'échangent des sections de *La Presse*, se passent la boîte de céréales et le lait avec un naturel désarmant, à croire que ces gestes sont exécutés depuis des années. Je m'étonne encore de constater à quel point Damien est à l'aise chez nous et comment Mélo a fini par l'accepter comme un membre à part entière de notre petit clan.

Damien tente du mieux qu'il peut de répondre aux multiples questionnements de Mélo sur ses relations avec les hommes. Souvent, ça se termine comme suit :

— Mais pourquoi il agit comme ça, d'abord ? J'ai besoin de ton opinion de gars…

— J'en ai aucune idée…

Et Mélo pousse alors un soupir tandis que Damien me lance un appel à l'aide du regard en quête de renfort. Qu'il ne comprenne rien vient confirmer à Mélo qu'elle a bien raison de s'arracher les cheveux et ça semble la rassurer momentanément. Elle finit par conclure (comme chaque fois ou presque) par :

— Je vais en parler à Yan pour voir ce qu'il en pense.

Damien hausse les épaules avec un petit sourire désolé. Pas moyen de compétitionner avec l'ami gai.

— Damien, t'as pas un frère jumeau… plus jeune ?

— Plus jeune ? demande-t-il distraitement, absorbé par une critique de film. J'ai juste deux sœurs.

– Ouais, je veux m'essayer avec un gars plus jeune, donc plus innocent.

– Là, tu tiens peut-être quelque chose, lui dis-je en mordant à pleines dents dans ma rôtie au beurre d'arachides garnie de tranches de banane.

– De toute façon, les énergies vont être différentes quand je serai enfin dans mon nouveau condo… C'est pas feng-shui d'être dans un appartement de célibataires.

Je fais un clin d'œil à Damien, qui se met aussitôt debout et s'étire. Il m'embrasse le sommet de la tête et annonce qu'il doit aller prendre sa douche et se raser. J'objecte :

– Nooooonnnnn, ne te rase pas !

– Pourquoi ? demande-t-il en grattant sa petite barbe d'une main comme pour me démontrer à quel point se raser est une nécessité.

– T'es beau avec une p'tite barbe de trois jours. C'est sexy.

– Merci. En fait, là je suis rendu à quatre jours, corrige-t-il. Et ça pousse vite.

– T'as l'air d'un *bad boy* quand t'es pas rasé. Et on aime les *bad boys*, han, Mélo ?

Je me cramponne à son t-shirt, telle une groupie éperdue. Mélodie se bidonne, la bouche pleine de céréales, ses épaules agitées par de petits rires. Les yeux de Damien passent d'elle à moi et il finit par secouer la tête d'incompréhension.

– Euh, OK… Pas sûr de comprendre…

– Je t'aime avec une petite barbe, bon !

Les mouches arrêtent de voler, l'air de circuler. Je vois ses pupilles se dilater.

– Tu m'aimes ?

Les Rice Krispies cessent leur cric-crac-croc dans la bouche de Mélo qui s'ouvre grand en même temps que ses yeux. Elle joint les mains dans une position à mi-chemin entre la prière et l'applaudissement. Je connais cette posture chez mon amie : c'est l'incarnation du sentimentalisme à son apogée et, sans contenu alimentaire en bouche, elle aurait lancé un retentissant et béat : « *Oh my GOD !* C'est tellement *cuuuuuute* ! »

Je mordille mes lèvres, bafouille quelques sons : « Mmmm… bbbl… ffffeee… » Damien me regarde bien en face, inquisiteur, amusé. Sur sa bouche, je vois passer toutes sortes de sourires pendant qu'il attend patiemment ma réponse.

— Je veux dire que je, hum… j'aime la *barbe* de trois jours… s-sur-sur… toi !

Son nez et ses yeux se plissent dans une petite grimace. Il se mordille la langue. Pas moyen de me soutirer quoi que ce soit.

— Et qu'est-ce que je fais avec ma barbe de *quatre* jours ? demande-t-il, pratico-pratique.

— Tu-ne-te-rases-pas, intervient Mélo en levant un doigt en l'air. Jamais, jamais. Enfin, oui. Demain, tu vas t'acheter un rasoir exprès pour ça. Barbe de trois jours pour toujours. Barbe de trois jours. Barbe de trois jours. T'es un *bad boy*. T'es un *bad boy*.

Elle improvise un mouvement d'hypnose dans sa direction. Il joue le jeu et se dirige d'un pas mou vers la salle de bain.

— Quand tu vas te réveiller, tu n'auras que le nombre trois en tête.

— OK. OK, dit-il. Je suis un *bad boy*. Je suis un *bad boy*.

La porte de la salle de bain se referme. Je reprends place devant Mélo qui me regarde, l'œil coquin, en s'essuyant les coins de la bouche avec sa serviette de table à motifs de cœurs.

— Hé ya yaille ! J'ai failli assister à la grande déclaration… *live* ! se moque-t-elle, et puis en m'imitant, elle ajoute d'une voix tremblotante : « Je suis trop orgueilleuse pour te dire les trois p'tits mots que je voudrais te dire et que je ne

peux pas te dire, mais Damien… je veux dire que… que…
je-je-j'aime la barbe de trois jours s-sur-sur… toi. »

— Ah ! Ta gueule, Mélo !

CHAPITRE 16

Jour 35

Les batailles d'oreillers. Je suis K.O. sous Damien quand la sonnerie retentit. Une fois, deux fois... Puis la voix de Mélo et la mienne résonnent. Le concept de Mélo (un mot chacune, en alternance) était bien simple, sauf qu'il nous a fallu presque deux heures pour y arriver. «Vous/êtes/chez/Clara/et/Mélo!/Nous/ne/sommes/pas/là/ou/peut-être/que/oui.../mais/ça/vous/ne/le/saurez/pas.../Laissez-nous/un/message/et/on/vous/rappelle.../ou/pas!»

Les lèvres de Damien vibrent contre les miennes.

– C'est quoi ce message-là? pouffe-t-il.

Biiiiiiiiiiiiiip.

«Clara. C'est ta mère.»

Sa voix a jailli. Le gros accent italien. La raideur. Damien lève la tête, intrigué. Ses yeux se tournent en direction de la voix qui semble amplifiée depuis l'autre bout du passage. Ma seule envie est de sauter du lit, de courir jusqu'à la cuisine et de mettre un terme à ce message. Je me maudis d'avoir encore ce vieux répondeur préhistorique. Une mise à jour vers une boîte vocale intégrée m'aurait épargné ce moment de malaise.

«Viens souper dimanche avec ton... chum.»

Puis... silence. Sur le répondeur et dans tout l'appartement. C'est qu'elle aime marquer son effet, ma mère. Je pourrais jurer qu'elle sait que je l'écoute à distance et que je fais exprès de ne pas lui répondre. Ou sinon, elle se donne l'air de me laisser le temps d'absorber le ton impératif de son message. Vraiment? Je ne savais pas qu'elle donnait dans la considération pour les autres. C'est nouveau. Ça lui va comme un gant, comme une peau de lézard sur un tigre qui a la rage.

« C'est ta *mère.* » Et puis, avec un soupir, comme s'il lui en coûtait un effort surhumain : « Je vais faire des gnocchis. »

Silence sur la ligne avant qu'elle n'arrive à appuyer sur la touche pour couper la communication. Aucun au revoir.

– Des gnocchis? C'est bon ça!

Damien sourit. Il a étiré le *i* de gnocchis. Dans ses yeux, une étincelle brille. Elle se situe à mi-chemin entre l'appétit titillé (il est presque l'heure du souper) et la vive curiosité à l'endroit du personnage qu'est ma mère. Je reste figée.

Biiiiiiiiip. Elle a raccroché. Toc. Toc. Rembobinage de la cassette. Toc.

– J'aime ça, les gnocchis, dit Damien.

– Pas moi.

Clara : Attends de rencontrer ma mère…

Damien : Houuuu! J'en tremble déjà…

Clara : Ce n'est pas une blague! Je te le redis. Elle ne sera pas fine avec toi. Elle ne t'acceptera pas aussi facilement que tu le penses. Aussi craquant que tu sois…

Damien : Elle n'aura pas le choix de s'y faire. C'est à elle que je dois demander ta main?

Clara : QUOI?!

Damien : Ha! Ha!

Clara : Dam! Tu dis n'importe quoi, là! Ne me balance pas de conneries sur internet, s'il te plaît.

Damien : Je suis peut-être sérieux… Qui sait?

Clara : Eille, le malade!

⏻

Jour 38

Je suis à table. Face à ma mère, pour ajouter au supplice. Damien, ce traître qui se qualifie de chum, mange par pelletées avec un appétit que je ne lui connais pas. A-t-on annoncé une famine prochaine? *Mangiare. Mangiare. Mangiare.* Il fait honneur au repas des Italiens, comme s'il maîtrisait le code, à savoir que le meilleur moyen de témoigner sa gratitude à table est de s'empiffrer. Il est tombé la face dedans, la bouche grande ouverte. Avoir été en Asie, il aurait sapé et roté. Là, il dévore le contenu de son assiette. Et pas rien qu'à peu près.

— Tu n'aimes plus les gnocchis? finit par me dire ma mère. Tu aimais ça quand tu étais petite fille.

— Je ne suis plus une petite fille.

De ses yeux noirs, elle me foudroie, et je vois son menton qui tremble d'indignation. Je soutiens son regard. C'est presque surréaliste.

Je ne suis pas là. Je ne veux pas être là.

— Je ne comprends pas.

Son ton est plein de reproches. Elle ne ME comprend pas. Je dois forcément être à la source du problème. Pas elle. Je sais ce qu'elle pense: je suis celle qui a érigé des barrières. Nita regarde ailleurs, comme toujours, sans prendre position, coincée entre deux feux brûlants. Son mari fait de même. Il parle avec Joe, mon demi-frère. Les fourchettes s'entrechoquent tandis que ma mère maintient ses prunelles sur moi, comme un radar. J'ai le choix entre esquiver et changer de sujet ou lui en donner pour son argent, alors je choisis la pire voie: l'affront.

— J'ai dû trop manger de tes gnocchis. Maintenant, ça me donne le goût de dégueuler.

Et vlan.

J'ai vraiment dit ça : dégueuler.

Je braque mes yeux sur ceux de ma mère. J'ai subitement quinze ans, un front garni d'acné et une haine pour le personnage qui m'a engendrée. Trop de gnocchis. Trop étouffée. Trop de contrôle. Trop de dégoût. Trop de froideur. Trop d'attente. Trop de trop. Mais pas assez de l'essentiel.

Elle encaisse sans broncher, traversée par un subtil frémissement qui la fait se raidir encore plus. Elle pivote sur ses pieds, se plaque un parfait sourire d'hôtesse sur le visage et change de cible.

— Tu veux d'autres gnocchis, Damon ?

Elle l'appelle comme ça, avec l'accent gros comme le bras, en déformant son prénom. Intimidé, il hoche la tête et signe ainsi un pacte avec le diable.

— Oui, merci.

— T'es pas obligé, lui dis-je en posant une main sur son bras.

Ma mère tranche, avec ses yeux durs dans les miens :

— *Basta* ! Il a dit qu'il en veut encore.

Son regard à lui passe d'elle à moi, il concède :

— Je veux bien en prendre un peu.

Un peu ? À table, l'Italienne de la maison ne comprend pas ce mot. Damien se retrouve alors avec une autre grosse portion de gnocchis dans son assiette. Je crois qu'il va dire que c'est trop, mais il pousse la trahison jusqu'à lancer :

— *Grazie !*

— T'es fâchée contre moi !

— NON !

— Oui, t'es fâchée !

Damien rit un peu. Il me suit tandis que j'accélère le pas. Mes talons claquent sur l'asphalte. Il insiste, me rattrape en courant, passe son bras autour de mes épaules, mais je me dérobe en grognant.

Je me sens comme s'il était passé dans l'équipe adverse. Ce soir, je m'attendais à une atmosphère lourde de malaise, pas à ça. Je me serais excusée de l'avoir mis dans l'embarras, de l'avoir forcé à m'accompagner. Mais non, il semble avoir apprécié sa soirée, à l'aise comme un poisson dans l'eau, prenant parti en devenant gobeur compulsif de gnocchis et trinquant un peu trop joyeusement à mon goût.

— Est-ce que je dois m'excuser?

— NON !

— Tu te sauves de moi! s'exclame-t-il en m'emboîtant le pas. Ça me rappelle notre première rencontre…

Bingo, champion! Le chum que je connais devait conduire la voiture au retour, alors que celui qui est sorti de chez ma mère dépasse largement le point zéro huit. Note sur dix? Zéro.

— Argh, Clara… Aide-moi un peu!

Je ralentis le pas, à bout de souffle, mais non moins énervée. Je risque un coup d'œil vers lui. Il me regarde avec un air suppliant et un peu ivre. Ses cheveux sont en bataille comme chaque fois qu'il y glisse sa main dans un moment d'embarras. Le sourire imminent. Vraiment mignon de près comme de loin. Je ferme un œil, puis l'autre, son image bouge de gauche à droite. Son sourire se transforme en rire.

— Excuse-moi, je me suis énervée pour rien.

Je choisis de balayer le tout du revers de la main et de me glisser dans ses bras qui s'ouvrent et qui m'étreignent. J'avais trop d'attentes, ce soir, du souper jusqu'au retour. Je voulais que Damien fasse ce que j'avais escompté sans même lui faire de demandes claires.

— On peut prendre un taxi, si tu préfères, propose-t-il.

— Non, ça va faire du bien de marcher un peu.

Je glisse ma main dans la sienne. Il sourit pour lui-même.

— Je vais avoir de la difficulté à dormir cette nuit. Ma mère ne m'a pas servi un café déca. Elle l'a fait exprès.

— Tu parles comme si elle t'avait empoisonnée.

— C'est tout comme...

— Allez!

Il rit. Je renchéris en imitant ma mère:

— Elle a quand même dit, et je cite: «Tu vas faire mourir ta mère! *Santa Madonna.*»

Le rire de Damien éclate de nouveau. Il s'essuie les yeux. La situation l'amuse franchement. Après une quinte de toux, il finit par dire:

— Pour une histoire de pâtes... C'est quand même très drôle, ce sens du drame, tu ne trouves pas?

Je le fusille du regard.

— C'est pas juste une histoire de pâtes... Tu ne peux pas comprendre, Damien! Toi, tu as l'esprit de famille.

— On dirait que c'est une maladie. Genre la grippe espagnole. La variole aiguë. La gratouille qui pique.

Je hausse les épaules en refoulant un petit rire.

Ma rencontre avec les proches de Damien s'est passée tout autrement. Je me suis retrouvée en plein cœur d'une famille unie, avec Damien comme centre d'attention, entouré de quatre neveux et nièces qui grimpaient sur lui et avec lesquels il jonglait habilement. Ses sœurs m'ont mise à l'aise, me confiant des secrets honteux sur leur petit frère qui ne se doutait de rien, tout occupé à aider sa mère à faire la vaisselle. C'était on ne peut plus touchant.

— L'esprit de famille, tu l'as ou tu l'as pas, conclus-je en accélérant légèrement le pas tandis que mes doigts sont toujours entre les siens.

Il semble absorber l'information. Nous continuons de marcher en silence, puis nous nous arrêtons devant un abribus. Je resserre mon foulard autour de mon cou. La soirée est fraîche. Bientôt, ce sera l'automne.

– Pourquoi t'aimes pas ta mère?

– Parce qu'elle ne m'aime pas.

C'est la première fois que cette idée me vient aussi spontanément. Elle était là, latente, comme une vague impression chassée du revers de la main, mais pourtant bien présente, insidieuse, vraie.

– C'est pas comme ça que j'ai perçu ses sentiments à ton égard. Mais t'as pas répondu à ma question. Pourquoi *toi* t'aimes pas ta mère?

– J'ai pas dit que je ne l'aimais pas… Je la déteste, c'est pas pareil…

– Hum… Donc, selon toi, on peut aimer et détester en même temps? Intéressant…

Il s'appuie à mes côtés contre la vitre de l'abribus. Il se croise les bras. Sur ses lèvres flotte un petit sourire sceptique.

Je crois bon d'expliquer ma vision:

– L'amour et la haine, c'est proche.

Et lui, la sienne:

– J'adopte pas ce combo, moi. Haïr, non. J'apprécie, j'adore, j'aime, je vénère même… mais haïr, non. J'aime ou je suis indifférent.

Il agrippe ma main et la tient dans la sienne. Je fais un pas vers lui.

– Comme ici, j'apprécie particulièrement ton pouce, je ne sais pas pourquoi… Et tes jolies pommettes quand tu souris ou que je suis sur le point de t'embrasser, je les adore.

Réaction instantanée: je me mets à lui sourire. Il niche son nez dans mon cou et me chatouille doucement. Il reste là, sans m'embrasser.

– Hum…

– Elle est si pire que ça, ta mère?

163

Je pousse un soupir résigné. Je m'écarte de lui, il me tient toujours la main. Je fais mine de me frapper la tête contre la vitre de l'abribus.

– Elle est pire que tu penses… C'est qu'elle a la manie de faire ressortir tous mes manques, tous mes défauts. Ce que je fais, c'est jamais assez. J'ai arrêté de vouloir lui plaire à tout prix. Je n'ai jamais trouvé une zone neutre, alors je me suis mise à lui déplaire. Et un jour, il était trop tard pour revenir en arrière.

– T'as pas de bons souvenirs avec elle?

– Tout est vague… Ma mère qui me frotte avec une serviette à la sortie du bain, sans me regarder. Les cadeaux, des tonnes de cadeaux, mais toujours la même chose que ma sœur, avec la couleur que je n'aime pas et qu'elle sait que je n'aime pas. Jamais exactement ce que je veux. Toujours à côté de ma demande. Assez à côté de la plaque pour que j'y perçoive un affront, mais rien de trop flagrant qui m'aurait poussée à m'en plaindre. Puis après, à l'adolescence, des disputes. Pourquoi est-ce que je ne retiens que les mauvais? Quelques années plus tard, j'ai retrouvé mon père. J'ai pris son nom à lui et plus jamais elle ne m'a offert le moindre sourire.

Je souris tristement et ajoute:

– Bienvenue dans ma famille et dans ma tête. Tu dois trouver ça lamentable.

– Non, du tout. Je dirais que ça contribue à faire de toi ce que tu es. Une personnalité complexe.

Je roule des yeux. Il est sérieux! Intrigué même, comme si, pour lui, ça m'ajoutait de la valeur. Je ne comprends pas.

Nos doigts s'entrelacent. Je m'approche de lui.

– Et pourtant, ajoute-t-il, songeur, en étudiant mes yeux, tu me parles souvent de ton père qui n'était pas là pendant ton enfance…

– Ha, mais on est en psychanalyse ou quoi? C'est l'abus de vin qui te fait ça?

Il rit. J'en profite pour entrer dans l'abribus, il s'assoit à ma gauche sans me toucher, tout occupé qu'il est à m'écouter.

– Mon père ne m'a jamais rien demandé.

– Ah, c'est la recette pour se faire aimer de toi? Ne rien exiger... et être absent?

– Tu viens de couler ton test de psycho pop...

– Psycho poche, tu dis?

Les bras croisés, Damien me regarde avec un air de défi et insiste:

– C'est quoi, la recette?

Je croise les bras à mon tour, mais plus par réflexe d'autoprotection.

– Du respect, de la confiance, du désir, de la *cuteté*...

– De la *cuteté*?

– Être *cute*... Sourire des p'tits travers de l'autre...

– Et... tu me trouves *cute*?

Il me fait un grand sourire. C'est incroyable. Je le connais un peu plus et je peux jurer qu'il n'a aucune idée de l'effet qu'il peut produire sur les filles, et en particulier sur moi. Cette désinvolture le rend encore plus charmant.

Je ris.

– Pas pire... mettons.

– Argh! Je savais bien qu'il devait y avoir une recette... en plus des notes sur dix.

– Tu le sais que t'as une bonne note.

– Mais... pour... le reste?

Il est redevenu sérieux et ses yeux me couvent. Je sens une certaine panique monter en moi. Mon regard bifurque vers l'ouverture de l'abribus. Je pourrais feindre d'aller consulter l'horaire de l'autobus et puis me perdre en chemin. Je pourrais me sauver, prendre mes jambes à mon cou et m'esquiver avec une pirouette élégante. Courir loin. Courir longtemps.

Damien croise les jambes, son genou pousse le mien comme s'il voulait m'inciter à réagir.

— Quoi, le reste?

— Le reste de… la recette. Est-ce que j'ai les ingrédients?

Je ne peux pas lui répondre. Je le voudrais bien. Je me contente de lui renvoyer la balle. C'est tout ce que je peux faire.

— Et toi, il y a une recette?

Et il reste là, les bras croisés, le regard perdu au loin.

Et vlan…

Il lâche LA bombe!

— Non, pas de recette. Je t'aime, Clara Bergeron. C'est tout.

— …

— …

Puis le silence tombe. Avec tout le poids du mien pour seule réponse. Il ne reste plus que les bruits de la ville et un bourdonnement dans mes oreilles. On dirait que mon cerveau vient de faire trois tours sur lui-même. C'est peut-être dû au fait que mes poumons se sont vidés et que je ne sais plus comment faire le plein. Il faudrait d'abord que j'arrive à ouvrir la bouche.

Ça a déboulé trop vite. Réplique après réplique.

Il a dit *ça* comme si on parlait de la pluie et du beau temps.

Je t'aime. C'est tout.

C'est tout, mais c'est gros.

Je savais que ça devait arriver. Je n'avais pas imaginé que ça se passerait dans un abribus à l'odeur de pipi, mais c'est le moment qu'il a choisi, avec son genou appuyé contre le mien. Et sa déclaration m'a traversé le corps comme une décharge électrique.

— Tu trembles, Bergie.

Il pose sa main sur la mienne. Comme si ça pouvait m'aider.

– C'est à cause de la caféine!

– Ouais…

– Et toi, t'as trop bu de vin et de grappa!

Je réalise que ce sont des larmes qui brouillent mon regard. Je les essuie aussitôt. Je n'ai jamais pleuré pour ce genre de déclaration. À neuf ans, j'ai même éclaté de rire quand Éric «Grandes Dents» me l'a dit. Il ne portait pas ce surnom pour rien. C'était sorti comme ça: «Fe t'aime!» La semaine suivante, sa mère l'envoyait enfin voir une orthophoniste.

– C'est trop tôt? demande Damien doucement.

À ce stade, il ne m'a toujours pas regardée. *La chose* aurait pu être dite au téléphone tellement elle semble anodine et naturelle, comme s'il me disait ça tous les jours… Et puis non, nous sommes là, placés en parallèle. Je sens la chaleur de sa présence.

– Non, c'est pas ça.

– Tu veux que je retire ce que j'ai dit? Parce que j'en ai pas envie…

Dans son ton, il n'y a que de la douceur. Pourquoi je panique?

Pourquoi?… Pourquoi?…

– Non, je suis contente…

– Alors, dis rien. Moi, ça me va comme ça.

– Merde…

C'est tout ce que j'ai réussi à rétorquer. Formule super gagnante. Je m'épate moi-même. Je me sens presque gonflée d'émotion. Presque fière de ma *shot*. Presque pas loser.

Pourquoi il sourit quand même, comme s'il ne voyait pas l'énormité du mur qui vient de s'élever entre nous? La barricade immense que JE viens d'ériger? Un éléphant qui se dresse entre nous et qui, ne pouvant s'exprimer avec des mots, détruit tout sur son passage.

Dis quelque chose. Dis quelque chose!... N'importe quoi.
Bon sang... Actionne cette mâchoire et articule.

– Oh! L'autobus s'en vient!

Voilà.

Avec beaucoup trop d'enthousiasme, je bondis du banc. Damien s'incline pour vérifier et se lève aussi, dans un mouvement plus lent que le mien.

– L'autobus est encore loin, dit-il.

– Ah...

Et il me regarde. C'est dans ma tête ou quelque chose a changé dans ses yeux? Le voile est tombé. Il l'a dit. On dirait qu'il est soulagé... ou juste heureux. Encore plus mignon, il essuierait mes larmes du bout des doigts, mais j'ai pris soin de les faire disparaître dans la manche de mon manteau un instant plus tôt pour qu'il ne voie rien.

Personnalité complexe, tu disais?

– Ça va?

Je lève un pouce assuré en signe d'approbation, même si je sens encore qu'en dedans, je ne suis plus sûre de rien. Il ajoute en le scrutant:

– Ouais, ton pouce, je l'apprécie.

Je le glisse dans le creux de sa main. Je me sens horriblement coupable. C'est tout ce que je peux lui donner pour l'instant. Un pouce. Je suis comme une petite fille alors qu'il m'entraîne vers les portes ouvertes de l'autobus.

CHAPITRE 17

Jours 39, 40, 41...

Le monstre est lâché et rien ne peut plus l'arrêter. C'est si facile pour lui. C'est comme dire : « Passe-moi le sel » mais avec une petite lueur dans la pupille, quelque chose qui ressemble à du bonheur.

Je le sens, je le vois venir à cent milles à l'heure. Le silence plane et un « je t'aime » se pointe et vient le briser. On commençait tout juste à être à l'aise avec les silences. Il a d'abord un sourire hésitant qui s'affirme quand il trouve sur mes traits une forme d'acquiescement. Je voudrais me lancer et dire ces trois petits mots qui en valent mille, mais à la minute où j'ordonne à ma bouche de réciproquer, je me rétracte de l'intérieur.

Au téléphone, Damien s'épanche doucement, tout naturellement. Tout ce que je trouve à faire en réponse, c'est de pouffer de rire, à la limite de lui dire merci. Il finit par rire à son tour. Et lorsque nous sommes face à face et que je suis confrontée au « je t'aime » *live*, je fonds sur lui. Je l'embrasse pour le faire taire.

Je suis fascinée par cette facilité avec laquelle il fait usage des trois petits mots. Son aisance me fait défaut.

Il m'a remis cette bombe entre les mains. Elle fait tic, tic et tic... Le temps passe. Et je n'ai toujours rien dit. Plus le temps file, plus le tic-tic accélère.

Ça va m'exploser au visage. Ça va tellement m'exploser au visage.

Si je ne suis pas en position de remplir le silence d'un baiser, je ne dis rien, et devant mon mutisme, Damien finit par répondre «OK…» en hochant la tête avec un petit sourire que je ne sais comment interpréter.

Jour 42

— Je suis fuckée.

C'est à peine si Mélo pince les lèvres devant mon affirmation. Elle enroule soigneusement de papier de soie les menus objets qui garnissent ses meubles. Tout y passe : bibelots souvenirs, cadres photo, chandeliers. Dans quelques jours, elle emménage dans son nouveau condo et je me retrouverai seule.

Je crois bon de préciser :

— J'arrive pas à lui dire que je l'aime.

Mélo se donne l'air de réfléchir en grattant avec son ongle une coulisse de cire collée à un chandelier de verre.

— Ça doit être à cause de tes parents.

— Quoi, mes parents?

Je préfère jouer la carte de l'innocence plutôt que de lui donner raison immédiatement.

— Un père absent, une mère étouffante. On a vu mieux comme bases relationnelles.

— Toi aussi t'as une mère étouffante, Mélo.

— Oui, mais un père aimant *et* présent.

— Ben bravo.

— Toi, t'as le parfait combo, celui qui produit la peur de l'engagement chez un gars.

— Mais je suis une fille!

— Exact. C'est pour ça que ça te ronge. Tu te sens coupable de ne pas ressentir la même chose que lui.

— Mais je l'aime!

Elle sourit. Elle sourit tellement que j'aperçois ses gencives au fond de sa bouche.

– Je le sais, ça. Mais… pauvre toi !

– Han ?!

Jour 43

– Je suis fuckée !

– Je le sais !

– Ha… Yan !

J'étouffe un cri dans l'appui-tête tandis que mon ami enfonce ses pouces dans un des muscles de mon dos comme lui seul sait si bien le faire. Il demeure silencieux un moment, tout occupé à sa tâche. Il attend sûrement que je développe mon idée.

– J'arrive pas à dire à Damien que je l'aime.

– Et lui, il t'a dit qu'il t'aime ?

– Oui.

J'entends une exclamation étouffée qui s'apparente à de la surexcitation.

– Euh, allô !?

– Quoi, Yan ?

– Une réaction est demandée au département de la joie. Une réaction.

– Eh bien…, fais-je avec hésitation.

– Une réaction ligne deux ! Une réaction ! Ligne deux ! Et pis ligne trois ! Cibole, Poune ! Réponds !

– Han ?

Puis, sans que je le voie venir, il me fout une tape sur la fesse droite. Je crie :

– AYOYE !

– Chut. Zen…

– Mais oui, le malade !

Je ne peux réprimer le rire qui monte.

– C'est con. Bon sang! C'est tellement niaiseux! C'est rien de dire ça… C'est quétaine. «Je t'aime.» Argh… J'arrive pas à répondre. Je suis fuckée.

– C'est pas rien. C'est important.

Je pouffe de rire et mes épaules se secouent sous ses doigts. Ça, c'est une bonne blague de Yan. Pour toute réponse, il stoppe le mouvement de ses mains pour appuyer ses propos. Il est tout à fait sérieux! Je réprime une quinte de toux et me sens aussitôt congestionnée. Je rectifie alors mon tir et demande prudemment:

– Toi, t'as dit à Yan numéro deux que tu l'aimes?

– Ben oui, ça fait un bout de ça. Je lui dis tous les jours, plusieurs fois par jour. Pourquoi?

– Argh… mais je suis *vraiment* fuckée!

Yan rit. Je m'écrie:

– Qui êtes-vous et qu'avez-vous fait de mon ami Yan premier, le roi du cynisme?

– Que veux-tu… C'est ça l'amourrrrrrrrrr!

– Ark!

Je soupire. Incroyable quand même de constater le changement de cap de Yan. J'ai vraiment quelque chose qui cloche si lui, le plus grand de tous les sceptiques que je connaisse, réussit à s'épancher tout naturellement auprès de son amoureux et à en parler sans retenue.

– Mais de quoi t'as peur?

Je prends le temps de bien réfléchir avant de faire l'inventaire.

– J'ai peur de me tromper, de me laisser aller, que ça ne marche pas, de ne pas être à la hauteur, qu'il se rende compte que je ne suis pas digne d'être aimée, qu'il me laisse pour une autre, qu'il me laisse tout court. J'ai peur que ça chie.

– Ouin.

Je me retourne sur le dos. Yan prend soin de repositionner mes bras et glisse doucement des coussins sous mes genoux. J'émets un faible rire en reprenant mon souffle.

— Tu penses que c'est à cause de mes parents ?

Il me regarde le plus sérieusement du monde.

— Poune, quand on y pense vraiment, TOUT est de la faute de nos parents.

Puis, plus un bruit. Nous assimilons l'affirmation chacun de notre côté avec nos propres échos, notre propre histoire. Yan et sa mère encore plus étouffante que la mienne, son père qui a des tendances à la dépression. Un portrait de famille pas très réjouissant.

— Comment je pourrais lui dire ?

— Avec ta bouche.

Bon, enfin, je suis presque rassurée. On peut transformer un Yan amoureux, mais on ne peut pas sortir le vrai Yan du Yan.

— Yan, je ne parle pas de pipe, mais de mots.

Je lui fais un clin d'œil. Il se frotte les mains avec une nouvelle dose d'huile à massage.

— Si tu ne veux pas utiliser ta bouche, vas-y avec un télégramme : « Je t'aime. Stop. C'est-tu clair ? Stop. » Ou une banderole accrochée à un avion. Ou un clown chantant… avec ben des ballounes.

— Bon, je t'ai connu plus aidant…

Jour 44

— T'es vraiment un gars super.

— Allez… Vide ton sac.

Je m'arrête. Damien explique :

— J'attends le « mais ». « T'es vraiment un gars super, *mais…* »

Ses mains amorcent un mouvement rotatif comme pour m'inviter à poursuivre sur la question.

– Il n'y a pas de «mais». T'es vraiment un gars super. Point.

– Hum…

J'allais m'épancher. Enfin, commencer à aborder la chose au moyen d'un adjectif, d'une qualité, n'importe quoi qui voulait dire : «Je ne te prends pas pour de la merde. Et… si tu savais…»

Bref, j'allais commencer par cette affirmation, mais son scepticisme m'a rebutée. Alors, je ravale le tout et tente une autre approche… L'approche indirecte et pleine de maladresse.

– Je veux juste te parler de quelque chose que tu me dis souvent ces jours-ci.

– Tes jambes sont douces avec cette crème qui coûte une fortune ?

– Euh, non.

– Tellement douces.

– Merci.

Je réprime un rire. Du revers de la main, il caresse mon bras comme pour appuyer ce qu'il vient d'affirmer avec un membre plutôt que l'autre.

– Ce que tu me dis et que moi je ne t'ai pas encore dit. Je veux que tu saches que c'est pas parce que je ne le dis pas que je ne le pense pas. Et pour ma défense, je te l'ai déjà dit… si tu te souviens bien.

Je ne sais pas ce que j'espère… Me racheter ? Justifier mon silence ? Ou lui faire comprendre que cette déclaration était en fait un aperçu très prématuré de ce que je voudrais lui dire, là. LÀ !

– Ah… *ça* !

Yan était à l'hôpital. J'étais dans le lit de Damien. J'ai cru que Yan allait mourir. Pour anéantir cette douleur, je voulais baiser. Enfin non, puisqu'au détour d'une caresse, j'ai flanché. Nous avons basculé. Je l'ai vu, lui. Baiser est devenu faire l'amour, avec une tendresse qui m'a complètement chavirée. J'ai baissé ma garde, ou plutôt j'ai arrêté de me battre contre ce qui était là. Le téléphone a sonné, puis Damien m'a annoncé que Yan s'en sortirait. J'ai dit : « Je t'aime, Damien. » Puis il a ri, m'a dit que j'étais fatiguée. C'est resté un tabou entre nous deux.

– J'ai eu un peu peur. On s'était vus à peine trois fois.

Je riposte et énumère en comptant sur mes doigts :

– Non, Dam, c'était la cinquième fois qu'on se voyait. Au Bílý Kůň, au métro Berri, au show de Toxic Robot, la première fois qu'on a couché ensemble et puis cette soirée-là quand Yan…

Soudain, je me tais, refermant prestement ma main. C'était un test. Il a esquissé un sourire satisfait devant l'exactitude du compte. Je me suis trahie en lui avouant que j'avais dénombré nos rencontres dans un réflexe typiquement féminin.

Ah, si tu savais… Je compte tout. Ça fait quarante-quatre jours qu'on sort ensemble, tu savais ça ? Je compte aussi les heures où je n'ai pas de tes nouvelles. Je pourrais même compter chacun des poils qui poussent sur ton menton, jusqu'aux grains de sucre que tu mets dans ton café.

– J'aurais jamais dit ça au bout de trois rencontres…

Plus je m'avance, plus je m'enfonce.

– Ça me va, dit-il. T'en fais pas avec ça. Pas de pression.

Il hausse les épaules et puis c'est tout.

Chapitre 18

Jour 47

Mais les choses ont changé. Il a dit que ça lui allait, qu'il n'attendait rien en retour, mais les choses ont changé. Rien de brutal. Ses « je t'aime » se sont espacés, comme quand le vent ne touche plus les vagues, comme la mer qui se calme. Le pire, c'est que j'en ai été soulagée. J'ai senti que j'avais un sursis, un temps pour formuler ma grande déclaration sans qu'il me mette de pression. Peut-être même qu'il me laissait cette latitude pour que je puisse mieux respirer.

Un soir, nous l'attendons au resto, Mélo, Yan et moi. Il ne vient pas. Il ne me téléphone pas. Le foie gras s'avère moins délicieux qu'à l'accoutumée.

Avant, nous n'étions que trois, comme maintenant, comme beaucoup de soirées d'avant, mais cette fois, je me sens plus seule que jamais. Une belle dinde qui se sent ridicule alors qu'elle veut célébrer son augmentation de salaire avec ses deux meilleurs amis et son nouveau chum.

— Ben voyons, pourquoi il ne vient pas, tu penses ? demande Mélo.

Je peux presque l'entendre affirmer qu'il s'est lassé, que j'ai dépassé la période d'essai sans réciprocité. Je le sais, je le sens, c'est la conclusion de Mélo. Même Yan, derrière son air grave, cache son verdict. Incompétence amoureuse. La mienne, c'est clair.

Je regarde mon iPhone de travers comme s'il était en faute, puis Mélo avec sa question pleine d'échos. Je lui réponds, un peu bête :

– Comment tu veux que je le sache ? Han ?

Mélo se renfrogne. Yan me regarde, perplexe. Pour lui, mon erreur est assez inspirante pour qu'il ressente le besoin urgent d'agripper son cellulaire afin d'appeler son chum et de lui dire qu'il l'aime. J'ignore si c'est pour me donner une leçon ou parce que je suis un parfait contre-exemple en matière de démonstration de sentiments amoureux.

Je suis dans un état lamentable. Éconduite par mon amoureux. Ai-je seulement le droit de le qualifier ainsi alors que Monsieur D. brille par son absence ?

Clara : Salut. Ça va ?

T.R. : Ouais et toi ?

Clara : Top, top !

Clara : T'étais où ce soir ?

T.R. : Je suis allé jammer avec les gars.

Clara : *Good, good !* C'est pour ça que tu reviens à ton pseudo ? Et notre souper ? T'avais oublié qu'on allait manger des tapas avec Yan et Mélo ?

T.R. : Je voulais t'appeler, mais j'avais pas de monnaie pour une cabine téléphonique. *Fuck*, c'est rendu 50 cents ! Tu savais ça ?

Clara : Tu me niaises ?!

T.R. : Je te jure, c'est vraiment 50 cents !

Clara : Tu m'as pas appelée parce que t'avais pas assez de monnaie ?

Clara : J'en reviens pas !

T.R. : On peut se parler au téléphone ?

Clara : Quoi ? T'as trouvé 50 cents maintenant ?

T.R. : Allez…

Je m'abstiens de répliquer, ravalant ma colère. J'ai envie de le punir de son absence, de bouder en me prétendant trop occupée ou trop fatiguée pour discuter. Derrière la barrière d'internet, je me sens protégée, dans un univers où il ne peut pas percevoir le doute dans ma voix, mais juste assez de mécontentement pour qu'il n'entende pas récidiver.

Le téléphone sonne. Je m'attends à tout sauf au ton rieur qu'il a, comme s'il était amusé.

– J'aimais mieux t'en parler de vive voix. Avec internet, on ne sait jamais… En tout cas, tu comprends…

– Explique.

Le sourire dans sa voix a disparu à l'autre bout du fil. J'y suis allée sûrement trop fort.

Je me radoucis.

– Tu voulais me parler de quoi ?

– En fait, je voulais m'excuser de ne pas vous avoir contactés au resto ce soir. La vérité, c'est que… Disons que mes finances ne sont pas au beau fixe.

Il parle presque en chuchotant. Ne sachant comment interpréter ses paroles, je lance à la blague :

– C'est pour ça que tu ne voulais pas mettre 50 cents dans la cabine téléphonique pour m'appeler ?

– Mais non, quand même.

Je le sens piqué. Il finit par expliquer :

– Écoute… vous trois, vous allez au resto combien de fois par semaine ? Deux fois ? Trois fois ? Les apéros, le menu gastronomique, pour ne pas dire astronomique, et le vin, deux bouteilles et pas les moins chères. Et moi là-dedans, je n'arrive pas à vous suivre.

– C'est pour ça que t'es pas venu ce soir ? Mais voyons, tu aurais pu me le dire, je t'aurais prêté…

Je m'interromps, sentant ses protestations monter.

– Clara, je ne pourrais pas accepter ça.

– Mais j'aurais aimé te voir.

Franchement, là, je m'épanche comme jamais. C'est à en arracher des larmes. Grand prix du romantisme.

– On se verra un autre jour, Bergie.

Et lui, grand prix du rabat-joie, alors qu'il aurait dû répondre : « Moi aussi, j'aurais aimé te voir. »

– Très bien. Je te souhaite bonne nuit, alors.

J'attends deux longues secondes une réponse. Des mots pour me rassurer, ou mieux, ceux d'un amoureux transi qui ne veut pas raccrocher et qui devient complice du rire de l'autre, jusqu'au moment où je lui demanderais de venir chez moi. Mais rien de ça.

– Bonne nuit. Dors bien.

Je dors mal cette nuit-là. Très mal.

Jour 48

Je franchis les tables du café étudiant, mon porte document en main, vêtue de mon tailleur, celui qui me fait une courbe de hanches à tomber, le kit que je mets quand j'ai besoin d'avoir du cran, quand j'ai un projet d'envergure à présenter. Là, c'est mon kit de fille indépendante, celle qui n'a pas attendu après le gars toute une journée sans avoir de nouvelles. Je suis consciente de détonner. Une madame parmi les étudiants. Mes talons cognent le plancher. Tac. Tac. Tac. Tac. Je suis déterminée. Tac. Et une fois qu'elle est lancée, rien ne peut l'arrêter.

Damien est assis à table avec deux gars que je ne connais pas. Ils discutent, prennent des notes. Je fonce vers eux, m'impose au milieu d'une phrase. Damien me voit et ouvre la bouche, surpris. Je lance, presque désinvolte :

– Salut, Damien.

– Clara ?

– Oui, en effet.

Six sourcils se froncent tandis que je relève la tête et que j'enfonce la main dans mon sac. À la mine qu'ils font, j'ai l'impression d'être une Bond Girl sur le point d'en extraire un fusil. Je tends une petite boîte à Damien. Il regarde l'objet avec incompréhension.

– Je te présente Guillaume, mon directeur photo, et Francis, mon...

Je l'interromps :

– Cinq, un, quatre... sept, huit, huit, quatre, huit, cinq, deux.

Il se fige.

– Euh...

– Le forfait est payé pour un an.

Et se fige encore.

– Euh...

– Maintenant, t'as plus de raisons de ne pas m'appeler. Bonne journée.

Je tourne les talons sans un regard en arrière et prends soin de rouler les hanches pour marquer mon effet.

Je suis une fille de solutions. Il n'a pas pu me joindre. Maintenant, il pourra le faire.

Jour 49

Je suis étendue sur mon lit. Mon iPhone pas loin. Lorsqu'il finit par sonner, un peu tard à mon goût, je m'efforce de prendre un ton joyeux puis change immédiatement d'air en voyant le numéro affiché. Le téléphone de son appartement.

– T'as pas encore compris comment ça fonctionne ?

– T'avais pas besoin de me donner un cellulaire !

– Tu aurais préféré un iPhone ?

– Mais non, Clara... voyons...

Il soupire à l'autre bout de la ligne. Je l'imagine qui se pince la lèvre inférieure comme quand il cherche quoi dire.

C'est fou, j'ai enregistré ses petits tics et je les visualise si facilement. Enfin, je me les repasse parce que ces jours-ci, nos interactions se limitent au téléphone.

– Écoute, je me suis senti… pris en charge, et je n'ai pas aimé ça. J'ai eu l'air d'un enfant devant mes collègues.

Je ne dis rien, absorbée à retardement par l'image que j'ai dû projeter.

Il finit par concéder :

– Écoute, c'est super gentil, mais je ne peux pas l'accepter. Tu peux le retourner au magasin ?

– J'ai signé un contrat et les douze prochains mois sont payés.

– Je ne vais sûrement pas l'utiliser. Tu peux l'offrir à quelqu'un qui en veut vraiment un ?

– Il est à toi.

Il soupire encore.

– Mais qu'est-ce que je vais faire avec un cellulaire ?

– Appuyer sur les pitons et m'appeler ?

Il rit doucement.

– J'ai pas besoin de ça pour appeler ma blonde !

À mon tour de rire. Exit tout le reste et le malaise d'avant. « Ma blonde », ça sonne doux à mes oreilles, ça. Ai-je son absolution ? J'enfouis ma tête dans l'oreiller, enroule la bretelle de ma camisole autour de mon index et ose :

– Et pour venir déshabiller ta blonde, t'as besoin de quoi ?

Je retiens mon souffle, les yeux rivés au plafond de ma chambre. Il pousse un « Hum… », l'air de peser le pour et le contre, et finit par dire, après ce qui me semble un long moment :

– Ah, ça, ça devrait se régler assez rapidement.

Il n'arrive pas aussi rapidement qu'escompté. J'ai le temps de me raser les jambes, de renverser par deux fois ma bouteille de gel, de m'épiler les sourcils en vérifiant le résultat sous tous les angles, de me faire le bikini, de me remaquiller, de changer deux fois de sous-vêtements et surtout, surtout, de douter de sa venue.

J'entends la porte s'ouvrir, je me précipite dans ma chambre sur la pointe des pieds, comme une voleuse prise en faute. Étendue sur mon lit dans le noir, je guette les bruits de la maison, son sac qu'il dépose par terre, les griffes de Monsieur-Monsieur sur le plancher, quelques paroles qu'il lui adresse. Puis un filet de lumière apparaît alors qu'il entrouvre la porte de ma chambre, se faufile à l'intérieur en poussant gentiment du pied mon chien qui veut le suivre. Il ne dit rien, retire son manteau, me détaille dans la pénombre. Je peux à peine distinguer ses traits. Il se met à mes côtés et vite sur moi, son visage à quelques centimètres du mien.

Il murmure d'une voix mi-rauque, mi-amusée :

– Toi…

– Hum ?

Je tente de relever la tête vers lui pour l'embrasser, il recule.

– Oui, toi…

Il laisse le revers de ses doigts glisser de mon cou à ma poitrine.

– Quoi, moi ?

Puis il saisit mes poignets, les maintenant de part et d'autre du lit.

– Ne fais plus jamais ça, OK ?

Je ne peux pas lui demander ce que je ne dois pas refaire. Sa bouche est déjà sur la mienne.

CHAPITRE 19

Jour 52

Je lui décrocherais la lune. Je ferais n'importe quoi. Juste pour ne plus sentir cette distance à nouveau, pour qu'il reste dans mes draps et moi dans ses bras. Pour que je puisse nicher mon nez dans son cou, mêler mes doigts aux siens.

Je lui donnerais une guitare, celle dont il a toujours rêvé.

– Je veux te montrer quelque chose… Ne bouge pas.

Il croise les bras sous sa tête et sourit à la vue de mon postérieur alors que je m'accroupis pour tirer la mallette de sous mon lit.

– C'est pas *ça* que je veux te montrer.

– Mais c'est que je suis obnubilé par tes fesses.

– Attends. Bouge pas.

– Je ne bouge pas, répète-t-il, résigné, sans se départir de son sourire en coin.

Je soulève la lourde mallette et la pose devant lui sur le lit. Il s'assoit, droit comme un piquet, les mains figées, comme s'il avait peur de ce qu'il pourrait y découvrir.

– Ouvre.

– Mais…

– Allez… ouvre !

Ce qu'il fait. Il a un mouvement de recul en apercevant la Fender. Il n'ose pas y toucher.

– T'es pas sérieuse ! s'exclame-t-il en sortant la guitare de son étui.

Il effleure le bois du bout des doigts, complètement ébahi, puis se met à gratter les cordes doucement. Il incline la tête comme pour mieux apprécier le son qui en sort. Je le regarde et l'écoute sans bouger. Le menton appuyé sur mes genoux. J'aime quand il joue de la guitare. Un petit spectacle improvisé rien que pour moi.

S'il se met à chanter, je perds connaissance. Mais il se contente de faire : « Hum… Hum… »

– Attends, il y a autre chose…

– Ben là ! C'est Noël ou quoi ?

– Viens.

Je le tire par le t-shirt, puis par la main. Il repose à regret sa nouvelle guitare sur le lit et nous nous dirigeons vers le salon double qui faisait office de chambre pour Mélo. Hier, elle a déménagé. J'entends encore sa voix qui résonne dans la pièce.

Elle a dit : « On en a vécu des choses ici », les bras ballants, Grosse-Minoune, sa chatte qui n'était déjà plus la mienne, dans une cage à ses pieds. Elle parlait comme si nous partions toutes les deux. Elle partait. Or, moi je restais. Trop de périodes de célibat. Avec un *s*. Au pluriel. « C'est un appartement de célibataires, a-t-elle affirmé. Je m'excuse de dire ça, mais c'est comme ça que je le vis. Les gars arrivent et ils ne restent pas. Ils repartent toujours. »

Je me tiens au milieu de la pièce vide dans ma nuisette. Damien est debout à côté de moi en t-shirt, boxer et cheveux fous. Il me regarde sans rien comprendre. Tout ce qu'il y a dans la pièce, ce sont des amas de poussières et des tonnes de souvenirs.

Je sens mon sang qui palpite. Je me lance, pointant un doigt pour appuyer l'aménagement que j'ai imaginé.

– On pourrait faire un mélange de mini-studio et de salle de détente. Un piano, tu voudrais un piano ? Et tes guitares, ici. Là, près de la fenêtre, une chaise de lecture. Je sais combien tu aimes lire. Ici, je pourrais installer une toile et prendre des photos. Juste faire des portraits pour le plaisir. J'aimerais m'y remettre, ça fait longtemps…

– Un piano, un studio, mes affaires… Mais Clara… de quoi…

Il secoue la tête, encore plus perplexe.

– Je voudrais que tu emménages ici. Avec moi.

Il ne répond rien. Il regarde partout autour de lui en se grattant la tête.

Soudain, j'ai froid. Je me sens désarmée. Au bord du précipice. Dénudée avec ma petite tenue et mon offre qui se retrouve sans réponse.

C'est un appartement de célibataires. Mélo l'a dit et je ne peux faire taire sa petite voix triste dans ma tête. *Tais-toi, mais tais-toi.* Je dois croire que ça peut marcher, dans cet espace-temps où j'ai encore un sursis.

Il finit par répondre avec un soupir, sa main mettant encore plus de pagaille dans ses cheveux :

– Je sais pas…

Je suis impuissante devant sa réponse évasive. Je n'avais pas prévu cette hésitation, comme si je le poussais lui aussi au bord du précipice.

– Tu m'as dit que ton appartement était trop petit. Que tu ne pouvais pas jouer de la musique comme tu voulais. Que t'en avais assez de vivre avec ton coloc. Et moi, je suis seule ici maintenant.

Et voilà, l'arrangement parfait. Sauf qu'il manque l'essentiel : les sentiments. Et je suis parfaitement consciente de mon inaptitude à les faire peser dans la balance.

– Et tu veux que je vienne vivre ici ? demande-t-il, une mèche de cheveux en l'air et l'œil incertain.

Je hoche la tête, suspendue dans l'attente. Je demande d'une toute petite voix :

– Tu voudrais emménager ici ?

Il se donne l'air de réfléchir, le regard perdu, le menton coincé entre deux doigts.

– Je sais pas, Clara. Je sais pas…

Jour 55

Je n'ai jamais dit à mon père que je l'aime. J'imagine que pour moi, ça va de soi. Bien qu'on se voie peu souvent, il reste une des rares personnes, avec Yan et Mélo, avec qui je peux être moi-même.

– Comment c'était quand tu as rencontré ma mère ?

Il lève les yeux de son café et plante sur moi un regard perçant, comme s'il cherchait dans mes pupilles une quelconque réminiscence du passé.

– Très passionné, prend-il le temps de répondre.

Je fais mine d'avoir un haut-le-cœur, assaillie par une image mentale que je cherche à chasser. Puis, gênée par son choix de mots, je pouffe de rire et tente de reprendre un peu de sérieux.

– Je ne m'attendais pas à ça comme réponse. Ark !

Il sirote son café et me scrute avec amusement. Le café est fade, le beigne dans lequel je mords n'est guère plus ragoûtant.

J'ai accompagné mon père à l'aéroport afin de profiter de sa présence avant qu'il ne reparte et que l'on ne se voie plus pendant plusieurs mois. C'est comme ça. Il vit depuis longtemps aux États-Unis. Sa vie est là-bas. Il a été un père de cartes de fête, avec des absences pleines de promesses. Je ne lui en ai jamais tenu rigueur, car il a su compenser par du temps de qualité.

Nous ne parlons jamais d'elle, de ma mère. J'avoue ne pas savoir comment m'y prendre. Ils sont tellement différents. Ma mère est complètement froide, et lui, il démontre beaucoup de bienveillance, de chaleur et d'authenticité.

– Pourquoi tu me demandes ça ?

– Selon mes amis, c'est de la faute de nos parents si on a de la misère en amour. Yan affirme que tout est de la faute de nos parents.

Mon père ne relève pas le reproche. Il sait qu'il n'est pas question de cela entre nous. S'il n'a pas été dans ma vie, ce n'est pas par choix. Nous ne revenons pas sur le passé. Jamais.

– T'as de la misère en amour ?

– Je pense que oui.

Nous prenons une gorgée de café simultanément et je repose le gobelet de carton lentement, me donnant l'air de réfléchir alors que je sais précisément où je veux en venir. Je veux parler de… lui.

– Il s'appelle Damien. C'est un artiste. Il joue de la musique et il veut se lancer dans le cinéma. Il a du talent. Il te ressemble un peu.

Mon père se met à rouler des yeux.

– T'es certaine que c'est un bon parti ? S'il me ressemble, c'est pas une bonne chose !

– Hé, tu parles de mon père, là. Un peu de respect !

– S'il fait de la peine à ma fille, j'ai le droit de le détester un petit peu.

– Il ne me fait pas de peine.

– Je souhaite le meilleur pour ma fille, pas un gars qui ne sait pas ce qu'il veut.

– Et si c'est moi qui ne sais pas ce que je veux ?

– Mais est-ce que tu l'aimes ?

Je laisse ma tête retomber sur ma poitrine en poussant un grognement d'exaspération.

– Mais pourquoi on me pose tout le temps cette question-là ? Je capote !

Tout ce que je reçois comme réponse est un sourire indulgent, peut-être un peu trop. Mon désarroi ne semble pas le déstabiliser. Il est à la limite amusé.

— Tu me fais penser à ta mère…

Je pousse un nouveau grognement.

Mes pieds foulent l'asphalte. J'ai du mal à respirer. J'ai quitté le café, mais les paroles de mon père résonnent en moi. Les miennes aussi.

— Tu dis que tu as de la misère en amour. C'est de ma faute à moi.

— Mais non, Lucien. C'est de sa faute à… elle.

J'ai roulé des yeux. Sur ce point, il était mon confident. Un exutoire impuissant qui ne pouvait rien recoller.

— Tout ne peut pas être la faute de ta mère. Elle a fait ce qu'elle pouvait avec les moyens qu'elle avait. C'est une femme intense.

— Non, c'est une femme froide.

— Écoute… Je sais que vous n'êtes pas dans les meilleurs termes et je ne m'en suis jamais mêlé, mais je crois qu'il est temps que ça change. Oui, il faut que ça change! Comprends-tu, Clara?

— Non, je ne comprends pas.

Parfois, en face de lui, j'étais l'ado entêtée qu'il n'avait jamais connue.

— Il n'y a rien à faire. Elle et moi, on ne se comprend pas. On ne se comprendra jamais.

— Vous êtes différentes, et en même temps, tellement pareilles.

— Han? Quoi? Non! Je suis PAS comme ma mère.

Et pendant que je marche, ça me frappe en plein visage, trente ans plus tard.

Je suis comme ma mère.

Je suis exactement comme ma mère.

La sonnerie retentit longtemps. Yan, le chum de Yan, finit par décrocher avec des intonations joyeuses.

— Association chez gai et gai. Pour une sodomie, faites le un. Pour une pipe royale, faites le deux. Pour parler à un de nos agents, dites à quel Yan vous désirez vous adresser. Biiiiiiiiiiiiiiiiiiiiiiiip! Oui allô, que puis-je faire pour vouuuuuuuuus?

En arrière-plan, j'entends mon ami s'exclamer : « Ah, tabarn… »

— Yannick, c'est Clara. Passe-moi Yan.

— Allo, ma belle, comment va-t-elle?

— Yan numéro deux, c'est pas une *joke*, passe-moi MON Yan!

— Ayoye! Farouche! OK. Je te le passe!

J'accélère le pas, mon cellulaire bien appuyé contre l'oreille.

— On m'informe à l'instant qu'il y a urgence en la demeure, répond sans plus de préambule mon ami. Qu'est-ce qui se passe?

— *My God!* Yan! Je suis ma mère!

— Tu… quoi?!

J'inspire un grand coup, avec une panique mêlée de détermination.

— Je suis comme ma mère! Je fais comme elle. J'achète l'amour!

— Hum, qu'est-ce que tu veux dire par là?

J'entends un bruit de cuisson.

— Fais-tu la cuisine par hasard?

— Eh oui, que veux-tu… On fait de la bouffe en amoureux. C'est mignon à en pleurer. Ou presque.

Yan qui fait la cuisine. Ça alors… C'est du nouveau.

— C'est chouette.

— Arrête de tergiverser, Poune! Shoote que j'analyse! Donc, tu achètes l'amour? C'est quoi cette histoire-là?

— J'achète des cadeaux, Yan. Et je ne suis pas capable de dire « je t'aime ». J'achète des cadeaux de merde comme une vraie Italienne.

— Ben moi, je les aime, tes cadeaux de Noël, de fête, de Pâques, du jour du Souvenir et de l'Halloween. Ah, et tes petits cadeaux d'hôtesse chaque fois que je viens souper chez vous… Même si c'est toi l'hôtesse et moi l'invité.

Je stoppe net sur le trottoir. Yan aussi a remarqué tout ça. Et ne m'a jamais mentionné cette évidence.

— Plus j'aime, plus les cadeaux sont gros. Maudit! À force de ne pas vouloir être italienne, je suis devenue une maudite Italienne… Oh mon Dieu…

— Panique pas.

— Je ne panique pas. Je suis lucide comme jamais. Je ne suis pas ma mère, OK?

Au tour de Yan de paniquer légèrement.

— OK, si tu insistes. Mais t'es où? Dehors? Tu vas faire quoi? Où tu t'en vas?

Une voiture passe près de moi, manque de m'arroser au passage et confirme à Yan par son vrombissement que je me trouve dans la rue.

— Tu vas où comme ça? Ça sent la connerie…

— Oui, Yan, la grosse connerie. Je plonge dans le vide. Pense à moi pendant les quinze prochaines minutes pour que je continue de sauter, OK?

— Han? Mais de quoi tu parles?

— … Et que je ne me pète pas trop la gueule…

J'accélère le pas encore davantage en marchant droit devant.

— *OH MY GOD!* Penses-tu à te suicider?

— C'est à peu près ça!

— QUOI?

— Des ondes positives, s'il vous plaît!

— Des QUOI?! CLARAAAAAAAA!!!

Je raccroche sans dire au revoir comme on le fait au ci-néma parce que la scène est trop courte, parce que les paroles vaines sont des artifices sans intérêt qui nuisent au dialogue et au déroulement du scénario.

Cinq minutes plus tard, je me retrouve en face de l'appartement de Damien. Je sais qu'il est chez lui. Une soirée de poker avec ses amis. Je frappe. Il ouvre la porte, une bière à la main, me regarde avec étonnement.

— Je sais que t'es avec tes chums et je respecte ça. Je ne te dérangerai pas longtemps.

J'essaie de reprendre mon souffle.

— Euh, OK, dit-il avec incertitude.

Il me fait signe d'entrer, mais je reste plantée là. Les mains enfoncées dans les poches de mon manteau.

— Ne dis rien, s'il te plaît. J'ai plein de choses à te dire.

Intrigué, il hoche la tête et prend une gorgée de bière en s'accotant sur le chambranle de la porte.

J'aspire une bouffée d'air. Comme quand on sait que l'eau de la piscine nous saisira d'un froid mordant, mais qu'on doit plonger malgré tout parce qu'on ne peut pas tergiverser en se disant qu'on ne sera pas capable.

— J'aime faire des cadeaux parce que ça me fait plaisir. Je suis comme ça.

— Euh, OK, répète-t-il, l'air de ne rien comprendre.

— Je ferais tout pour mes amis et tout pour toi. Et ça me fend le cœur de savoir que t'es triste. J'aime pas ça. Et je ne déteste pas vraiment les pâtes, juste les gnocchis faits par ma mère, mais ma mère, on s'en fout, c'est pas important, c'est un détail dans ma vie, une épine dans mon soulier, j'ai juste à changer de soulier… Ce que je veux te dire, c'est que je t'aime, Damien. Je t'aime.

Je vois ses sourcils s'arrondir, ses yeux s'écarquiller, sa bière glisser en bas de mon champ de vision.

Il laisse échapper :

– Wow…

Il a juste le temps d'ouvrir la bouche que déjà je me lance sur elle, sur lui. Mais là, l'embrasser n'est pas une fuite ni une diversion, c'est une nécessité. Je l'aime, voilà. Officiellement. Il répond avec un mélange de «hum» et de rire. Il répond à mon baiser avec sept ou huit doigts qui encadrent mon visage, les autres entourant sa bouteille de bière qu'il a retenue de justesse et qu'il s'efforce de garder loin de ma joue. Je sens ma poitrine qui menace d'exploser, mon cerveau qui fait trois tours sur lui-même. Je sens même un début de sanglot qui monte dans ma gorge, mais cette fois-ci, je l'accueille comme une bienheureuse preuve de la sincérité de mes sentiments.

Le souffle court, je recule et déclare d'une voix tremblante :

– Voilà. C'est tout ce que je voulais te dire. Bye.

Je replace son t-shirt. Il a l'air complètement déboussolé. Les lèvres encore empreintes de notre baiser, il me regarde sans comprendre.

– C'est tout ? Tu pars comme ça ?

Ses bras sont restés dans la même position que lorsque je m'y trouvais. Puis il sourit et je remarque les petites rides au coin de ses yeux. Je distingue à peine ses pupilles dans l'obscurité, mais ce que je vois brille pour moi. Que pour moi. Et je sais qu'il me voit, moi.

– Oui. Je te laisse avec tes chums.

– Mais…

Il m'attire à lui et m'embrasse avec un peu plus de fougue, de langue, un peu moins de souffle. Sa bière a foutu le camp sur le perron, près de mes pieds.

– *Fuck !* Qu'ils partent ! s'exclame-t-il, son front appuyé sur le mien.

Il sourit en se mordillant la lèvre inférieure. Je recule sans respirer, mais légère comme jamais, toute revigorée par cette mission accomplie.

– Bye, Dam!

– Mais!…

Je descends les marches, me retourne et lui envoie un baiser soufflé.

– Bye.

Je marche, je ne sens plus mes pas. Je ne regarde plus en arrière. Je regarde devant. J'ai sauté et je suis toujours en vie. Je me sens tellement en vie.

Le lendemain matin, mon iPhone reçoit un flot de textos d'un numéro inconnu… que je reconnais très bien.

514-788-4852 : Salut! Tu dois dormir… moi pas.

514-788-4852 : J'ai rêvé hier ou c'était bien vrai?

514-788-4852 : Je suis fou de toi, Clara… Vraiment fou de toi!!!!!! xx

514-788-4852 : C'est pas si pire un cellulaire… ;)

CHAPITRE 20

Jour 58

À peine le temps d'être heureux qu'une certaine Millie K. vient brouiller les cartes. D'où elle sort celle-là, je n'en ai aucune idée. Tout ce que je sais, c'est que je ne l'aime pas. Son sourire mielleux, son look de rockeuse charismatique tout droit sortie des sixties, sa longue crinière teinte en rouge mais ô combien magnifique et flamboyante, je n'aime pas. Elle est apparue dans le local de répétition de Toxic Robot à titre de chanteuse, maniant la guitare électrique avec brio, cheveux au vent ou presque, bottes à gogo qui marquent le tempo, clins d'œil intermittents au bassiste qui s'avère être mon chum. Le sourire crispé à mon intention, le regard qui fuit, la petite poignée de main molle dans la mienne aux présentations ne trompent pas. Elle me projette déjà hors du tableau. Je la vois venir à cent milles à l'heure. Des petits jeux comme ça, j'ai connu, et l'instigatrice s'appelait Nancy, elle était mon amie. On n'oublie jamais. À Millie K., je ne donnerai pas la satisfaction de la laisser jouer au vautour en mon absence. Je me pointe au local sans préavis aussitôt que j'en ai l'occasion.

Elle gratte la guitare furieusement, balance les hanches pour marquer le rythme, scande les paroles avec des tonalités à la fois mélodieuses et rocailleuses. Angélique et machiavélique. Un duo menaçant. Je me tiens dans mon tailleur sur la petite chaise pliante que Damien a placée là à mon intention et je ne suis tellement pas à ma place que c'en est gênant. Elle, elle a de la graine de rock star, de la graine de voleuse de chum. Ça se voit, ça se sent et ça me donne la nausée. Pourtant, je reste jusqu'à la fin, la défiant presque du regard, guettant un coup d'œil trop appuyé de la part de Damien, mais non, il agit avec elle comme avec les autres membres de son *band*. Rien à signaler. Tout ça est dans ma tête. Et pourtant, ça me poursuit. La jalousie grimpe, insidieuse.

Plus tard, au retour, je joue la totale dans la voiture.

Il me dit :

– Arrête avec ta main, sinon je vais être obligé de nous trouver un stationnement.

J'envoie valser ma culotte sur le tableau de bord et il comprend.

– Trouve un stationnement, Damien.

Banquette. Sa bouche. Ma bouche. Sa main sur ma fesse nue. Ses caresses, là. Son sexe entre mes doigts. Moi qui plane au-dessus. Attends…

Je te veux.

Je te veux.

Je te veux.

Je te…

Pas de condom. Oh non, merde… de merde… C'est pas vrai !

Tout est beau. C'est OK.

Je fonds sur lui. L'enfonce en moi. Je pourrais tomber enceinte comme ça. Pas de calculs. Tout faire pour le garder. Je veux tout lui faire oublier. Elle et les autres. Combien de filles avant moi ? Combien sur une banquette de voiture ? Je bouge sur lui. Mouille sur lui.

T'es tellement… Hum… *Fuck*… Clara…

Ah…

Ah…

Ah… *my God.*

La totale. Bouger vite, lentement. Lui démontrer savamment l'extraordinaire pouvoir de mes muscles pelviens.

Shit.

· Puis il rit dans mon cou. S'excuse. À peine le temps de reprendre ses esprits qu'il explique : la dernière fois, il était ado. Triste constat de voir qu'il n'a pas gagné en endurance depuis. Il y a quelque chose de trop excitant avec les banquettes de voiture… et une blonde qui t'allume comme ça. Pour appuyer ses paroles, il embrasse mon cou.

— Excuse-moi de casser la magie de l'instant, mais où est la boîte de mouchoirs ? demande-t-il avec un petit rire gêné.

Nous nous contorsionnons dans notre étreinte pour que je puisse atteindre la boîte qui se trouve entre les sièges du devant. Ma tête heurte le plafond. Il rit. Pas moi.

J'ai juste le goût de pleurer et je cache mon visage derrière le rideau de mes cheveux.

— Ça va ?

Je ne réponds pas. Il se retire. Me tend des mouchoirs. Il s'essuie en silence. Je fais de même. Il attend que je prenne la parole. Une réaction qui ne vient pas derrière ma chevelure qui fait écran. Il ne perçoit pas les larmes qui coulent sur mes joues. J'attache mon chemisier.

— Tu veux que je m'occupe de toi ?

Étrange, il n'a jamais demandé ça comme ça. Agacée, j'objecte, le ton plus sec que je ne le voudrais :

— Pas dans une voiture.

— Ben là…

— J'ai déjà joui.

— Ah bon…

Je me redresse, ouvre la portière et retourne cette fois-ci sur le siège du conducteur. Il reste sur la banquette arrière un moment. Je sens ses yeux fixés sur mon cou, fixés sur l'air qui vient de changer et mon air qui a aussi changé de face.

Je parle, enfin… lance une flèche :

196

– C'est fini, Toxic Robot?

– Mais non, on fait une p'tite pause *indie* le temps de se ressourcer un peu.

– Je pensais que tu voulais juste jouer de la musique électronique.

– Je suis un bassiste, je joue de tout.

Tu fais vibrer sa corde sensible à elle, en tout cas.

Mais je ne dis rien. Ce n'est pas une mélodie que je veux chanter. Je le sens perplexe alors qu'il se glisse à mes côtés. Il affiche un visage soucieux. Nous reprenons la route. Après un long silence, il me demande doucement :

– T'es sûre que c'est correct? Je veux dire… sans condom…

J'ouvre la fenêtre pour prendre une bouffée d'air inexistante. Je n'ose pas croiser son regard.

– Tout est sous contrôle.

CHAPITRE 21

Jour 60

Millie K. est toujours présente, ancrée dans le tableau, au détour d'une conversation, au téléphone. Elle ne se gêne pas pour appeler chez moi. « Damien, s'il vous plaît ? » demande-t-elle sans une salutation à mon endroit. Elle pourrait dire d'une voix monocorde : « Français » ou « Anglais », son ton n'en serait pas moins agacé. Je suis la blonde qui se balaie du revers de la main.

De l'*indie*, les cordes de Damien sont passées à la guitare acoustique. Quelques jours plus tard, il est sur scène. Elle au micro, lui à la guitare. Et moi sur mon siège à envoyer des textos rageurs à Yan.

Moi : Merci pour le soutien moral.

Yan : Ben quoi, j'ai une vie de couple, moi… C'est quoi le problème, Poune ?

Moi : Le problème mesure approximativement 5 pieds 7 et a la couleur de cheveux de Ronald McDonald… Un chausson avec ça ?

Yan : Secoue ton 5 pieds 3 insécure. T'es un beau morceau. Tout ça c'est dans ta tête. D. t'aime.

Je jette un coup d'œil vers la scène. Damien est loin. Je le sens loin. À des kilomètres de la fille que je suis devenue, celle qui se rétracte par en dedans.

Moi : Je doute de tout.

Yan : Spm ?

Moi : :(

Yan : Tu veux m'appeler ?

Moi : Peux pas… Ça voudrait dire sortir de la salle et t'appeler à l'extérieur et là, je ne pourrais plus garder un œil sur la situation qui nous préoccupe.

Yan : NOUS préoccupe ? Euh… lâche les textos ! Je sais pas comment TU fais pour garder un œil sur TON chum !

Je relève la tête. Si mon attention était ailleurs, Millie K., elle, a carrément l'œil, plutôt les deux yeux braqués sur mon chum. Le demi-sourire coquin, le clin d'œil imminent. Sa voix à elle, ses doigts à lui sur les cordes, ils semblent en communion. Mon estomac se tord. *Musique indie mon cul !*

C'est tout ce que j'ai en tête comme réplique alors que je me pointe *backstage* pour affronter Damien. On m'annonce qu'il est dehors, dans la ruelle. Il y a des décors récurrents. L'entracte, la ruelle, une fille, un gars. Je m'y rends. Je nous revois quelques mois plus tôt. La différence, c'est que je ne suis pas la fille du scénario. C'est Millie K. qui a obtenu le rôle ce soir. À l'instant où j'apparais, Damien est appuyé au mur, une jambe pliée, le pied à plat sur la brique, bras croisés, en plein milieu d'un rire, à la limite de la quinte de toux.

— Désolée d'interrompre ce moment de complicité.

Je n'ai pu retenir cette pointe de sarcasme. Millie K. perd son sourire enjôleur. Damien fronce légèrement les sourcils en m'apercevant. Elle s'écarte de lui, comme à regret, tire une dernière bouffée de cigarette et la lui glisse entre les doigts. Elle me croise sans me jeter un regard. La porte se referme derrière elle.

Je lance :

— Wow.

— Tu vas bien ? demande doucement Damien après une longue seconde de silence tout en exhalant un long panache de fumée. T'aimes le show ?

— Tu fumes ?!

– Pas souvent.

Il aspire encore une bouffée et plisse les yeux en regardant au loin. Je crois l'entendre marmonner quelque chose comme : « Désolé de te décevoir encore. »

La cigarette roule entre ses doigts et il la jette au loin.

Je riposte par une autre interrogation :

– *Indie* avec de la guitare acoustique ?

– C'est une question ou une constatation ?

– C'est le changement de style du jour ?

– La musique qu'on joue t'intrigue beaucoup on dirait, observe-t-il, mi-amusé, mi-agacé.

– C'est une question ou une constatation ?

– Ha ! Ha !

Il a laissé échapper ce rire qui veut dire « bien joué », cette manière qu'il a de montrer qu'il apprécie mes réparties qui le laissent à la fois ravi et un brin songeur. Cette fois, par contre, il y a des accents de tristesse. Je suis peut-être allée trop loin. Encore…

« La musique qu'on joue… » Je n'aime pas ce « on ». Il apparaît trop souvent. Il a remplacé Toxic Robot, les projets de long métrage. Il a presque remplacé notre « nous ». Je n'aime pas le froid qui s'est installé. Je hausse les épaules, me mets à ses côtés, croise les bras à mon tour en regardant devant, la distance se creusant entre nous deux.

Il s'incline, risque un baiser qui finit par atterrir sur ma joue puisque je pare l'odeur de cigarette en détournant la tête.

– Oh, arrête, s'impatiente-t-il en voyant l'air que je lui sers. Tu fumes des fois avec Yan.

– Des joints. C'est pas pareil !

– Clara, il y a du tabac dans les joints aussi. Tu le sais, ça.

– Mais pourquoi tu fumes une cigarette, là, maintenant ?

– Parce que ça me tente.

– Mais…

– Je suis un fumeur social. Je m'excuse…

– Mais Damien…

– … de te décevoir encore !

Voilà, c'est bien ce qu'il a dit un moment plus tôt. J'avais bien entendu.

– Tu ne me déçois pas !

Mais j'ai peut-être réagi trop tard. Assez pour voir le doute sur ses traits.

– J'ai l'impression que oui !

– Mais non, c'est pas ça !

– Alors c'est quoi ? C'est quoi, Clara ?

Il ouvre les mains, manifestement impatient, le regard frondeur. Le front dans la paume, j'aspire une bouffée d'air avant de me lancer et de déclarer d'une voix blanche :

– Je n'aime pas ce qui se passe…

– Explique.

Mais je vois à la mine qu'il fait qu'il n'est pas prêt à entendre ce que j'ai à lui dire. Je finis par lâcher :

– Tantôt… On s'en parlera tantôt…

Un mot et j'ouvre la porte sur quelque chose que j'aimerais mieux ne pas voir. La vérité est qu'on s'éloigne. J'ai fait un pas vers l'avant et un kilomètre en arrière.

Je demande :

– Tu viens dormir chez moi ?

– OK.

Il ramasse la bouteille de bière qui est à ses pieds. Je pars et laisse planer derrière moi mon parfum, mes doutes, mais aussi une certaine dose de renoncement.

Quelques minutes après la fin du show, j'appelle la seule personne qui vient entériner mes doutes et qui réussit à se sentir encore plus scandalisée que moi.

— Ah ben, la maudite grosse vache rousse! On l'aime pas, elle!

J'écarte mon iPhone de mon oreille. Je crois n'avoir jamais entendu Mélodie aussi outrée.

Moins de trente minutes plus tard, nous décollons à bord de la nouvelle voiture de Mélo, qui est venue me cueillir chez moi. Si on avait pris la mienne, on ne pourrait pas espionner Damien et ladite «grosse vache rousse». C'est l'idée de Mélo, pas la mienne. J'ai à peine le temps de la questionner sur son nouveau bolide, héritage légué par ses parents probablement trente ans avant leur dernière heure parce qu'ils veulent voir leurs enfants en profiter, que Mélo me demande une rétrospective de la soirée. Surprenant qu'elle se soit exclamée en des termes si peu élogieux à l'endroit de la terreur rousse, que dis-je, rouge, qui menace mon couple... ou ce qu'il en reste.

— Elle a osé?

— Eh oui...

— Et toi, t'as rien dit?...

— Tu veux que je dise quoi? «Damien, je refuse que tu ailles reconduire chez elle une fille qui te tourne autour comme si tu étais un tas de merde odorant.»

— Tu lui en veux?

— Oui. Je ne peux pas la sentir!

— Je veux dire, tu en veux à Damien? Pour le traiter de merde.

— Mais je...

Mélo freine brusquement au feu, dix mètres avant la ligne d'arrêt, la ceinture claque et j'ai un haut-le-cœur.

— Excuse-moi? Damien, c'est pas Vitto, fait remarquer mon amie. Tu t'es fait tromper une fois, c'est assez. Ça ne veut aucunement dire que ça arrivera encore. Surtout pas avec Damien, c'est pas son genre.

— On ne peut jamais savoir...

– Et puis, tu lui as ENFIN dit que tu l'aimes…

– Oui, mais tout de suite après, j'ai senti qu'il se rétrac-tait, qu'il se refermait. Ses préoccupations étaient ailleurs…

J'explique à Mélo la conversation que nous avons eue la veille, Damien et moi. Il m'a dit : « J'ai essayé de ne pas t'embêter avec ça… mais Clara, la subvention pour mon long métrage, ça a chié. On ne l'a pas eue. Ça ne se fera pas. On a aussi perdu notre producteur. Il ne veut plus nous suivre. » Je lui ai proposé de l'aider, de lui avancer de l'argent. « Je suis habitué à faire mon bout de chemin tout seul », a-t-il dit. Puis, dans un même ordre d'idées, il a an-noncé qu'il ne pouvait pas emménager chez moi. J'y ai vu la parfaite excuse. Il continuait d'expliquer : « Tout ce sur quoi je travaille depuis des années, tout le temps et l'argent que j'ai investis… Je me retrouve devant rien. » J'ai dit : « T'as toujours la musique… » Il a grogné : « Bah… » J'ai tenté : « Et moi… » Il a dit, comme si ce n'était pas assez : « Et toi. »

– Dire « je t'aime », Mélo, c'est pas une formule magique.

Elle fait un hochement de tête approbateur. Son regard triste balaie la route. Sa voiture accélère lentement, puis elle freine à nouveau dix mètres avant l'arrêt. Je repositionne ma ceinture de sécurité par réflexe.

Damien m'a dit à l'oreille, parce que la musique du bar était trop forte :

– Millie a trop bu, je vais aller la reconduire chez elle.

Ah bon, c'était quand la gorgée de vodka fatidique ? Quelque part entre le moment où elle a mis son bras autour de ton cou pendant ton solo de guitare et celui où tu as trinqué avec elle et où tu lui as payé son quatrième verre ?

Mais je n'ai rien dit de ça. Prudente, j'ai répliqué en tentant de montrer une neutralité que je ne ressentais pas :

– Elle ne peut pas prendre un taxi ?

Ou le genre de navette spatiale qui t'amène loin, très très loin ?

– Elle est venue avec sa voiture et il y a toutes ses choses à remporter.

Ouais… son micro de salope, son ukulélé de salope, ses bottes de salope, sa minijupe de salope et sa face de salope.

– Elle ne pourrait pas venir chercher ses choses demain ?

J'ai fait tournoyer mon verre dans ma main, essayant d'avoir l'air de ne pas la jouer possessive. Je ne voulais pas être cette fille-là.

– Ça te dérange ? Tu veux nous accompagner ?

Si ça me dérange ? Je n'aime pas ce « nous » qui a remplacé notre « nous ». Qui est cette fille qui bousille notre vendredi soir et qui a installé en moi un doute aussi caustique qu'un virus Trojan ? Ah oui, en passant, si tu me trompes avec elle, n'oublie quand même pas de te protéger.

Mais je n'ai rien dit de tout ça. J'ai plutôt rétorqué :

– Ça va, tu sais bien que moi je ne peux pas laisser ma voiture ici. Elle pourrait disparaître en fumée. C'est ce qui arrive dans le centre-ville de Montréal. Des drames, juste des drames.

Ne saisissant pas le sarcasme dans ma réplique, Damien a ri. Il m'a embrassé le front. J'ai murmuré dans son cou un faible « je t'aime » avec des inflexions interrogatives qu'il n'a pas entendu ou qu'il a choisi d'ignorer.

Alors que le volume de la musique du bar s'amplifiait, il a répondu quelque chose qui pouvait ressembler à « t'inquiète pas » ou « je t'aime pas » ou « t'as le choix » ou « ta-de-da ». Quand tout ce que je voulais entendre, c'est : « Cette fille-là n'est rien pour moi, tu le sais. Arrête de tout saboter. » Mais le nombre de syllabes ne concordait pas et le doute persistait en moi.

Prise dans la file d'attente pour récupérer mon manteau, j'ai appelé Yan.

– Ça va mieux, là?

– Retiens-moi… j'ai le goût de me venger!

– Te venger? Comment?

– En me pognant un autre gars.

– Oh là là, attention… drôle de logique, Poune.

Je respirais fortement dans mon iPhone. Les flashbacks de ma relation avec Vitto augmentaient ma panique et ma crainte d'une catastrophe imminente. Avec Nancy, je n'avais rien vu venir.

– Putain! a-t-il dit.

– Euh, pardon?!

Au bout de la ligne, Yan a ri.

– Excuse! Je m'exclame! Putain, c'est le sacre du jour. De Yaninou…

– C'est ton chum ou ton mentor?

– Laisse faire ça! Si tu aimes vraiment Damien, tu ne vas pas frencher un autre gars.

– C'est juste une idée comme ça… Voyons, pour qui tu me prends?

– Pour une fille qui ne sait pas comment se comporter en amour?

– Ah…

Virage à gauche, à droite, deux rues plus loin. Mélodie dans mon délire. C'est ici. Non, c'est pas là. Continue tout droit. Tourne ici. Non, c'est pas là.

– Oh, la moyenne p'tite grosse vache! s'écrie Mélo en agrippant le volant. Elle va voir ce qu'elle va voir!

– Et qu'est-ce qu'elle va voir?

Je ne peux pas m'empêcher d'être légèrement amusée par l'attitude de mon amie.

– Mais elle habite où, la grosse salope? renchérit Mélo sans répondre à ma question.

Et comme pour renforcer ses dires et la paranoïa qui m'assaille, elle appuie sur la touche «lecture» de sa radio et la voix d'Alanis Morissette envahit l'habitacle.

It was a slap in the face how quickly I was replaced
Are you thinking of me when you fuck her?

La vache. La salope. Je ne peux pas croire que de tels mots hargneux sortent de la bouche de mon amie. J'ai moi-même employé mentalement le terme peu élogieux de «salope» pour désigner Millie K., mais venant de Mélo, c'est tout à fait insolite.

Elle inspire profondément et reprend, plus calme:

– On s'énerve pas. On n'a pas la preuve que Damien est avec elle.

Le «on» de Mélo est le signe qu'elle s'approprie ma quête et mon angoisse. Ça, c'est tout à fait elle.

Je tremble des genoux, je me retiens de casser ce petit bout d'ongle de trop avec mes dents, je sens que je pose un regard affolé et méfiant sur chaque porte qui ressemble à chez elle, chaque série de chiffres, chaque adresse qui pourrait être la bonne combinaison. J'y suis allée une fois. Pour son anniversaire à elle. «Ça ne sera pas ta fête à toi», voilà le regard qu'elle m'a servi. Les gars de Toxic Robot la mettaient au défi de boire des shooters. Damien s'est mis de la partie. Elle enchaînait les tequilas et les coups d'œil complices à son endroit.

Mélo et moi tournons en rond depuis un moment. Elle babille, essaie de me changer les idées, mais je sens qu'elle meuble le silence de banalités juste pour ne pas m'entendre penser et angoisser. Elle sait que le doute s'est infiltré en moi. On a beau pardonner, est-ce qu'on oublie vraiment?

Et si cette trahison était inscrite dans mes cellules? Si c'était plus fort que moi de douter? Comme une maladie, comme des mauvais globules qui tuent les bons. Cocue jusqu'à la moelle.

And I'm here to remind you
Of the mess you left when you went away
It's not fair to deny me
Of the cross I bear that you gave to me
You, you, you oughta know

Où habite-t-elle? Je ne connais même pas sa marque de voiture. Et sa plaque d'immatriculation? Salope101?

Je suis passée par-dessus ma précédente relation, et par-dessus le fait que Vittorio s'est retrouvé avec Nancy. Sous Nancy. Sur Nancy.

Enfin, je crois que je suis passée par-dessus tout ça, mais peut-être pas vraiment. Je n'ai rien vu avec Vittorio, et là, je vois tout, même ce que je ne devrais pas voir. Millie K. n'est pas Nancy. Je n'ai comme preuve que l'indifférence totale dont elle fait montre à mon égard.

Mélo roule lentement. Tout à coup, la peur me prend au ventre. Elle habite là.

– ARRÊTE!

Et Mélo freine aussi brusquement que je me suis exclamée, nous envoyant presque valser sur le tableau de bord. Elle vient tout juste d'avoir son permis de conduire et ne maîtrise pas tout à fait les délais et les distances.

Qu'est-ce que tu espères voir?

Lui chez elle. Qui est monté chez elle. Son ombre à travers le rideau de son salon. Juste qu'il est là. Ça serait comme s'il s'apprêtait à plonger. Les orteils au bord du précipice. La bite pas loin d'y sauter.

Et que pourrais-tu y changer? Rien.

– Je veux retourner chez moi. On s'en va, Mélo.

– OK.

J'ai la respiration saccadée. Je veux quitter cette rue avec ou sans la voiture. Immédiatement. Mélo se tourne vers moi, soucieuse.

– Ça va aller, me dit-elle. On s'en va.

Et dans son ton, il y a l'assurance et toute la bienveillance d'une maman, d'une grand-maman. Peut-être l'ensemble de tout ça. Pour ajouter à l'incarnation de la bonté, elle me tapote le genou.

Je me compose un sourire. J'essaie d'avoir l'air détachée quand nous reprenons la route.

– Tu vas être correcte? s'assure mon amie, pas dupe.

– Mais oui, j'ai juste eu une rechute. T'inquiète pas pour moi.

Je mets ça sur le compte de la fatigue, d'une mauvaise passe. C'est vrai, elle a raison au fond. Nous n'avons/Je n'ai aucune preuve, rien d'incriminant. Rien qui rend malade. Et puis, je suis crevée cette semaine.

On se fait la bise et je lui envoie un salut de la main, avec un sourire qui manque d'entrain et qui s'éteint aussitôt que je me détourne pour ouvrir la porte de mon appartement. Le silence l'emplit. L'air semble encore plus vide. Monsieur-Monsieur ne se donne même pas la peine de venir me voir. Je suis claquée, c'est vrai. J'envoie valser mes souliers et, en perdant quelques pouces, je perds abruptement le moral. Avec chaque vêtement dont je me dépouille s'envolent mon assurance, ma superbe, ce qui fait que je me tiens debout, et les larmes viennent comme ça sans que je les retienne, sans que je les essuie. Le tampon démaquillant n'y change rien, mon reflet est non coopératif. J'ai le regard de la défaite, je crache de ma bouche le dentifrice de la cocue.

« Jamais je ne te ferais ça. » Ben bravo, des échos de Vitto maintenant.

Damien, lui, ne m'a rien dit de tout ça. « Je vais la reconduire. » C'est tout ce qu'il a dit. C'était seulement pour être gentil. Rien de plus normal. Damien est un gars gentil.

La vérité est que je suis une écorchée. Une fille qui gratte son bobo et qui en arrache à chaque fois la gale.

Je me glisse sous les draps, surprise par la forme qui bombe le lit et qui est plongée dans le sommeil. Je me cale contre la chaleur de son dos. Il saisit ma main, comme chaque fois, et me lance un coucou endormi en me tirant vers lui. Je lui dis :

– T'es là ?

Question. Constatation. Parole douce. Plein de larmes à refouler. Il est là.

– Hum ?

Sous-titrage pour les malentendants, ceux qui ont la couenne dure et qui sont tellement pris dans leur pauvre paranoïa qu'ils n'y voient rien : où veux-tu que je sois ?

Je dis d'une voix un peu émue :

– Allô…

Je suis surprise qu'il soit là et surtout surprise de ce flot d'émotions qui jaillit, allant du soulagement à un embarras des plus complets. Je suis étonnée de le savoir là, dans mon lit. Même si je voulais qu'il y soit.

Toujours d'une voix ensommeillée, il demande :

– Tu voulais qu'on parle tantôt…

Je me souviens de la ruelle. Je voulais lui dire tout plein de choses. Je ne fais pas confiance à Millie K. Je sens qu'on s'éloigne. J'ai peur de te perdre. Je sens que je te perds. Je ne veux pas te perdre.

Je pourrais lui dire tout ça, mais je réponds simplement :

– Il n'y a rien.

– Hum.

Je reste accrochée à son dos, à contempler sa nuque éclairée par la lumière des réverbères qui filtre à travers les rideaux de ma chambre. Il ne dit rien. Je ne dis rien. Dans l'air sont suspendus des mots inexprimés et lourds. *Qu'est-ce qui s'est passé? Est-ce qu'elle a fait un move sur toi? Elle attend juste de faire un move sur toi. J'en suis sûre. Elle t'intéresse? En tout cas, toi tu l'intéresses! Elle ne connaît pas ça, le taxi? Elle aurait dû prendre le taxi. Pourquoi t'es si gentil avec elle? Pourquoi je sens que moi, je perds au change? M'aimes-tu vraiment?*

Il ne dit rien. Je ne dis rien. Puis je lui dis tout ce que je peux dire. La seule certitude dans la tempête qui m'habite.

– Je t'aime.

Pour seule réponse, je l'entends faire: «Hum…», avant que sa respiration se régularise et qu'il sombre dans le sommeil.

CHAPITRE 22

Jour 61

À la seconde, à l'infime mini-seconde où j'arrête de douter, voilà que ça me tombe dessus. Une grande, une double annonce majestueuse.

Finalement, c'est lui qui avait quelque chose à me dire…

— Je voulais t'en parler avant. Ça fait un bout que c'est dans l'air. Sauf qu'avec mon long métrage qui prenait tout mon temps, j'y pensais pas trop… Mais là…

Je l'interromps. Mes mots hachent l'air :

— Mais t'as pas d'argent et tu pars à Los Angeles ? C'est quoi, ça ?

Il accuse le coup. Je suis venue le rejoindre dans son local de répétition. Les autres membres de Toxic ont déserté l'endroit en me voyant arriver. Ils ont tout compris. Ou peut-être étaient-ils tous déjà au courant ?

Le tout fut annoncé comme suit : « Ça se peut que je parte deux mois. Je voulais être sûr que c'est correct pour toi. »

Que c'est correct pour moi ?

Je reformule, me radoucis.

— Je ne comprends pas… Qui va payer les billets d'avion ? Et l'hébergement ?

— Le père de Millie K. va d'abord nous avancer l'argent…

— Qu'est-ce que son père vient faire là-dedans ? Et ELLE, qu'est-ce qu'elle vient faire là-dedans ?

Encore un «nous» et un «elle». J'ai mal compris... J'ai présumé qu'il partait avec les gars du *band,* en tournée à l'autre bout du continent. Loin de moi. Mais il est là, dans le local de répétition, sans sa basse. Il a gardé son blouson. Je n'avais même pas remarqué. Il est venu leur annoncer qu'il partait. Très loin de moi.

– Quoi? Tu pars tout seul... avec ELLE?

Et j'ai des images comme ça. Des choses qu'il m'a dites: «En tournée, on fait ce qu'on veut. On se sent libre. Il y a des gars qui en profitent.»

Et toi, Damien? Et toi?

À cet instant précis, je n'ai qu'une envie: fuir. Du coin de l'œil, je vois la porte par laquelle je suis entrée en trombe un moment plus tôt, prête à l'affronter et à réagir à ce qu'il m'avait annoncé au téléphone. Je m'imagine la prendre, la claquer et ne plus jamais mettre les pieds ici. Je ne veux pas assister à ça. À cette reprise de l'épisode de la cocue. Les cotes d'écoute ne sont pas bonnes. Faudrait arrêter de le passer, cet épisode. Il est mauvais, coté deux étoiles, minable, scénario prévisible, acteurs sans talent, direction photo beige à chier. Du déjà vu. Une fois de trop.

– C'est la possibilité de faire un coup d'argent. Je le rembourse après. Elle veut enregistrer là-bas. Son oncle est producteur...

... et blablablabla.

J'essaie d'assimiler la nouvelle au lieu de l'encaisser, au lieu de me laisser écraser par elle et par toutes les images qu'elle suscite en moi. Et lui, il parle encore d'argent. Je ne lui connaissais pas cette préoccupation.

– J'ai besoin de remonter la pente financièrement, continue-t-il.

Je me rappelle toutes les propositions que je lui ai faites, à quel point j'étais prête à lui prêter de l'argent, à lui donner un bras, n'importe quoi pour qu'il soit heureux.

– Et pourquoi toi ?

Il hausse les épaules.

– Parce qu'on a mijoté plein d'idées, des mélodies. On va travailler là-dessus là-bas et enregistrer direct pour avoir le plus de spontanéité possible. Faire des *one-shot*. On compose, on enregistre. Gros max deux mois et l'album est bouclé.

C'est un beau projet badigeonné de «on». Et dans une optique où le «on» exclut totalement mon «je». Je dirais même : «On aime pas.»

Les images de spontanéité qui me viennent à l'esprit n'ont rien à voir avec celles d'un studio d'enregistrement. Elle sur lui, le soutien-gorge qu'elle envoie valser et ses doigts à lui qui jouent avec ses cordes à elle. Faire des *one-shot* ou des *one-night*. Deux mois, ça en fait des possibilités de *one-night*, des nuits de créativité à s'inventer des mélodies et à partager des soupirs.

– T'es pas le seul bassiste disponible. Le plus *cute*, peut-être…

Aucune taquinerie ici. Mon visage s'est fermé. J'ai parlé d'une voix morne. Il maintient un regard indéchiffrable sur moi. Il tique à peine.

– En fait, je vais m'occuper de toutes les guitares. C'est ça qui est intéressant.

– Ou elle qui est intéressante ?

– Quoi ?

La mâchoire lui en tombe. Si j'ai bien réussi jusqu'à maintenant à cacher mon jeu, là tout est gâché. Au lieu de l'inciter à se défendre, de le faire riposter, l'étalage de ma jalousie ne semble qu'accentuer son malaise. Je viens de lui exposer mon talon d'Achille. Inflammation aiguë dans la région de la possessivité.

Je m'en veux d'être cette fille qui doute et qui étouffe.

– Et puis, c'est quoi ce nom-là, Millie K. ? Une nouvelle sorte de céréales ?

– C'est Amélie son vrai nom.

Puis je le vois embarrassé comme dix, la tête penchée, le regard fuyant vers le foutu plancher de béton qui tout à coup se retrouve doté d'un magnétisme puissant, pendant que j'assimile l'information. Je suis assommée, mais je réussis à rétorquer :

– Amélie ? Amélie comme dans Amélie ton ex ? Est-ce que c'est bien elle, Damien ?

Il plante son regard dans le mien et le soutient en disant :

– Oui.

– Et tu me dis ça maintenant ?

J'ai crié.

– Faut pas t'en faire, lâche-t-il.

– Faut pas m'en faire ? Tu pars deux mois avec ton ex à l'extérieur du pays ! Et tu me l'annonces, là ! Bravo… Deux super bonnes nouvelles en même temps ! Wow !

Je n'aime pas quand on joue avec la corde de mon insécurité. Je n'aime même pas qu'on la trouve, qu'on la touche. Et là, pling ! Elle vient de péter entre ses doigts.

Je veux sortir d'ici. Je dois partir.

– Écoute… Je ne savais pas comment te présenter ça. On est restés de bons amis. Ça fait longtemps. J'ai eu une autre blonde après elle. Les deux étaient copines. C'est *weird*, je sais. Mais il ne se passe rien avec elle, je te le jure. Ça fait longtemps que c'est fini.

– Mais elle, elle te veut.

– Arrête ça, mais non… Pas du tout !

– Damien, je ne suis pas conne ! Je sais qu'elle te veut ! Ça se voit ! Ça se sent !

– Mais non, t'inquiète pas pour ça.

– Oui, je m'inquiète pour *ça* ! Et toi, tu sais comment elle te regarde. Tu le sais !

Il secoue la tête et fronce les sourcils avant de répliquer avec sérieux :

– C'est du boulot, Clara. Tu devrais comprendre ça! On m'offre un maudit beau contrat, je ne peux pas refuser.

– Mais va livrer du poulet! Ha! Ha!

C'est un coup bas et mon rire est sans joie.

Je me vois alors à travers ses yeux qui se sont rétrécis pour mieux filtrer les éclairs qu'il meurt d'envie de me lancer, mon tailleur, ma mise en plis, mon attaché-case que je n'ai pas laissé dans ma voiture parce que les dossiers sont trop importants et parce que ça m'aide à me centrer. Des multinationales, des cadres, des entreprises qui gèrent des milliers, des millions de dollars et mon bordereau de paye où brille ma nouvelle prime. Je pue la condescendance.

– Excuse-moi, dis-je d'une voix plus douce.

Mais je l'ai piqué. Ses yeux sont deux fentes. Il regarde à travers moi. Je n'existe plus. Il répond d'une voix sans expression :

– Tu m'excuseras, les gars vont avoir besoin de leur local de répétition. Quarante-cinq piastres de l'heure… Peut-être que toi, tu ne peux pas comprendre ça… Et j'ai une valise à faire.

Il fixe son regard au-dessus de ma tête et me contourne, quitte le local sans ajouter un mot.

Et l'histoire se répète. Le silence sans fin se creuse entre nous deux. Sur internet, il ne se connecte pas. Pas moyen de le joindre non plus sur son cellulaire, celui dont je lui ai fait cadeau. Il ne l'utilise pas et son coloc répète la même rengaine : «Damien n'est pas là. Non, je ne sais pas quand il revient. Je lui dirai de t'appeler quand il rentrera.» Mais il ne semble pas revenir chez lui puisqu'il ne m'appelle pas. Alors, j'imagine le pire. Que j'ai eu raison. Que je l'ai poussé à bout. Dans ses bras à elle. Qu'il lui a ouvert les bras, qu'elle s'y est jetée avec joie! C'est ce qu'elle attendait.

CHAPITRE 23

Jour 63

Il est revenu. Il se glisse dans mes draps et, son visage tout près du mien, me dit avec un air très sérieux que je perçois dans la pénombre :

– J'ai reçu tes courriels. J'ai été bête moi aussi et je m'en excuse.

Je réponds :

– Ne dis plus rien.

– J'ai tellement de choses à te dire…

Je colle un doigt sur ses lèvres, lui intimant de se taire. Il me renvoie un air abasourdi.

– S'il te plaît, non.

C'est ce que j'ai imploré avant de substituer ma bouche à mon doigt, d'écraser mes lèvres sur les siennes, mon corps contre le sien.

– Baise-moi, s'il te plaît.

J'y vois un code, il comprend. Nous n'utilisons plus cette formulation. Elle a été remplacée par faire l'amour, se caresser, passer la matinée sous la couverture et une fois, oui, une seule fois, j'avais dit : « Viens, on va se faire des mamours. » Et nous avions ri.

Baise-moi, s'il te plaît. Un code. Une demande de sexe sans attaches, comme il en était initialement question entre nous deux. Il répond : « D'accord », d'une voix rauque, douce, triste. Me dit : « Retourne-toi », ce que je fais. Il se lève sans plus de paroles. J'entends la boucle de sa ceinture qui se détache et son jean qui tombe au sol. Un petit courant d'air passe sous les draps alors qu'il s'y glisse. Sa bouche se retrouve sur ma nuque, il l'embrasse doucement. Il bouge à peine ses lèvres sur ma peau.

– Dis-moi ce que tu veux, ordonne-t-il. Ce que tu attends de moi. Ce que tu veux de moi.

Ce que je veux? Damien, je ne veux pas que tu partes.

Mais ça fait trop mal de le lui dire. Et je tombe facilement dans la facilité.

– Baise-moi.

– Comment? Dis-le-moi.

Contre ma peau, toujours contre ma peau, je l'entends qui ajoute:

– Je ne sais plus trop quoi faire avec toi.

Il y a comme un trémolo dans sa voix. Ça me heurte encore plus. Une boule dans ma gorge lui répond en silence. Et au lieu de laisser couler les larmes qui viennent spontanément, au lieu de lui demander: «Pourquoi, pourquoi tant de désespoir dans ta voix? Pourquoi tu dis ça et pourquoi tu le dis comme ça?», je fais abstraction de tout, je tombe dans l'évitement. *Allons-y avec la mécanique de la chose. Je vais te donner des instructions pour que tu saches comment je veux que tu me prennes.*

– Je veux que tu enlèves ma culotte… lentement.

Sa main fouille les draps, me trouve et baisse ma culotte, ses doigts caressent ma peau en même temps. La culotte glisse sur mes cuisses jusqu'à mes pieds. Il écarte les draps et je sens qu'il me regarde. Et il attend. Je lui tourne toujours le dos. Son souffle effleure mon épaule.

Tu veux des instructions sur la manière de me baiser? Je vais t'en donner.

– Lèche-moi.

– Où?

Je me retourne et lui fais face. Je vois son visage sans sourire. Ses yeux qui ne me regardent pas vraiment. Il incline sa tête vers mon ventre qu'il embrasse lentement, son expiration créant une vague de chair de poule sur ma peau.

– Là…

Je désigne mon sein gauche, mon sein droit et mon ventre, il écarte ma main un peu brusquement, sa bouche plonge sur mon sein qu'il prend goulûment entre ses lèvres. Il s'exécute lentement, suivant la trajectoire indiquée, et reste suspendu dans l'attente des instructions. Mon bassin se soulève, se colle à lui.

– Ensuite, tu veux quoi?

Damien, je ne veux pas que tu partes.

– Mange-moi.

Il affiche un sourire satisfait, mais distant. Écarte mes cuisses sans plus de cérémonie et embrasse mon sexe lentement. Je me tords, agrippe ses cheveux. Il s'enhardit alors que je gémis, sa langue accélère son mouvement.

– Ensuite, quoi?

Essoufflé, il me regarde, l'air complètement déboussolé et les cheveux fous.

– Mets ta queue dans ma main.

Il remonte jusqu'à moi, sa bouche sur ma poitrine, et pousse son sexe entre mes mains. Je serre son gland, laisse mes doigts glisser de haut en bas sur son sexe, le mettant au supplice. Je me retourne brusquement sur le ventre. Il demande, à bout de souffle:

– Maintenant, quoi?

Je ne veux pas que tu t'en ailles, Damien.

– Prends-moi comme ça.

Je sens sa masse sur moi. Il passe un bras entre le matelas et mon corps, me soulève vers lui. Il écarte mes cuisses et me pénètre dans un grognement. D'une main, il saisit mon sein et de l'autre me caresse là. Mais tout ce que je veux, c'est un peu de tendresse, me faire rassurer, bercer, comme il a si bien su le faire par le passé. Là, il s'est transformé en étranger. En grand baiseur de première. Un coup de reins, des peaux qui claquent ensemble, la pointe de mon sein qui roule entre des doigts. Ou peut-être que je ne le connaissais pas vraiment.

– Baise-moi plus fort.

Y a-t-il moyen de revenir en arrière? On baise une fois et on n'en reparle plus? Tout effacer. N'en faire qu'un seul et unique épisode pour nous épargner cette peine. Ou recommencer depuis le début et arrêter avant le moment où on a perdu pied, où on s'est perdus?

Jour 64

Au matin, j'émerge, alanguie, mais accablée de tristesse, les traits tirés, le sourire loin. Il est allé promener Monsieur-Monsieur, dont les griffes se mettent à cliqueter sur le plancher de bois franc aussitôt que la porte d'entrée s'ouvre. Mon chien me salue d'un coup de queue énergique en me bousculant presque alors qu'il passe à côté de moi. Damien est resté à l'extérieur, une cigarette au bec. J'enfile ma robe de chambre et sors pieds nus dans la matinée fraîche.

– Fumeur social, va!

Il reste assis sur les marches et ne me regarde pas. Je m'assois à ses côtés.

– Désolé. Fumeur stressé.

Il tire une bouffée et je lui prends la cigarette des doigts pour la mettre dans ma bouche. Surpris, il me dévisage. Je contiens la quinte de toux qui menace de monter et je le défie du regard.

– Fumeuse solidaire, dis-je en lui lançant un clin d'œil.

– C'est pas nécessaire.

Il me retire la cigarette de la bouche en faisant un sourire las. Elle se retrouve sous son soulier, qu'il se met à observer. Nous ne disons pas un mot. Seul le bruit des voitures sur la chaussée mouillée meuble le silence environnant. Il semble trop tôt pour les bruits de la ville, pour le brouhaha dans ma tête. Je demande :

— Tu pars quand ?

— Demain...

— Ouch...

— Ça va vite, je sais. Je pensais que c'était dans trois semaines, mais non. L'horaire du studio est pas mal chargé.

Puis, dans le silence implacable qui s'installe trop vite, j'ose enfin parler. Comme si ça pouvait y changer quoi que ce soit.

— Damien, je ne veux pas que tu partes.

— Deux mois, Clara. C'est quoi deux mois dans toute une vie ? C'est rien !

— Justement, ça fait deux mois qu'on est ensemble. Et ça aussi, c'est rien dans toute une vie ?

— Bah, non... Ça a été tout... et plein de choses.

Temps passé. Passé composé. « Ça a été. » Je suis prise de court par ses paroles qui s'embrouillent, son sourire désolé, mais surtout par ce qu'il ne me dit pas et que je crois trop bien deviner à travers ses silences.

— On se parlera tous les jours par Skype, propose-t-il.

— Hum...

— Et on pourra s'essayer au cybersexe...

Il me fait un clin d'œil, mais je rétorque :

— Chouette ! Une relation par internet.

— Ça ne sera quand même pas la première fois... La Poune.

Il me fait un petit sourire malicieux, mais je vois son manque d'enthousiasme.

— Ça ne sera pas pareil... T.R.

– Je sais.

Il reste songeur et finit par proposer :

– Et puis, tu pourras venir me voir à L.A.

– Mais je travaille ! Comment je ferais ?

– Tu pourrais prendre une longue fin de semaine…

– Mais c'est trop loin !

Il soupire.

– Je ne serai pas au bout du monde. Je ne serai pas si loin.

– Damien, je te sens déjà loin.

Voilà.

Voilà ce qui me préoccupe et ce que j'ai en travers de la gorge.

Je me prends à espérer qu'il va me dire qu'il veut me voir. Qu'il y tient. Que je DOIS absolument aller le visiter et aussi que je vais lui manquer, lui manquer cruellement.

Je te sens déjà loin. Trop loin. Mais il répond :

– Pas tellement.

Et là, ça me grimpe à la gorge. Comme un trop-plein de son trop vide, de ce détachement. J'éclate :

– Pas tellement ? Bon sang, Damien, tu me demandes de mettre notre relation sur *hold*, comme si toi, ça ne te faisait rien !

Une seconde, une longue seconde, il semble déboussolé par le fiel qui a jailli de ma bouche. Il répond de façon très posée :

– Écoute, je peux comprendre ta colère, mais il faudrait que tu comprennes aussi ce que moi, je vis.

– Oh oui, mais parlons-en de ce que tu vis ! Tu vas me sortir quoi comme excuse ? « J'ai besoin d'espace, de temps pour moi, de me retrouver… », blablabla. Alors que tout ce à quoi tu vas penser, c'est d'aller baiser ton ex qui ne demande que ça !

– Ayoye, Clara, tu capotes !

– J'en ai vu d'autres, crois-moi!

Il tire un paquet de cigarettes de la poche de son jean.

Une autre cigarette? Depuis quand fume-t-il? Et pour quelles raisons fume-t-il maintenant? Qu'est-ce que je ne sais pas de lui? Il me semble qu'une mauvaise surprise n'attend pas l'autre.

– Je ne suis pas comme ton ex Victo.

– Vitto!

– Peu importe. Je ne suis pas lui. Ni ton père!

Il tire une bouffée de cigarette et me regarde à travers des yeux plissés.

– Quoi? Qu'est-ce que mon père vient faire là-dedans? Tu ne le connais même pas!

– N'essaie pas de changer de sujet. Le sujet, c'est toi! Toi qui doutes de moi! Et c'est ÇA le problème! Je ne peux pas concevoir que tu croies ça de moi!

Je sens son désespoir. Et mes doutes en sont la cause.

Je balbutie:

– C'est à elle que je ne fais pas confiance! À ELLE!

– Mais Amélie est une amie. Une collègue. Rien de plus. Si tu ne crois pas ça, je pense que...

– Quoi? Tu penses quoi, Damien?

– Laisse faire.

Sa mâchoire se crispe. Il tire une autre bouffée de sa cigarette. Il a dû commencer à fumer au moment où il a cessé de me regarder, de me voir. De voir cet air éperdu que je me forge à son contact.

– T'as reculé, Damien.

Il me fixe bien en face sans l'ombre d'un sourire.

– Qu'est-ce que tu veux dire?

À mon tour, je réponds:

– Laisse faire.

Je me redresse et ça m'échappe, c'est tout ce que j'arrive à ajouter dans les circonstances:

– Ça n'a rien donné de te dire que je t'aimais.

Je ne peux pas croire à mes paroles. Je les pense, oui, mais aussitôt sorties de ma bouche, elles ont l'effet d'une bombe. «Si tu ne me donnes pas ton jouet, je ne suis plus ton amie.» Ma réaction est enfantine. Je le sais.

Damien se lève à son tour, renversé, et me regarde sans expression.

– Je m'en vais.

Et dans tous les sens du terme, il part. Il ramasse ses affaires, il part de chez moi sans se retourner.

J'en ai perdu un bout, Damien. Quand est-ce que c'est devenu si facile pour toi de partir?

Chapitre 24

Jour 65

Pourtant, oui, pourtant, le lendemain, il vient me voir. Il apparaît dans l'ascenseur, neuvième étage de la rue Metcalfe, la rue de mon boulot, dans cette tour d'ivoire, comme il l'appelle. Ses mains sont appuyées de chaque côté de la porte de l'ascenseur. Il a le souffle court et une valise à ses pieds. Je suis sans mot, enfin, le seul qui me vient c'est: «Allô!» Il tire mon bras, les dossiers que je tiens s'écrasent entre nous, mon visage se retrouve entre ses mains et puis il m'embrasse à m'en faire perdre le souffle, la raison, la tête, le nord. Les portes manquent de se refermer sur nous et sur mon air toujours aussi abasourdi.

Puis il me dit:

– Je vais revenir.

Une tendre promesse dans ces paroles, dans ses yeux qui sont tristes, mais doux, si doux.

Je me retourne, désigne du doigt la porte de mon bureau dans l'intention d'aller chercher quelque chose. Je m'entends dire: «Attends… tes affaires!» J'ai préparé un sac avec ses affaires. Rien d'important. Un roman de Zola, une poignée de monnaie, son t-shirt de… Mais les portes de l'ascenseur se sont déjà refermées.

Mais tu l'as dit. «Je vais revenir.» Donc, tu vas revenir.

Il est maintenant à L.A. Pas de nouvelles. Les heures s'additionnent. Je n'ai eu qu'un bref courriel: «Je suis arrivé.» Fou comme tout ce qu'il dit est une question de départ et d'arrivée. Je m'en vais. Je pars. Je vais revenir. Je suis arrivé.

L'internet de l'hôtel est à chier, l'empêche de se connecter. Je ne savais pas que ça affectait aussi les lignes téléphoniques. Ah non, j'oubliais, le téléphone, il n'utilise pas ça. Le cellulaire que je lui ai offert, encore moins.

De mon côté, je m'isole, dépendante de tout moyen de communication. Je multiplie les courriels, consciente que plus j'en fais, plus je m'enfonce et plus les kilomètres entre nous s'allongent. À chaque appel, je me tire dans le pied. Bang! Bang! Bang! Avec pour toute réponse un silence qui fait mal. Mais j'ai encore le souvenir de son baiser comme une empreinte, comme une promesse.

Puis je réalise que nous avons peut-être trop joué à «il m'aime/il m'aime pas». Eh oui, entre nous c'est ça, des hauts, des bas, des montagnes russes. Il m'aime. Je ne sais pas. Il m'aime. Il ne m'aime peut-être pas tant que ça. Comme autant de pétales de fleur arrachés de leur centre et moi qui gravite autour sans comprendre.

Quand enfin il réussit à se connecter dans un café internet, il me parle de L.A., du beau temps, du super studio, de la créativité qui abonde, des sushis qui sont si frais. Et tout ce qui manque à cette belle énumération, c'est moi… quelque chose comme: «Tu me manques. Il ne manque que toi.» Mais il ne dit rien de tout ça. À la place, ses doigts, ce prolongement de lui, tapent trois jours après son départ: «T'avais raison, j'avais peut-être besoin d'un peu d'espace.» Je ne veux pas avoir raison comme ça. Raison de déraison. Et puis: «Je me sentais peut-être un peu étouffé.»

Je le prends au mot, au pied de la lettre. Sans nuances. Sans même penser que tout ce qu'il voulait, c'était quelques jours de vacances loin de Montréal, de moi, de nous, et qu'il me reviendra en version améliorée et ressemblante à celui qui m'a fait chavirer.

La blonde torturée et le monstre jaloux empli de doutes refont surface. Mes doigts déversent tout leur fiel sur le clavier. Je suis crevée. J'ai bu un verre de trop. Et lui, des tonnes de bières de trop ? *T'as fait la fête avec l'équipe du studio ? Cool. Et Millie K. qui a dû en profiter pour se glisser tout près de toi, trop près de toi…* Je lui écris alors plein de choses que je pense tout bas. Des mots de trop. Entre nous, des kilomètres de trop. Et internet et son curseur qui ajoutent une goutte de cyanure à chaque seconde qui passe, à chaque lettre qui jaillit du clavier.

Moi : T'as reculé, Damien…

Lui : Mais qu'est-ce que tu veux dire, là ?

Moi : T'as re-cu-lé ! Monsieur super amoureux a reculé ! Pfft ! Je t'aime, je te vois partout, han ? Toujours les mots qu'il faut… Tu m'en as dit, des belles choses ! Moi, je ne demandais rien de ça ! Tu as joué le grand romantique… jusqu'à ce que je cède comme une pauvre nymphette. Oui, j'ai cédé. Ben bravo ! T'as gagné la game ! Es-tu content ? J'ai des sentiments pour toi et ça me fait mal. J'ai mal en maudit de voir qu'au moment même où j'ai succombé, au moment où je me suis laissée aller à t'aimer, tu as ressenti le besoin de t'éloigner.

Lui : Ayoye…

Moi : T'étais pas obligé de partir comme ça, de devenir distant. Et de me reléguer dans le rôle de la fille qui se morfond et qui s'ennuie.

Lui : Woh…

Moi : Ou d'une blonde hystérique qui cherche des poux !

Lui : Wow.

Moi: Ou de me répondre par des interjections!

Lui: Qu'est-ce que tu voudrais que je réponde à tout ce que tu me dis!? Si c'est ça l'opinion que tu as de moi… Ça me tue. Ça me jette à terre! Et là, vois-tu, on a un show à faire ce soir. Je n'ai pas le temps pour ça. Ni l'envie.

Moi: Ben oui, c'est ça, va-t'en! Va faire des shows, te faire cruiser par ton ex et gagner des Grammy!

J'attends ma sentence. À force de jouer avec le feu, le sien qui vacille, je l'ai poussé à bout. Au bout de nous. Une parfaite job de sabotage. Naturellement, il brille par son absence, par son silence.

Alors que tout ce que j'espérais dans tout ça et que je ne voulais surtout pas m'avouer, c'est qu'il comprendrait ce dont j'ai besoin. Un peu de réconfort, des mots doux. De quoi m'apaiser. Qu'il foutrait tout en l'air, qu'il me reviendrait comme avant, comme au début. Enfin, réentendre quelque chose qui ressemble à: «Je me réveille, je te vois. Je m'endors, je te vois. Je respire, je te vois, je vois juste toi. Je vois juste… toi, Clara.»

Mais il a arrêté de me voir dans sa soupe, à moins que celle-ci ait pris un goût amer, un goût de revenez-y pas.

Puis l'inévitable arrive alors que je magasine un aller-retour pour L.A. pour lui faire un coucou, m'excuser de mon attitude. Un simple courriel: «Il faut qu'on se parle.»

Je pars, je claque la porte de chez moi, laissant derrière moi un Monsieur-Monsieur avec un air interrogatif de chien. Je me mets à courir et à courir, trouvant dans le vent qui fouette mes joues non pas un réconfort, mais la gifle au visage qu'il faut pour me ressaisir et m'empêcher de pleurer. Je finis par aboutir chez Yan un et deux, appartement trois, maison du bonheur sur quatre pattes.

– Allô, la beauté brune! s'exclame Yan numéro deux en me faisant aussitôt la bise.

Il n'est jamais avare de compliments, surtout sur le physique.

J'émets un grognement pour toute réponse.

Aussitôt, je me retrouve verre de vin en main, assise sur le sofa, tandis que les tourtereaux poussent la table basse et s'installent sur des chaises pliantes pour me faire face. Il faut dire que le salon de mon ami est petit.

Toujours avec le même semblant de grognement, je déclare :

– Loin des yeux, loin du cœur. C'est bien vrai. Loin du cul, loin du cœur aussi, tant qu'à y être.

Quatre sourcils interrogateurs, ceux de Yan numéro deux plus dessinés que ceux de son chum, décrivent une courbe plus qu'expressive. Amère, je précise :

– Près du cul, pour elle!

– Ah bon, c'est à cause de la grande rousse, note *Un*, alias mon ami, en lançant un regard entendu à son chum.

– Ah oui, la belle grande rousse de Toxic Robot, allume *Deux*.

Ne digérant pas la glorification du personnage à l'origine du départ de l'homme que j'aime, je m'écrie :

– Elle n'est pas dans Toxic Robot! Et… elle n'est même pas une vraie rousse! Elle est ROUGE!

– Oh, mais toi aussi tu es belle… et naturelle. Au moins, toi, le brun est ta vraie couleur de cheveux et ils brillent en plus, s'empresse de me rassurer *Deux* en me tendant aussitôt une assiette de fromages et de craquelins. T'as pas une p'tite faim de louve par hasard? Allez, mange! Mange!

Clairement, il veut me fermer le clapet. Je crois presque entendre ma mère. Émotion? *Mangiare!* Tu en dis trop? *Mangiare!* Malaise? *Mangiare!* Ferme-la et écoute? *Mangiare!*

– Non merci.

Et je leur raconte tout. Damien qui est parti pour L.A. Avec Millie K. Oui, Millie K. qui est en fait son ex. (Grimaces de *Un* et de *Deux*.) Damien qui est froid. Je voudrais que tout redevienne comme avant. Les montagnes russes, les hauts, les bas. Et mes gaffes, il me semble que tout ce que je fais, ce ne sont que des gaffes. *Up and down all around.* Mais le *down* est là et il est creux et je suis fatiguée, je suis si fatiguée.

— Je suis fatiguée de tout ça.

— Attends, Clara. Tu dis quoi, là? Tu veux le laisser? me demande mon ami, soucieux.

Je me mets à trembler sur le sofa.

— Mais non, bon sang! Je l'aime!

Yan pose une main sur la mienne.

— Alors, fais quelque chose, Poune!

— Mais quoi, Yan? Il voulait que je le laisse partir. C'est pas ça, aimer quelqu'un? Le laisser partir en espérant qu'il va revenir?

Deux en est presque à s'éponger le coin des yeux tellement il est ému.

— Oui. Je suppose, réplique mon ami, plongé dans ses pensées.

Deux troque son air ému contre un air intéressé, probablement friand de détails sur le passé amoureux de *Un*.

— Sauf que là, il a écrit : «Il faut qu'on se parle.»

— Oh! Euh… Ahem!

— Aurais-tu une parole plus encourageante que «oh, euh, ahem»?

Mon ami hausse les épaules d'un air désolé.

— Fais juste quelque chose, répète-t-il.

Et Damien a voulu PARLER. Il a même insisté. « Clara, il faut qu'on se parle. » Et j'ai refusé. Il a même utilisé le téléphone. Je n'ai pas répondu. J'ai étiré le manège tu me relances/je t'ignore. J'espérais que la tempête passerait ou même que c'était une fausse alerte.

Quand il se reconnecte, j'ai la confirmation que mes craintes étaient fondées.

T.R. : J'aimerais mieux qu'on arrête de se voir.

De se voir avec les yeux, de se regarder, de se toucher, de se dire qu'on s'aime.

Clara : C'est clair qu'on ne se voit pas depuis une semaine parce que tu es à L.A.

T.R. : C'est pas de ça que je parle…

Je tape, j'efface, je tape. Un sanglot monte dans ma gorge. *Non. Non. C'est pas vrai.*

Clara : Tu casses avec moi par internet !!!

T.R. : Clara, tu ne veux pas qu'on se parle au téléphone ! Est-ce que tu me donnes le choix ? Non ! Et là, j'ai l'air d'un bel écœurant…

Clara : En effet !

Clara : C'est à cause de Millie K. ?

T.R. : NON ! Une fois pour toutes, non !

Clara : Mais pourquoi ? Pourquoi ? Tu me dois une explication !

T.R. : Écoute, je suis vraiment désolé. On peut s'en parler quand je vais revenir dans six semaines. Si tu y tiens…

Clara : Mais c'est quoi le problème ? Tu vas me dire des trucs comme « c'est pas toi, c'est moi » ?

T.R. : C'est trop compliqué… C'est ça le problème…

Clara : Donc, t'es *out*?

Clara : C'est moi le problème ?

Clara : Réponds !

(Silence)

T.R. : Je ne peux pas avoir une relation avec une fille qui m'étouffe à distance.

Clara : C'est ça que tu penses de moi ? Que je suis une fille qui t'étouffe à distance ?

T.R. : J'ai essayé…

Clara : Ah oui, tellement !

T.R. : Tout ce que je demandais, c'est un peu de confiance.

Clara : Et clairement, tu n'en étais pas digne !

T.R. : Tu vois, c'est exactement le genre de réplique qui me tue !

Clara : Eh bien, si ça te tue…

Clara : Crève ! Pis… tu sais quoi ?

Clara : *Fuck you !*

Clara : Oui, *fuck you*, Damien Archambault !

T.R. : *Good.*

(T.R. vient de se déconnecter.)

Soixante-douze jours pour en arriver là ! À ça. Sept jours après notre dernier baiser. Les portes de l'ascenseur se sont refermées sur toi, sur nous. Ça a été si facile, comme d'appuyer sur un bouton. L'ascenseur n'attend que ça, c'est sa seule fonction. Monter et redescendre, un peu à l'image de ce que tu m'as fait vivre, Damien. Et moi, je descends, je descends. De plus en plus creux. Plus creux que je ne me l'avoue. J'ai été frappée par secousses. La colère, la rage et tous ses synonymes. Le vide, la fuite, Prospect#1, Prospect#2, Prospect#3, la déprime, l'écœurement, les nausées, mal au cœur, haut-le-cœur, et pouf, l'idée d'un p'tit cœur en moi. J'étais enceinte. Mais c'était dans ma tête. Dans ma tête… Que dans ma tête…

TROISIÈME PARTIE

CHAPITRE 25

– Tu ne me dis rien et tu me toises comme si j'étais la plus grosse merde du monde! J'ai franchement rien à faire d'une belle fille qui n'a rien à donner.

Mes jointures sont devenues blanches tandis que mes doigts serraient la serviette de table qui, un instant auparavant, s'acoquinait avec le sous-verre de carton maintenant ramolli.

J'avais connu de meilleures rencontres.

– Ayoye! C'est fort! ai-je répondu avec un hoquet de stupeur.

– En veux-tu d'autres comme ça? Attends, j'en ai une bonne...

Je lui ai lancé un regard dur, le mettant au défi. Et il a poursuivi :

– Où est-ce qu'on va pour fourrer?

– QUOI?

– Ben quoi, madame l'aguicheuse, tu crois que je t'ai écoutée parler de ton ex pendant deux heures et que je t'ai payé des verres pour rien?

Je l'ai fusillé du regard en prenant une gorgée de mon Perrier. Décidément, son manège dépassait les bornes et franchissait de telles limites que je n'arrivais plus à le suivre.

– Arrête ça. Tu vas trop loin...

– Et qu'est-ce que ça te fait, Clara?

J'ai haussé les épaules sèchement, sans répondre.

– Qu'est-ce que tu ressens ? a-t-il insisté.

J'ai déposé mon verre et j'ai dit d'une voix égale :

– J'hésite entre partir et te cracher au visage.

– Je ne veux pas savoir ce que tu veux *faire*, mais ce que tu *ressens.*

Je suis restée figée. Le seul mouvement que mon corps a effectué, c'est de reculer sur ma chaise dans un réflexe d'auto-protection.

– Je ne trouve pas ça drôle du tout. Et je ne comprends pas où tu t'en vas avec ça...

Pris de court, il a pincé les lèvres et a remonté d'un doigt la monture de ses lunettes. Je n'étais pas le genre à plier facilement.

– Écoute, Clara, tu ne me paies pas pour que je te fasse un numéro d'humour...

– En effet.

Si j'avais engagé mon ancien ami du cégep Frédérick St-Jean comme pseudothérapeute, ce n'était pas pour qu'il me fasse rire, encore moins pour qu'il me sonde sur mes rencontres internet passées.

Quand j'étais allée le voir dans son bureau au cégep, j'avais vu sa tête émerger du fouillis de dossiers placés pêle-mêle sur sa surface de travail. Il avait braqué sur moi un regard particulièrement déconcerté. Notre dernière rencontre datait de plus d'un mois. Le soir où je l'avais laissé planté là dans la ruelle du Divan orange, après l'avoir embrassé sans vraiment le désirer. En fait, il ne l'avait sûrement pas souhaité lui non plus. Qui irait jusqu'à relancer une ancienne flamme un peu névrosée et tellement compliquée ?

– Ne me dis pas que tu reviens me voir pour une *date* ! avait-il lancé avec amusement en m'invitant d'un geste de la main à m'asseoir devant lui.

Je n'avais pas relevé la plaisanterie.

– Non, pour un rendez-vous. J'ai besoin d'aide…

Il m'avait regardée sans broncher. Je m'étais assise et je lui avais tendu mon ordonnance qu'il avait lue attentivement en repositionnant ses lunettes d'un doigt.

– Dépression? Grossesse nerveuse?

J'avais haussé les épaules et enfoncé les mains dans mes poches.

– Je préfère le terme «grossesse imaginaire», même si ça fait plus lunatique. Et je tiens à te spécifier que je ne suis ni lunatique, ni vraiment nerveuse…

– Je sais ça, avait-il dit en jetant un regard attentif sur le petit papier qui réduisait mon état à des termes de psychologie. Et l'hypothèse de la dépression, tu en penses quoi?

– Il y a des jours où je vais bien. D'autres non.

J'avais poursuivi sans lui laisser le temps de réfléchir :

– J'ai besoin de quelqu'un qui puisse m'aider à régler ça et à me remettre sur pied. De parler avec une personne qui n'a pas de parti pris et qui peut me comprendre.

– C'est justement le rôle d'un psychologue. Ce que je ne suis pas. En fait, j'ai la formation, mais je ne paie pas les frais de l'ordre professionnel et je ne pratique pas. J'enseigne la psycho, mais je ne suis pas en droit d'exercer. Par contre, je peux te référer à une excellente collègue qui pourrait hors de tout doute te…

– Fred, l'avais-je interrompu, c'est toi que je veux. Tu peux être psychothérapeute sans te donner le titre de psychologue, non?

– Je pourrais… Mais nous deux, on se connaît… Ça ne serait pas éthique.

– Justement! Toi, tu me connais! C'est toi que je veux!

– Pourquoi moi? avait-il demandé en se calant dans sa chaise, les bras croisés.

J'avais quand même dit : « C'est toi que je veux. » J'avais tiqué à l'idée de ce que je venais de déclarer et de ce qu'il aurait pu en penser. Je l'avais tout de même embrassé, puis repoussé. Mais là, je le voulais comme psy. Rien de plus. J'espérais qu'il n'allait pas se méprendre sur mes intentions.

– Parce que tu as donné cette théorie à Mélo : que j'aurais fait autant de rencontres par internet parce que je recherchais inconsciemment mon ex…

Je ressassais souvent cette conversation que j'avais interceptée un jour entre Yan et Mélo et sur laquelle je n'avais pas eu le courage de revenir avec eux.

– Damien…

J'avais simulé un petit rire.

– Bon, tu vois ! Même toi, tu le connais ! Coudonc, toi aussi t'es ami avec lui sur Facebook ou quoi ?

– Hein ? avait-il demandé avec stupéfaction.

– Laisse faire.

Il avait esquissé un vague mouvement de la tête puis remarqué :

– C'était éthiquement pas correct de faire part d'une théorie sur ton compte à ton amie. Je m'excuse de ce faux pas. Tu vois ? Je ferais un bien mauvais psy !

– Je m'en fous du titre et de l'éthique ! J'ai besoin de quelqu'un qui me dise la vérité et puis ça presse !

Il m'avait lancé un regard plein de sollicitude, ses résistances fondant sur le coup.

– Combien de temps as-tu été enceinte ?

J'avais imité le bruit d'un buzzer, le doigt en l'air pour rectifier ses dires.

– BIIIIP ! Mauvaise question ! Je n'étais PAS enceinte ! J'ai tout imaginé. Mon corps a développé des symptômes comme quelqu'un qui s'invente une maladie. C'était psychosomatique, dans ma tête ! C'était rien… absolument RIEN !

– Sois un peu plus indulgente envers toi-même! Ce n'était sûrement pas rien pour toi. C'était bien réel.

J'étais restée interdite. Il avait répété :

– Combien de temps?

J'avais ravalé ma salive péniblement.

– Sept ou huit semaines…

Après un raclement de gorge, j'avais désigné l'ordonnance médicale qui reposait sur son bureau et poursuivi :

– Jusqu'à ce qu'un médecin me donne ce papier. Et là, me voilà ici devant toi… Frédérick, c'est déjà assez humiliant pour moi de me retrouver dans cette position, de demander de l'aide. D'habitude, je suis la fille qui se débrouille toute seule, mais là, je n'y arrive pas. Accepterais-tu de m'aider?

Je le voyais complètement désarmé. J'avais répété plusieurs scénarios dans ma tête et envisagé le sit-in, le harcèlement. J'avais absolument besoin d'aide pour faire face aux récents événements. La nouvelle, la sensation de porter la vie, que tout devenait possible, et puis le vide, encore plus vide qu'avant. Le creux que laisse un enfant perdu ou imaginé.

– Je voudrais te dire que j'accepte, mais il me reste un malaise, Clara. Tu m'as embrassé l'autre fois…

– On s'est embrassés il y a dix ans aussi. C'est tellement loin… Et une bouche, c'est juste une bouche.

– Ha! Ha! T'es spéciale, toi.

– Corrige-moi si je me trompe, mais c'est pas éthique de dire ça…

Fred avait hoché la tête.

– Touché. Je m'excuse. T'es pas spéciale du tout.

J'étais restée immobile, en attente. Il n'avait pas le choix. Je n'allais pas bouger. S'il n'avait jamais vu un poteau humain, il en découvrirait toute la splendeur. Ou la rigidité. J'avais la réputation de ne pas changer de position facilement.

– Ça va, j'accepte, avait-il fini par céder.

– Merci.

J'avais réussi à ébaucher un sourire puis, après m'être levée prestement, j'avais pivoté sur mes pieds, fonçant vers le couloir du département.

Enfin… Voilà, un pas était fait sur une route non fréquentée et loin du chemin de la négation, une voie que j'avais tendance à emprunter un peu trop souvent.

– Euh… Clara? avait lancé Fred en me rattrapant.

– Oui?

– On se booke un rendez-vous, peut-être?

– Qu'est-ce que tu ressens? insistait Fred.

– J'hésite entre partir et te cracher au visage.

– Je ne veux pas savoir ce que tu veux *faire*, mais ce que tu *ressens*.

– Je ne trouve pas ça drôle du tout.

– Écoute, Clara, tu ne me paies pas pour que je te fasse un numéro d'humour…

– En effet.

Nous avons observé un long moment de silence durant lequel j'ai pris soin de reporter mon attention sur la clientèle du café. Fred choisissait toujours des lieux publics et nos séances se faisaient très rarement dans son bureau du cégep. Une fois, nous avions même discuté dans sa voiture. Il souhaitait me mettre directement en contexte. Là où j'avais fait des rencontres. Et sa première préoccupation était de jeter un éclairage nouveau sur toutes ces rencontres inimaginables que j'avais faites par internet. Sa stratégie: reproduire mes pires rendez-vous ou utiliser la simulation pour, selon ses mots, faire sortir le méchant. Lire: mon mauvais caractère, selon mon interprétation.

– Mais pourquoi tu veux me faire revivre mes rencontres? C'est pas pour ça que je suis venue te voir!

– C'est intéressant, ce qui peut surgir des silences, a-t-il répliqué, songeur, en prenant une gorgée de son thé.

J'ai grogné.

– Oh, mais tu m'énerves!

Il a souri, a reposé sa tasse vide.

– Tu cherches à faire sortir le méchant? me suis-je impatientée en m'inclinant vers lui. Me trouver une quelconque compulsion? Découvrir pourquoi je continue de chercher quelque chose que je ne peux pas trouver et que je ne veux surtout PAS trouver? Et pourquoi tout ça me déprime et me colle une étiquette de dépressive? C'est ça?

– C'est toi qui présumes ce que je veux savoir...

– Argh, Fred!

Je me suis massé les tempes du bout des doigts, exaspérée. Tout ça me vidait, mais c'était un mal nécessaire. Je savais ce qu'il attendait de moi, enfin, la réponse qu'il attendait. Il voulait que je trouve un dénominateur commun à toutes mes rencontres. Damien? La recherche de Damien? J'avais rencontré deux gars qui portaient le même prénom. J'avais fait cinq rencontres dont le point de rendez-vous était le métro Mont-Royal, l'endroit où on s'était vus pour la première fois, trois guitaristes, un bassiste comme Damien, un qui n'en était qu'au début de ses cours de guitare. Et puis, il y avait eu les autres, d'autres cas pathétiques qui n'avaient rien à voir avec lui, qui n'avaient servi qu'à me donner l'illusoire impression de passer le temps et de combler ma solitude.

Je ressortais de mes rencontres avec Fred prise d'un sentiment d'irréalité, ressassant ce qui avait été dit, ce que j'avais révélé.

Peur de l'engagement, peur de l'intimité, et il y avait une seule personne qui me faisait craindre tout ça: moi-même. J'avais peur de me voir, de me retrouver seule avec moi-même, de devoir me faire face dans le miroir, de m'assumer et de prendre le temps de regarder ce que j'étais devenue.

Voilà. Les affirmations étaient simples, mais moins faciles à gérer et à digérer qu'elles n'en avaient l'air.

Et puis tout ça continuait de tourner dans mon esprit, de m'envahir sans que je trouve d'issue immédiate. Et moi qui m'attendais à ce qu'une thérapie soit aussi efficace qu'une séance de massage intense. Rien à voir avec le fait de délier les muscles. J'avais des mécanismes de défense acquis et bien enfouis.

Mes doigts ont pianoté sur la table, je me suis mise à bouger avec encore plus d'impatience, repoussant de la main mon verre de Perrier à moitié vide.

– On peut arrêter pour aujourd'hui ? ai-je proposé, prête à ramasser mon manteau et à partir. On a fait notre heure et j'ai les préparatifs du *shower* de ma sœur à terminer.

Fred a levé un doigt en l'air avant de s'en servir pour remonter ses lunettes.

– Tu vois, ça, c'est l'avantage d'être avec un non-psy et un ami. Je ne compte pas les minutes que je t'accorde. Attends, je vais te chercher un café…

Il s'est levé. J'ai soupiré.

Je n'allais pas m'en sauver aussi facilement.

CHAPITRE 26

J'étais prête à tout pour aller mieux, passant de la thérapie à la méditation, tentant le yoga accompagnée de Mélo et de Yan, qui lâchait des trucs du genre : « Non mais, j'ai-tu l'air du gars qui se met à quatre pattes ? Woh ! » à chaque fois que notre professeure de yoga nous donnait l'instruction de nous mettre en position « yamasana... *downward dog...* ». Yan lançait aussi des perles telles que : « Au secours ! Je vais attraper une tendinite des couilles ! », alors que Mélo se mettait à hyperventiler en pratiquant la respiration profonde. J'essayais de trouver mon centre, d'ignorer mes amis du mieux que je le pouvais. Je respirais l'air ambiant, un heureux mélange d'odeurs d'eucalyptus et de fromage (lire : pieds). Alors que je me répétais un mantra du genre : « Je me prends en main, je me prends en main, je me prends en main », je tentais de faire abstraction de l'homme à mes côtés dont le mucus nasal mouvant créait un bruit d'enfer. C'était une chance inouïe pour lui de ne pas pouvoir sentir la puanteur de ses propres pieds.

– Respirez par vos orteils.

Mais oui... Regardez le monde avec votre nombril, tant qu'à y être...

Yan et Mélo ont décidé par la force des choses de se mettre en duo pour les étirements. Ils manquaient autant de souplesse l'un que l'autre. Les jambes écartées, Yan avait les genoux relevés. La prof de yoga a dû apporter plusieurs blocs pour qu'il trouve un semblant de position adéquate. Mélo tentait de s'étirer à grands coups de «Hiiiiiiiiiii!». J'ai tourné les yeux vers l'inévitable : Monsieur Mucus-Fromage qui annexait son tapis de yoga au mien. J'ai eu un mouvement de recul, imploré du regard notre prof qui n'a rien saisi de mon expression récalcitrante et qui a hoché la tête en signe d'encouragement.

Tu parles d'une pas connectée. Pour la faculté d'avoir des antennes et un odorat, on repassera!

Bah, au moins, Monsieur Fromage était souple.

À moi l'honneur. Je me suis assise. Merde, tout un spécimen devant moi qui s'écartelait les jambes! De mauvaise grâce, je me suis exécutée, encaissant avec un dégoût réprimé la sensation de la plante de ses pieds humides sur mes mollets. Suivant les instructions de notre professeure, il a saisi mes poignets dans ses grandes mains tout aussi moites et m'a tirée vers l'avant.

— Acceptez votre vie telle qu'elle est maintenant et aimezla. Ne cherchez pas le passé, le futur n'existe pas encore. Il n'y a que le «maintenant». L'instant présent avec un *I* majuscule.

L'odeur rance détectée au début du cours s'est imposée à mes narines. J'ai arrêté de respirer pour en bloquer les effluves.

Puanteur avec un P majuscule.

— Respirez votre vie. Sentez votre souffle qui descend jusqu'à vos pieds. Vos pieds qui forment des racines et qui s'ancrent dans le sol.

Du fromage, s'il vous plaît…

— Je te regarde depuis tantôt et tu me dis quelque chose, a risqué Monsieur Mucus-Fromage.

— Eh bien, ça fait trois semaines que je viens au cours…

— Non, c'est pas ça… Je t'ai vue ailleurs, j'en suis sûr.

Il m'a tirée encore plus vers lui. Alors que je me disais que ce n'était qu'un dur moment à passer et que j'allais régler le tout avec un lavage vigoureux des mains et une demi-bouteille de gel antiseptique dont je me badigeonnerais également les jambes, j'ai vu son regard s'arrêter sans aucune gêne sur mon décolleté, franchement avantagé par ma capacité d'étirement vers l'avant.

Au secours! De l'air, de l'air...

– Ah, ouais! Ça se peut-tu que je t'aie vue sur le site de Rencontres-Montréal?

Au secours! Je ne peux pas être zen en paix, bâtard?!
Aum... Bâtard! Aum...

– Du tout! Je ne vais pas là-dessus! Pfft.

Voulant éviter son regard indécent, je me suis penchée subitement vers l'avant, poussant l'étirement au maximum, au point où mon front touchait presque le sol, quand soudain une vive douleur m'a fait crier:

– AAAAAAAAAAAAAAAAAAHHHHHHHH!

Étirement du psoas. Voilà. Je me suis retrouvée immobilisée, forcée à travailler et à régler les achats de dernière minute pour le *shower* de ma sœur à partir de chez moi. J'étais surtout frustrée de m'être moi-même mis d'autres bâtons dans les roues. Cette blessure était tout sauf bénéfique pour ma carrière, déjà mal en point depuis ma bévue avec Mike Babadouch. Il était loin l'espoir de retourner sur le pseudo-piédestal duquel j'avais été éjectée.

– Bon, ça va te calmer la bombe sexuelle intérieure de ne pas pouvoir bouger les hanches, m'a lancé Yan en s'asseyant au pied de mon lit après m'avoir apporté un café Starbucks.

Je l'ai dévisagé sans trop comprendre où il voulait en venir et j'ai saisi la boisson chaude qu'il me tendait.

– Mettons que c'est pas l'idéal pour t'envoyer en l'air, a-t-il précisé.

– Avec qui, je me demande...

J'ai roulé des yeux. J'ai pris une gorgée de café.

– Ben… Fred? a-t-il tenté.

– Pouah! Non! C'est mon pseudothérapeute…

– Ou un autre… N'importe qui?

– C'est fini, ça.

– Tu pourrais avoir une *date* par internet… Juste une…

– Et pourquoi donc? ai-je demandé avec une pointe d'amusement dans la voix.

– Ben, parce que…

– Parce que toi, depuis que tu as laissé Yan numéro deux, tu es retourné à tes vieilles habitudes, tu voudrais que je fasse pareil? Non merci, j'ai donné.

Je l'ai regardé avec insistance, l'air de dire: «Sérieusement?» Il a baissé les bras et s'est impatienté:

– Peux-tu être moins plate? Tabouère, Poune! Tu ne baises plus, tu ne bois plus. Tu ne veux même plus sortir! En plus, pas moyen de te faire fumer notre joint semestriel…

– Je travaille sur moi.

Il s'est incliné pour voir l'écran de mon portable, que j'avais déposé sur les draps à mes côtés. Des tableaux Excel, des listes de données. Du boulot, rien que du boulot. Amen.

– Ah oui, tellement!

J'ai poussé sa main avec un petit rire teinté d'agacement.

– Bon, va masser des corps. Chacun sa job. Moi, je dois travailler sur mes dossiers…

Au lieu de partir et de me laisser à mon boulot, il a extrait de sa poche une petite bouteille d'alcool, du type alcoolo-portatif, le genre qui se boit bien depuis un sac en papier sur un banc de parc. Subtil comme tout.

– Une p'tite crème de menthe, matante?

J'ai décliné l'offre en affichant un air de répulsion. J'ai saisi mon portable et mon café tout en humant le contenu du gobelet. Ça sentait déjà beaucoup trop Noël à mon goût. Yan a versé un peu d'alcool dans son breuvage en soupirant.

— Même pas une p'tite gorgée ?

— Il est 2 h de l'après-midi, Yan. C'est quoi cette idée-là ?

— Je trouvais ça festif et con ! Donc tout à fait mon genre ! Et puis, c'est bon pour mon haleine de mononcle !

— Justement !

— Ou on s'achète une bonne bouteille ce soir ? a proposé Yan dans une nouvelle tentative.

— Mais arrête avec ça ! Je n'ai PAS envie de boire !

— Arrête de te priver ! C'est pas comme si tu étais vraiment enceinte !

Le regard blessé que je lui ai décoché l'a fait reculer. Il s'est levé, a rangé avec gêne la bouteille de crème de menthe dans son sac en bandoulière, puis a essuyé le cerne que son café avait laissé sur ma table de chevet.

— Bon, je vais aller travailler. Masser des corps… Euh… OK… Ben c'est ça…

Quelques jours plus tard, j'étais remise sur pied. J'avais besoin de changer d'air, et vite. J'ai proposé à Mélo de l'accompagner à la pharmacie du quartier. Je croyais qu'elle allait magasiner, mais elle s'est plutôt dirigée vers le comptoir des prescriptions.

— Tu veux aller voir le maquillage ? a-t-elle suggéré avec nervosité.

— Non, ça va, ai-je dit en tripotant distraitement un flacon d'anti-inflammatoires.

Elle a émis un faible grognement dont je ne pouvais identifier la cause. Après un coup d'œil à mon endroit, elle s'est inclinée sur le comptoir pour faire sa demande, non sans s'assurer que je n'étais pas à proximité. Piquée par la curiosité, je me suis approchée subtilement, masquée par l'étalage de produits qui se dressait devant moi. Elle est revenue à mes côtés quelques secondes plus tard, l'air de rien, pour rejoindre la pharmacienne dans l'aire de confidentialité.

— Tiens, tiens, je ne savais pas que tu t'envoyais en l'air, lui ai-je dit avec un clin d'œil.

— Han, quoi ? s'est-elle exclamée en rougissant.

Elle a feint d'être intéressée par le même pot d'anti-inflammatoires qui avait capté mon attention un moment plus tôt.

— T'as demandé la pilule du lendemain, Mélo ! T'étais avec qui, hier ?

— Personne, je…

— Hum… Un *one-night stand* ?

— Ben, pas vraiment…

Elle a rougi encore plus. Je lui ai donné un coup de coude complice pour l'inciter à la confidence.

— Oh ! Un quelqu'un de spécial, alors ?

Elle a haussé les épaules en regardant ailleurs. La pharmacienne s'est approchée de la zone de confidentialité. Je suis restée aux côtés de mon amie.

— Est-ce que c'est votre première fois avec Plan B ? a demandé la femme en blouse blanche.

— Un plan B ?

— C'est le nom du médicament. Le nom de la pilule du lendemain.

— Oh ! Euh, oui, c'est ma première fois.

— Je dois vous poser quelques questions…

— D'accord…

— Votre dernière relation sexuelle date-t-elle de moins de soixante-douze heures ?

Elle m'a jeté un coup d'œil de biais.

— Euh, oui…

— Avez-vous utilisé une méthode de contraception qui a posé problème ? Déchirure du condom, oubli de la pilule anticonceptionnelle, stérilet mal placé ?

– Euh, non.

– Vos règles sont-elles régulières ?

– Oui.

– Le partenaire avec lequel vous avez eu des relations sexuelles est-il un partenaire régulier ?

– Euh, ben… pas vraiment…

Les questions se sont poursuivies. Je voyais Mélo se liquéfier sur place. Elle est finalement passée à la caisse après avoir ramassé plusieurs produits pour se donner une contenance tandis que je la détaillais avec une foule de points d'interrogation dans les yeux. Puis nous sommes ressorties. Elle s'est étonnée que je n'aie pas fait d'achats, et pourtant, j'avais été à ses côtés tout du long dans la pharmacie.

Mélo ne voulait pas en discuter. Je ne comprenais pas. Ses histoires de cœur n'étaient habituellement un secret pour personne. C'était tout simplement *out of character*. Un interrogatoire était tout indiqué tandis que nous marchions pour retourner à l'appartement.

– Est-ce qu'il est marié ?

– Ben non.

– Est-ce que je le connais ?

– Pas du tout !

– Il est unijambiste ?

– Hi ! Hi !

– Manchot avec un petit pénis ? Oh, ça, c'est compliqué !

– Mais non, nounoune !

– Alors, pourquoi tu ne m'en parles pas ? me suis-je impatientée, n'ayant pas la tête à rire.

Et puis Mélo m'a regardée avec cet air désolé teinté de culpabilité.

– Je pense que c'est un mauvais timing pour qu'on s'en parle… Avec tout ce qui t'est arrivé dernièrement… Toi, tu voulais un bébé…

– Tu sais, la grossesse imaginaire peut venir du désir d'avoir un enfant et de la peur de…

Je trouvais irritant que mes amis se soient mis en tête qu'ils devaient me préserver. J'étais toujours capable de m'intéresser à leurs histoires et de les écouter. Je me suis empressée d'ajouter :

– Et puis voyons, Mélo… Là, on ne parle pas de moi, mais de toi !

Nous sommes arrivées devant mon appartement. Enfin, le nôtre, pour encore quelques jours, puisque Mélo allait retrouver son condo après que je lui ai signifié que je me sentais beaucoup mieux et que je n'avais plus besoin d'une petite maman pour veiller sur moi, mais surtout merci pour ton temps ma chère amie une chance que tu es là…

Nous sommes entrées. Mon amie a soupiré.

– Je veux des enfants, mais pas dans ces conditions !

Puis, voyant que j'attendais patiemment qu'elle me fasse un topo de la situation, elle a dit avec prudence :

– Bientôt, je pense vous en parler bientôt…

– Tu crois vraiment que je suis une belle fille sans substance ? ai-je questionné mon pseudothérapeute lors de notre rencontre suivante.

– Tu crois que tu es une fille sans substance ?

– Pourquoi tu me renvoies la question, Fred ? C'est une technique de psy, ça ?

Il a éclaté de rire dans l'allée de l'épicerie. C'était, ce jour-là, notre lieu de rencontre improvisé.

– L'autre jour, au café, quand on a fait ce que tu appelles une petite mise en situation, tu m'as dit que j'étais une belle fille sans substance… qui n'avait rien à donner.

– J'ai pas dit sans substance.

Il m'a fait face, les mains sur le panier de l'épicerie. Comme j'avançais, il reculait avec ce regard inquisiteur qui me rendait toujours mal à l'aise.

– Donc, j'ai rien à donner?

– Peut-être pas pour l'instant, a-t-il tenté.

– Hum...

J'ai jeté deux boîtes de biscuits sodas dans mon panier.

– Tu es une fille déçue et échaudée...

– Qui est en grande partie responsable de sa rupture, ai-je ajouté en haussant les épaules.

Fred a soulevé les bras comme un chef d'orchestre.

– Et voilà, tu l'as dit toi-même. Bravo! Tu vois tout le chemin que tu as parcouru? Sincèrement, bravo.

Il s'est mis à applaudir lentement, comme dans un film américain, quand on atteint le moment où le héros fait preuve d'un courage exceptionnel. Une personne, la première, se lève, le regard sans expression, et frappe des mains. Une fois, deux fois, trois fois. Les autres l'observent d'un air interdit jusqu'au moment où tout le monde se met à applaudir et à pleurer. On ne sait plus à qui balancer un Oscar à la tête tellement l'émotion est vraie.

J'ai lancé un regard interrogatif à Fred. Il s'est ravisé, obligé de nuancer et de tempérer son enthousiasme:

– Je veux dire que c'est bien que tu sois enfin capable d'admettre tes torts et de poser un regard lucide sur ce qui s'est passé avec Damien.

– Ah...

Il a froncé les sourcils devant la sélection hétéroclite de produits répartis dans mon panier d'épicerie. Des cornichons, des biscuits sodas. Le parfait attirail de la femme enceinte. Sauf que je ne l'étais pas.

– Ça va la santé? a-t-il lancé.

– Ouais…

J'ai continué d'avancer dans l'allée. Je me doutais bien que Fred me voyait venir. C'était comme ça, peu importe le lieu, un mur de silence se dressait. Il attendait en m'observant. J'ai agrippé au vol tous les sacs de ballons roses de l'étalage. On n'avait jamais assez de ballons roses dans un *shower*.

J'ai posé une question qui me taraudait depuis un moment :

– La grossesse… Je veux dire, si j'avais vraiment eu un bébé, crois-tu que j'aurais pu garder Damien ? Que ça aurait été un bon moyen de ne pas le laisser partir ?

Il m'a sondée du regard un instant. J'avais lancé mon interrogation en guettant aussi sa réaction.

– Et si on parlait de ce qui s'est vraiment passé ? a-t-il dit avec sérieux.

Là, au milieu de l'allée de croustilles, avec une ambiance sonore de bruits de caisse enregistreuse et de Garou qui s'époumonait, je me suis mise à pleurer.

CHAPITRE 27

La table débordait de nourriture, ma sœur débordait de partout, tout en poitrine protubérante. Le ventre gros comme ça, heureuse de sa grossesse, mais la plainte pas loin. «J'ai mal au nerf sciatique, j'ai des reflux gastriques. J'ai mal à ci, j'ai mal à ça.» Là, elle avait un trop-plein de vocabulaire en français. Je l'écoutais en silence, me retenant de lui signifier qu'elle n'était pas en droit de se lamenter, qu'elle avait eu ce qu'elle voulait, que j'aurais peut-être aimé être à sa place. Je n'avais pas dit un mot sur mon arrêt de travail ni sur cette histoire de grossesse. Cela n'aurait fait qu'attiser les commentaires blessants de ma mère et le malaise de Nita. Autant me faire amputer les deux bras et me les faire greffer sur la tête. Je n'entendais donc pas les mettre à jour sur mon cas.

En fait, elles croyaient que j'étais toujours avec Damien. J'avais opté pour le mensonge par omission et les réponses évasives. Damien, excusez, *Damon* était dans sa famille en cette veille de Noël. C'était important pour sa mère. Fable inventée de toutes pièces qui pouvait toucher un semblant de corde sensible chez la mienne et clore le sujet du même coup.

Je n'osais rien raconter à ma sœur, même si, malgré nos différences, je la savais de nature compréhensive et indulgente à mon égard. Je ne voulais pas troubler sa petite bulle de bonheur.

Mon frère Joe était l'autre intrus ce soir-là. Sa femme brillait par son absence. J'avais appris que leur relation battait de l'aile. Sa femme était devenue assez vite la tête de Turc de ma mère, qui aimait les ragots. Voyant la mine renfrognée de Joe, je l'ai pris à part pour tâter le pouls.

— Est-ce que c'est le bonheur bien gras de Nita qui te donne cet air-là ?

Je cherchais une quelconque connivence entre nous deux, un point où nous pourrions nous rejoindre. Je savais qu'ils essayaient depuis longtemps d'avoir un enfant. À mon avis, ce devait être la cause de leur problème. Mais la piste était fausse.

— Ben non, c'est moi qui l'ai laissée, a-t-il fini par avouer après un interrogatoire serré.

— Et tu fais croire à notre mère que la séparation vient d'elle ? Tu ne voudrais pas lui dire la vérité ?

— Es-tu folle ? Je veux juste avoir la paix ! Je ne veux surtout pas avoir maman sur le dos !

Et moi qui l'avais toujours vu comme le fils à sa *mamma* ! Ces mots-là, pour les avoir employés textuellement, je pouvais les comprendre. Ils étaient miens.

J'aurais fait pareil. En fait, je faisais pareil. Toujours.

Joe parlait de séparation définitive. L'idée qu'il ait emménagé chez notre mère me donnait la nausée. Je lui ai fait part de mes impressions. Il a remis les pendules à l'heure.

— Je reste ici deux semaines, le temps de me trouver un appartement ou une nouvelle maison. Après, je fous le camp d'ici.

Nous avons porté un toast et partagé un long regard complice, le premier depuis longtemps. Sans doute le premier dans l'histoire de notre fratrie.

J'ai démarré. C'était une veille de Noël grisâtre, l'asphalte exempt d'un tapis de neige féérique aurait pu laisser croire à une soirée de novembre, si ce n'était un froid qui saisissait jusqu'aux os. Côté magie de Noël, on avait connu mieux. C'est comme si ce réveillon n'était qu'une répétition, même pas une générale. Le décor était manquant et l'actrice principale, peu convaincante. Elle cherchait sa réplique.

Mon cellulaire a sonné. C'était Mélo qui m'appelait. J'ai mis mes écouteurs mains libres tout en maintenant mon attention sur la route.

– Salut, Mélo ! Joyeux Noël !

– Bonne fête, mon amie !

– Bah, c'est demain ma fête…

Je me suis arrêtée à un feu rouge. Mélo s'est écriée encore plus fort :

– Mais il est minuit passé !

– Ah…

– Bonne fête, Clara, bonne fête, bonne fête, ah ah !

J'ai grimacé et retiré un écouteur de mon oreille tout en gardant un œil sur la voie, tandis que Mélo finissait sa version cacophonique de la fameuse chanson d'anniversaire. Sans les paroles, on ne pouvait reconnaître l'air. Le tout ressemblait à un croisement entre le chant d'une enfant de trois ans et celui d'une sourde qui a un verre de trop dans le nez. J'ai souri malgré moi.

Puis Mélo s'est lancée dans une tirade. Oui, elle savait que je n'aimais pas qu'on souligne mon anniversaire, que j'avais été longtemps laissée dans l'oubli quand j'étais plus jeune. Ça avait contribué à renforcer le sentiment de jalousie que j'éprouvais envers mon demi-frère et ma demi-sœur, et l'impression de ne faire partie qu'à moitié de cette famille. J'écoutais Mélo distraitement, concentrée sur la route et rattrapée par quelques images appartenant au passé. Les cadeaux qui s'empilent autour du sapin. Un jour, j'avais commencé à compter. En fait, ma fête était carrément masquée sous les papiers de Noël. Je recevais des cadeaux identiques à ceux de ma sœur, en parfaite concordance avec ses goûts à elle. Mon frère et ma sœur se faisaient joyeusement gâter le jour de leur anniversaire ET à Noël. Pour moi, ça n'arrivait qu'une fois dans l'année. J'avais vite compris. Les cadeaux étaient un gage d'affection dans ma famille et je n'éveillais pas ce sentiment chez ma mère. Je prenais maintenant la chose avec un grain de sel. Il n'y avait que Nita qui soulignait mon anniversaire avec un immense cadeau, se sentant sans doute redevable du fait qu'elle ait été favorisée, ou moi, oubliée, c'est selon. Je détestais depuis toujours les malaises par rapport à ma fête.

– Ça va? ai-je demandé à mon amie Mélo pour changer de sujet. T'es au chalet avec ta famille?

– Oui, on s'amuse bien!

Elle a ri. J'ai tourné à droite.

Là-dessus, j'enviais Mélo. Elle avait une famille unie. Pour elle, le temps des fêtes était synonyme de réjouissances. Pour moi, Noël n'était qu'une obligation, rien de plus, rien de moins.

– Ça va le moral? a-t-elle demandé plus sérieusement.

– Mais oui, ça va.

– Il y a un «mais» dans ta phrase…

Avant, j'aurais nié. J'aurais joué le rôle de celle qui est facilement passée à autre chose. Mais là, il ne me servait plus à rien de mentir, si c'était pour me mentir à moi-même.

– Le «mais», c'est que Damien me manque.

– Hon…

– C'est niaiseux, je sais…

– C'est pas niaiseux. C'est triste, un Noël célibataire, quand quelqu'un nous manque…

J'ai soupiré. J'ai freiné doucement à un feu de circulation.

– Et toi, Mélo, ça va le moral de célibataire?

– Oui. Personne me manque.

J'ai soupiré à nouveau, m'imaginant exaspérante à distance. Mélodie prenait franchement bien son statut de célibataire. Devant l'absence d'explication sur sa vie sentimentale secrète, Yan et moi avions fini par lâcher prise et cessé de l'interroger. J'allais la relancer dans une dernière tentative quand elle m'a posé une autre question :

– Ils sont de quelle couleur, tes bleus ?

J'ai engagé la voiture dans ma rue, cherchant du coin de l'œil un espace de stationnement. J'ai essayé de masquer la tristesse qui menaçait de poindre dans ma voix.

– Assez foncés…

– Hum, a-t-elle répliqué, songeuse. On se fait une soirée quand je reviens la semaine prochaine ?

– Ouais, bonne idée. Bon, je te laisse. J'arrive chez moi. Je vais avoir un mal fou à me stationner. Je ne comprends pas. Il y a plein d'autos, mais on dirait que personne ne fait la fête ici, sauf…

Une maison particulièrement éclairée.

Je me suis mise à crier dans mon iPhone. Mélo a éclaté d'un rire cristallin. J'ai freiné. Je l'ai vue qui sautait sur place sur le trottoir en me faisant des saluts de la main. Derrière elle, un savant mélange de ballons gonflés à l'hélium bravait le froid, entouré de lumières de Noël qui venaient visiblement d'être installées sur le balcon de mon appartement auparavant dénué de toute décoration. J'ai baissé ma vitre et passé la tête à l'extérieur.

– Hein ! Qu'est-ce que tu fais là ?

– Surprise ! s'est-elle écriée.

– Mais voyons ! Attends, je reviens…

J'ai ri. J'ai trouvé un espace restreint pour stationner ma voiture. Je me suis garée. Un clown est alors apparu sur mon pare-brise après s'être carrément lancé sur ma voiture. Je reconnaissais ce costume pour l'avoir vu à l'Halloween plusieurs années auparavant, et je reconnaissais surtout le visage sous le maquillage.

– T'es malade! ai-je crié à l'intention de Yan.

Mon ami était maintenant étendu sur le capot, battant l'air avec ses jambes dans une position insolite qui me laissait perplexe. J'ai détaché ma ceinture, ramassé mes paquets et je suis sortie. Mélo avait rejoint Yan et continuait de sautiller avec frénésie. Ce pouvait être à cause de l'excitation tout comme de la froideur de l'hiver qui nous saisissait tous.

– Ben voyons donc! Vous êtes fous! Mélo! T'es pas avec ta famille?

Nous nous sommes fait la bise et frotté les épaules dans un même geste pour nous réchauffer mutuellement.

– J'y vais demain!

– Et Yan, le clown! T'étais censé être parti…

Celui-ci s'est approché de moi en me disant:

– Bonne fête, Poune!

Il m'a embrassée en frottant ses joues contre les miennes. Je me suis retrouvée avec l'empreinte encore humide de son maquillage fraîchement appliqué sur le visage. J'ai reculé en riant de plus belle.

– Je ne sais pas quoi dire… Vous me laissez sans mot. Wow.

– Dis rien, s'est exclamé Yan. Pensais-tu qu'on allait te laisser toute seule pour ta fête? Il y a des choses que tu ne comprends pas encore…

Il a passé son bras autour de mon cou comme nous nous dirigions d'un même pas vers mon appartement. Mélo suivait en me tenant la main. J'ai ressenti une véritable bouffée de joie d'être en leur présence si réconfortante. De mes yeux ébahis, je prenais connaissance du mal que mes amis s'étaient donné pour décorer le balcon. Plusieurs centaines de lumières brillaient de tous leurs feux, ils avaient mis une banderole où était écrit: «Bonne fête Clara!» Au moment même où je me demandais comment il était possible pour les ballons gon-flés à l'hélium de coexister avec les lumières de Noël par un tel froid, un ballon a éclaté, puis un autre, nous faisant tous crier. Yan a couru à grandes enjambées vers le balcon et, sans plus de cérémonie, a brandi une bouteille de champagne et trois flûtes.

– On voulait te faire une surprise-party, s'est excusée mon amie. Mais on est juste deux…

Mélo a ouvert la porte et a rectifié en disant :

– Ben, euh, on est trois.

Monsieur-Monsieur est sorti avec une grosse boucle rouge au cou. En le voyant ainsi paré d'un accessoire qui lui allait à ravir, je me suis accroupie pour lui faire un câlin. Je suis restée silencieuse un moment à regarder mes amis et mon chien sans savoir quoi dire. Je les trouvais beaux. Ça m'a frappée de comprendre à quel point je les aimais.

– C'est parfait comme ça.

Je me suis mise à pleurer. Les larmes abondaient dans le foulard avec lequel je tentais en alternance d'essuyer mon visage et de me cacher, honteuse de laisser voir mes émo-tions. Quatre bras m'ont aussitôt entourée et étreinte tandis que Mélo a cru bon d'expliquer :

– Elle s'ennuie de Damien…

Comme si ça voulait tout dire. Yan, avec qui je parta-geais la même hantise des grands élans d'émotions, a réen-dossé son rôle de clown de service et s'est mis à danser. Si Mélo avait tout le contraire d'une oreille absolue, Yan n'avait quant à lui aucun sens du rythme. L'image était assez cocasse.

Puis il s'est écrié :

– À partir de maintenant, c'est plus Noël ! On part à Vegas, *go* !

– Euh…

– *Why not*, Poune ?

– Tout de suite ?

– Ben non. La fin de semaine prochaine, pour le Nouvel An ! Tu en penses quoi ?

J'ai cessé de rire.

– Yan, est-ce que t'es dans un *high* ?

– Nah, c'est fini ça !

Mélo, qui était restée songeuse et silencieuse tout au long de notre échange, m'a expliqué :

– Yan a effectivement quelque chose à célébrer. Il vient d'être diagnostiqué TDAH, pas bipolaire. C'est Fred qui lui a mis la puce à l'oreille…

J'ai secoué la tête. J'étais maintenant la dernière qu'on mettait au courant. Yan avait discuté avec Fred ? Et il recevait son aide ? Les deux morceaux de casse-tête n'allaient pas ensemble.

– Mais attends, Fred n'est pas médecin ! C'est un enseignant et il ne peut pas…

– Mon psychiatre est d'accord avec l'hypothèse de Fred, à expliqué Yan. J'ai une forme d'impulsivité qui relève plus du TDAH que d'une phase maniaque de la maniaco-dépression…

Assimilant l'information, j'ai tourné le regard vers Mélo qui approuvait d'un signe de la tête. L'idée avait du sens. L'annonce semblait de l'ordre de la bonne nouvelle.

– Impulsivité, Yan ? Et là, un voyage à Vegas, c'est quoi ça, si c'est pas un geste impulsif ?

– Un cadeau ! s'est-il exclamé en bondissant sur place, surexcité comme jamais.

– Ben voyons, t'as pas les moyens.

– Mélo a contribué, ta sœur et ton frère aussi. Et j'ai fait passer le pot à ta job.

– Ben voyons donc ! Tout ça pour moi ? Ben voyons…

– Allez ! On y va ! Dis oui et ferme-la.

– Oui.

– Yahouuuuuuu!

Yan s'est précipité vers sa voiture, s'est incliné et a mis en marche sa radio d'auto. Il a commencé à faire des tentatives de breakdance sur le trottoir. Mélo a roulé des yeux.

– C'est qu'il essaie une nouvelle médication…, a-t-elle dit en masquant un petit rire. Qui est censée l'apaiser…

– *Oh boy*…

Yan dansait de plus belle. Il s'est écrié :

– Je suis tellement trop relaxe, pour la première fois de ma vie ! Je ne sens plus mes bras !

Nous avons ri toutes les deux. Mélo est venue s'asseoir à côté de moi. De doux flocons se sont mis à tomber sur nos bottes et sur la tête de Yan qui dansait avec frénésie pendant qu'on tapait des mains pour l'encourager.

– Et toi, Mélo, tu vas faire quoi ?

Je m'attendais à ce qu'elle soit déçue, à ce qu'elle se sente mise à l'écart, mais non. Elle a haussé les épaules. Aucune trace de jalousie ni même d'envie ne semblait l'habiter. Son regard sur Yan avait changé.

– Je vais passer du temps avec mes neveux et mes nièces… me reposer, des choses de même…

Elle était loin, la Mélo qui m'avait avoué, bien malgré elle, avoir été amoureuse de Yan, son ami d'enfance. Elle était passée à autre chose.

CHAPITRE 28

L'ambiance était électrisante sur la Strip. Les passants se déplaçaient tous dans une fébrilité palpable faisant écho à celle de Yan, qui me regardait les yeux brillants, pas peu fier d'avoir eu l'idée de cette escapade. Des danseuses en petites tenues se trémoussaient sur des blocs, pour le plus grand plaisir des hommes qui se rinçaient l'œil entre deux mises au casino. Les accessoires kitsch étaient de rigueur : chapeaux de carton où était écrit « *Happy New Year* » à grands coups de bling-bling, colliers de plastique, trompettes faisant pouet, pouet. Tous défilaient avec un accessoire. Le mien : une fausse guitare remplie de margarita que je siphonnais joyeusement à l'aide d'une paille insérée dans le manche. J'avais enfilé mes talons aiguilles, ma jupe fendue, un grand foulard pour me protéger partiellement de la fraîcheur du soir. Yan se promenait avec un cocktail format géant en main. Las Vegas étant l'un des rares endroits où on peut consommer de l'alcool directement dans la rue, nous en profitions pleinement.

Aussitôt arrivés à destination, alors que nos valises étaient tout juste défaites, nous avions enchaîné les cocktails. La fête battait son plein. Je me suis ressourcée aux sourires et aux cris de joie, me joignant à la foule de touristes survoltés marchant vers nulle part, si ce n'était le prochain arrêt pour s'approvisionner en alcool. *Happy New Year! Happy New Year!* Joyeuse nouvelle année.

Yan m'a prise dans ses bras. Il m'a dit qu'elle le serait. Bonne. Qu'elle serait à nous. Je voulais y croire. Yan reluquait depuis un moment un gars dans une bande. Ils s'observaient à coups de regards intermittents. La conversation s'est engagée. Les feux d'artifice n'étaient pas que dans le ciel. J'ai relevé la tête pour contempler le spectacle, avec mes doigts qui pianotaient sur les touches de la guitare de plastique.

J'ai enlevé une à une les mousses de mon chandail. J'ai ouvert le minifrigo et résisté aux cochonneries payantes : croustilles placées au frais, boissons gazeuses hors de prix, arachides à l'apparence douteuse. Il ne me restait plus qu'à me passer la soie dentaire, chose que j'oublie souvent de faire. Rien de bon à la télévision, aucune chaîne intéressante dans la chambre d'hôtel de toute façon. Dehors, sur la Strip, la fête se poursuivait. Internet se connectait et se déconnectait successivement sur mon portable. Je me suis prise à regarder les secondes passer et à trouver le temps long. Yan tardait et je savais très bien pour quelles raisons.

Il y avait encore quelques minutes, tout allait bien. Je me sentais ravie, mais là, je me retrouvais toute seule dans une grande ville, avec rien à faire. Avec une paille dans une guitare remplie de margarita. Une guitare de plastique, mais j'avais l'association facile. Guitare. Basse. Lui.

Ce qui devait arriver arriva... L'appel à l'ex.

Mon iPhone s'est retrouvé dans ma main et, sans réfléchir, j'ai composé son numéro. C'était un acte effectué à tout hasard, ou presque, juste pour vérifier, juste pour voir, juste parce que je n'avais rien d'autre à faire, juste parce que l'impulsion était plus forte que tout le reste...

– Allô ?

Au bout de la ligne, une voix familière couverte par une forte musique. J'ai aspiré d'un grand coup l'air ambiant et j'ai immédiatement posé une main paniquée sur le micro du téléphone.

– Allô ? Il y a quelqu'un ?

Sa voix. Juste de l'entendre, je me souvenais aussi de sa peau, de son odeur. J'ai été saisie par une vive émotion, un mélange d'allégresse et de peine. Je ne répondais rien. Et lui, il attendait, patient comme jamais, laissant les secondes s'écouler dans un implacable silence.

– Allô ?

Il allait raccrocher d'un instant à l'autre. J'ai réussi à articuler :

– Tu l'as toujours…

J'avais parlé et j'étais encore là. Et lui aussi.

Je me suis raclé la gorge.

– Le cellulaire, tu l'as toujours, ai-je précisé d'une voix plus claire, comblant le silence qui pesait à l'autre bout de la ligne.

J'imaginais à ce stade tout ce qu'il pouvait penser en reconnaissant ma voix. Peut-être quelque chose qui ressemblait à : « Ah non, pourquoi j'ai gardé le même numéro de téléphone ? »

– Ah. Salut.

Il y avait les échos de mon prénom dans sa voix. Oui, il me reconnaissait. Mais son ton, je ne pouvais l'interpréter.

– D'abord, bonne année. C'est la première raison de mon appel.

À son tour, il s'est raclé la gorge.

– Bonne année à toi aussi.

Je me suis couchée sur le lit, complètement anesthésiée. Dans cet échange convenu et poli de bons vœux, j'ai vu une sorte de trêve, comme si on se retrouvait à la même place. Je tenais la guitare de margarita serrée contre ma poitrine.

J'ai fourré la paille dans ma bouche et j'ai aspiré un bon coup.

— Merci, ai-je dit en souriant dans l'appareil.

— Deuxièmement ?

— Quoi ?

— La deuxième raison de ton appel…

Dans mon oreille, c'était comme s'il était tout près.

— Ah, euh…

Simple sur papier et en théorie : je suis un tantinet soûle et loin, et par le plus grand des hasards, je pensais à toi…

Mélodie m'avait fait part d'une constatation un jour, après m'avoir exposé, sans que je les lui demande, les étapes du deuil amoureux : « Il y a une phase que tu n'as pas vécue dans ta peine d'amour : le marchandage. Tu n'as jamais cherché à ravoir Damien… » Est-ce que c'était ce que j'étais en train de faire, huit mille ans plus tard dans les Maritimes ?

— Eh bien, euh, je voulais savoir si tu utilisais ton cellulaire.

Bravo.

Le tout suivi d'un rire tout ce qu'il y a de plus niaiseux et nerveux, qui s'est échappé de ma bouche et est venu se répercuter dans mon iPhone. Le parfait rire de nymphette dans ses oreilles. Oui, monsieur. Re-bravo.

Il a semblé interloqué un moment et a fini par répondre :

— Oui, je m'en sers. Pratique. Tout le monde peut me joindre. Même quand je ne veux pas.

— Le service à la clientèle Bergeron inc. s'en voit ravi, monsieur.

C'était une réplique humoristique préparée. Sauf que sa réponse ne s'y prêtait pas. Je me suis renfrognée. Sur l'échelle « bête », il méritait un dix.

— Mais j'aime bien, finalement.

Il a ri doucement. Je me suis emballée l'espace d'un instant. Il riait. Il riait. Je me suis mise à rire aussi.

– Je veux dire, que vous... que tu t'en serves, de ton cellulaire, c'est de ça que je suis contente, pas que tu reçoives des appels indésirables. On n'aime pas les appels indésirables.

Merde, merde, merde, merde.

Nouveau silence au bout de la ligne, mais qui a été brisé par un grand éclat de rire. Je pouvais entendre en bruit de fond la musique, des voix de filles, d'une fille en particulier. Je me suis sentie toute petite, ma main cramponnée au drap est devenue toute moite. Cet éclat de rire ne m'était sûrement pas adressé. Ou plutôt oui, il se moquait de moi. Ou la fille lui avait montré quelque chose de drôle. Un sein, tiens. Rien de drôle là-dedans. Sauf si c'est la délicieuse surprise d'un dévoilement coquin? Bonne année, voici une boule pour toi. Pop.

– C'est drôle, a-t-il dit simplement.

J'ai eu l'impression qu'il s'éloignait de la source de bruit.

– Et il y a une troisième raison à ton appel? a-t-il fini par me demander d'un ton que je ne pouvais toujours pas définir.

– Ah... euh...

Insoutenable était le silence au téléphone. Je n'osais respirer, surtout que je risquais d'expectorer une nouvelle série d'interjections sans contenu. Qu'est-ce qu'on se dit après plusieurs mois de silence, après une rupture qui n'avait pas sa raison d'être, en tout cas, pour moi? Qu'est-ce que la fille larguée a à ajouter pour sa défense, pour se tirer du pétrin dans lequel elle vient de se mettre? Pour sortir son orgueil qui s'est ramassé sous le tapis?

– Je suis à Las Vegas avec Yan! On vient de se marier! *Yeah!*

– Ah, euh... OK?

– Mais il est toujours gai. C'était juste pour le fun. On va divorcer assez facilement. Mais non, ha, ha!, on n'est pas mariés... quand même...

Ta gueule!

J'ai aspiré une nouvelle gorgée de mon cocktail. Damien a répondu par un silence éloquent avant de lancer :

– Hé ! J'ai failli y aller avec les gars. À Vegas… J.-P., mon coloc, y est en ce moment. Tu ne l'as pas vu, par hasard ?

Il y avait un genre de sourire dans sa voix. À moins que ce ne soit moi qui m'embourbais dans mon imagination, trop avide de saisir le moindre signe que mon appel impromptu n'était pas aussi indésirable qu'il me le semblait.

– Non… Pas de hasard…

J'imaginais ce qui aurait pu se produire s'il avait suivi ses amis à Las Vegas. L'heureux synchronisme des événements. Nos chemins qui se croisent. Damien et moi. Mes yeux qui se brouillent à sa vue, l'aveu qu'il me manque tellement et une avalanche de « pourquoi » et de « si »… Inévitablement, la scène se serait déroulée alors que j'étais soûle et j'aurais fait une folle de moi. C'était mieux comme ça.

Tout ce que j'ai trouvé à ajouter, c'est :

– Mais Vegas, c'est super… Il y a vraiment plein de casinos…

Nouveau silence au bout du fil. J'ai poursuivi :

– Je réalise que je ne suis pas une joueuse compulsive. Pour le reste… je suis assez compulsive, ou plutôt impulsive… Mais ça, tu le sais… Ha ! Ha !

Décidément, j'accumulais les gaffes comme une championne. J'en avais des sueurs froides. Je me suis raclé la gorge sans savoir quoi ajouter. Il a fini par briser le silence :

– Je dois y aller… Je suis dans un party. Mes amis m'attendent…

– Ah, moi aussi ! me suis-je exclamée avec un peu trop d'enthousiasme. C'est le gros party ici aussi. Ben, euh… Bye ?

– Salut. Bonne année. Merci !

Il a raccroché. J'en ai fait autant. Je me suis redressée sur le lit avant de me lancer dans l'oreiller et de hurler de honte.

Épaisse. Épaisse. Épaisse !

– *Good morning! Good morning!* claironnait Yan dans les couloirs de l'hôtel le lendemain matin.

Je savais ce qui lui valait cette bonne humeur. Une belle soirée en charmante compagnie. Je ne pouvais pas en dire autant pour la mienne, mais j'ai tout de même répondu à son sourire.

– J'ai une faim de loup. On va manger, ma Poune d'amour?

Il a passé son bras autour de mon cou, enlaçant mes doigts et embrassant le sommet de ma tête.

– Désolé de ne pas avoir eu le temps de te demander en mariage. Je ne voudrais pas que tu t'attaches, je suis gai. Un gai TDAH, en plus. Je suis donc impossible à vivre, mais je te promets vingt ans de bonheur à te mettre du Cutex sur les ongles d'orteils, ça te va comme marché? *By the way*, fallait que je te dise que j'ai un sérieux kick sur Fred, notre pseudo-thérapeute. Et si j'étais toi, j'appellerais Damien pour lui souhaiter bonne année. Et on devrait aller se taper un sale déjeuner du genre dix-huit étages de pancakes *american style*, *oh yes*, avant de perdre connaissance comme les super pas losers qu'on est.

J'ai ouvert la bouche sans trouver quoi répondre. Yan m'a entraînée à sa suite, précisant:

– Ben là, peut-être juste douze crêpes pour être raisonnable.

Cher trou de cul,

Ça fait longtemps que je ne t'ai pas écrit un courriel que tu ne recevras pas. Bon, voilà. Je t'ai appelé. J'ai osé. Et… je me suis ri-di-cu-li-sée! Le pire dans tout ça, c'est que j'ai frissonné en entendant ta voix! Et un souvenir m'a frappée: l'ascenseur à mon boulot, ta valise à tes pieds et ton imminent départ pour L.A. Tu m'as embrassée, tu m'as dit que tu reviendrais. Ce fut nos dernières paroles échangées. Assez ironique, tu ne trouves pas?

J'arrête de t'écrire ici. Je pourrais m'emporter et dire des trucs insensés comme: «Tu me manques, tu me manques tellement.» Je pourrais même t'avouer que j'espère toujours que... Mais non, je ne dirai pas ça. Je ne peux juste pas.

Dans trois secondes, ce *fucking* de faux courriel à marde va s'autodétruire aussi vite que tu auras oublié l'appel de cette pseudo-ex (72 jours? Pfft.) qui est passée pour une épaisse en souhaitant bonne année à ton *fucking* d'air bête.

Bonne année, cher trou de cul. À go, on repart à zéro.

Clara

CHAPITRE 29

Mélo a proposé de changer nos sorties dans les bars pour des lieux plus zen. J'ai accepté d'emblée de rejoindre mes amis au salon de thé Camellia Sinensis. L'idée était de boire un bon thé et de se ressourcer avant de traverser la rue pour se rendre au cinéma Quartier Latin. Nous avons pris place sur la banquette accolée à la porte d'entrée. Mélo a désigné l'écriteau en plexiglas qui indiquait: «Offrez-vous un moment de détente, vous méritez bien ça.» Les appareils électroniques étaient interdits.

– Ça va nous faire du bien de nous déconnecter… Pas d'internet. Et hop, éteignez vos iPhone! a-t-elle déclaré avec un mouvement du doigt nous enjoignant d'obtempérer.

Yan et moi nous sommes exécutés de mauvaise grâce. Notre ami nous a servi un air particulièrement contrarié.

– Et comment je vais faire pour recevoir mon *booty call*? S'il appelle et que je ne peux pas lui répondre, je vais manquer mon tour. Lui, il passe au suivant.

– Meilleure chance la prochaine fois, a conclu Mélo d'un ton enjoué.

Yan était officiellement de retour sur le marché de la baise sans lendemain. Sauf qu'il renouvelait l'expérience avec un nouvel amant, un certain «Alain Proviste», le genre de type complètement imprévisible, qu'on ne voit pas arriver. Ni venir… C'était les mots de Yan. Cette dernière conquête était un client du spa pour lequel il travaillait. Je n'étais donc pas la seule à avoir enfreint les règles fondamentales de l'éthique professionnelle. Ne pas mêler le flirt au boulot. À la différence que Yan n'avait pas été pris en faute.

– Et moi, j'attends un appel de mon patron, ai-je dit en retirant mon manteau.

– Un samedi ? s'est étonnée Mélo. Il n'exagère pas un peu ?

Yan a poussé un grognement et a renchéri :

– Il me semble qu'elle est longue, ta période de probation...

– Ouais, deux mois depuis mon imbroglio avec Mike Babadouch.

Je devais rendre des comptes à mon patron, lui faire état de mes moindres faits et gestes professionnels. Après avoir été très fortement incitée à prendre une semaine de congé qui s'était avérée plus que nécessaire, j'avais décidé de m'absenter trois jours supplémentaires au bout desquels j'avais reçu un ultimatum. Puisque j'allais mieux (il ne s'était pas senti tenu de me demander des nouvelles de mon état), je revenais ou je prenais un congé sans solde, façon polie de me dire que je pouvais prendre la porte et tout ce qui venait avec. J'étais retournée au boulot sans demander mon reste, laissant mes collègues friandes d'histoires croustillantes dans le silence le plus total. J'avais même surpris une discussion entre mon patron et Brigitte. Cette dernière essayait de prendre ma défense. Décidément, ma bévue avait fait le tour du bureau et tous étaient arrivés à la même conclusion pour l'expliquer : la peine d'amour / c'est vrai qu'il était quelque chose son chum... Sauf mon patron, qui montrait moins de compassion : « C'est bien beau, les histoires de cœur. Mais là, ça commence sérieusement à affecter son travail, et on a du boulot. C'est que ça devient difficile de devoir gérer vos peines d'amour, avait-il déclaré. Et vos sautes d'humeur... en plus de vos fameux SPM... *tous* les mois. » J'avais retenu un hoquet de stupeur qui avait fait écho à l'exclamation de ma collègue. En matière de commentaire sexiste, il marquait des points. Brigitte, nos collègues féminines et moi étions toujours à notre affaire, nous ne laissions pas notre vie personnelle empiéter sur notre boulot et, étant avec une majorité d'hommes, jamais nous ne parlions de nos « malaises féminins ». Bref, nous faire traiter de femmes faibles, c'était inacceptable.

Je m'étais imaginé surgir dans l'entrebâillement de la porte, l'ouvrir d'un coup de pied et balancer mon café à la figure de mon patron. Mais je n'aurais aidé ni la cause féministe ni la mienne. On se serait souvenu de moi comme suit : « Clara Bergeron, hystérique et ninja sans technique. » J'avais ravalé ma colère, pivoté sur mes talons et m'étais attelée à ma nouvelle tâche : le classement de papiers. Palpitant.

— Garde ton iPhone éteint. Ton patron peut bien attendre. Il est temps de boire un bon thé, de se ressourcer et de profiter de notre moment ensemble.

Recommandations de mon amie Mélo.

Nous essayions de nous voir plus souvent même si nous étions tous occupés. Yan avec ses nombreuses conquêtes, moi avec le boulot et mon moral fluctuant et Mélo… ailleurs. Si Yan était de retour à ses vieilles habitudes de célibataire endurci et que je rongeais mon frein au travail, il en allait autrement de Mélo. Elle était dans une forme resplendissante. Un modèle de célibataire assumée. C'était plus que déconcertant. J'avais encore des questionnements sur l'unijambiste qui avait nécessité le Plan B. Pas moyen d'avoir de réponse. Même sous l'effet de l'alcool, Mélo restait sur ses positions : « C'est encore trop tôt pour en parler. »

— C'est quand même étrange que les appareils électroniques soient interdits. Vous avez vu qu'il y a un téléphone public ? nous a interrogées Yan en désignant d'un mouvement du menton le téléphone de l'entrée. Vous saviez que ça coûte maintenant 50 cents ? C'est écœurant ! On se fait avoir !

– Je sais…

Je me suis renfrognée. D'autres paroles qui me rappelaient Damien…

Yan a caressé son cellulaire d'un doigt rêveur.

– Revenez-en avec vos iPhone! a lancé Mélo. C'est pas… Dieu!

Le serveur nous a apporté le menu qui a absorbé notre attention pendant de longues minutes. Thé vert, blanc, Oolong, etc., avec des descriptions s'apparentant à celles du vin. L'envie d'une bonne bouteille de rouge m'a prise.

– Je vous avoue, les filles, que la zénitude, j'en ai assez au spa, a dit Yan. Ça me sort par les yeux et, à la limite, ça me stresse!

Puis il a fait tinter la petite clochette destinée à signaler au serveur que nous étions prêts à faire nos choix. D'un ton mi-solennel, mi-holistique, celui-ci s'est enquis de nos commandes avant de filer d'un pas souple, flottant sur son nuage imaginaire.

La conversation s'est poursuivie sur nos emplois du temps et les différents défis qui se présentaient à nous en ce début d'année. Le terme «résolution» n'était plus au goût du jour. Puis le thé nous a été servi. Yan a écouté avec attention les instructions du serveur et s'est obstiné à essayer de boire à même sa petite tasse avec le petit doigt en l'air.

– Je vous annonce que je dois tenter de faire des rencontres plus authentiques, ai-je dit sérieusement après un long silence durant lequel nous nous étions tous concentrés pour essayer de repérer les effluves de mandarine, de bois et d'herbes.

Yan s'est étouffé avec son thé. Sa minuscule tasse est venue percuter la table. Il a éclaté d'un grand rire, auquel il a joint un trépignement des pieds pour marquer son amusement. Un coup de gong a retenti.

– Ça veut dire qu'il faut baisser le ton, nous a informés Mélo en chuchotant avant de se tourner vers moi. Je croyais que tu avais mis une croix sur les rencontres par internet…

– Recommandation de Docteur Fred, ai-je spécifié. Rencontres par internet, au coin d'une rue, dans une buanderie, n'importe quoi.

– Et pourquoi? s'est enquis Yan, qui avait retrouvé son calme par la force des choses.

J'ai haussé les épaules, m'appliquant à verser l'eau de la carafe d'eau chaude dans la petite théière de porcelaine.

– Pour changer de *pattern*, je suppose. Je dois passer de «beau tata insignifiant» à «gars authentique, mais pas nécessairement attirant».

– Ah bon.

Mélo avait l'air plus que sceptique.

– Voyons donc, c'est ben compliqué de gérer ça, s'est exclamé Yan en jonglant avec les différents contenants. J'ai l'impression de me servir des shooters sans en ressentir les effets. En plus, mon thé aux arômes de bois goûte le deux par quatre…

– C'est un rituel, Yan, a dit Mélo avec un ton qui impose le respect.

– Je sais bien.

Elle a sursauté, agrippé son sac à main et ajouté d'un ton subitement euphorique:

– Oh! Un rituel qui donne envie de faire pipi!

Elle s'est levée prestement sous nos regards surpris.

Je pouvais jurer avoir senti le banc vibrer. Ma parole, Mélo allait se cacher aux toilettes pour parler au cellulaire ou quoi? Je n'ai pas eu le temps de faire part de mes impressions à Yan qui me questionnait déjà sur Fred et sur mes rencontres avec lui. Impossible d'esquiver, j'avais promis à mes amis de ne plus rien leur cacher. Mais Yan avait autre chose en tête.

– Penses-tu que Fred pourrait être gai, ou même bi? Juste un p'tit peu bi pour que j'aie des chances? J'ai le *gaydar* dysfonctionnel ces temps-ci. Tu veux lui demander la prochaine fois que tu le verras?

– Franchement, Yan! Ça se place mal dans une pseudo-thérapie! «Écoute, Fred, en passant, Yan a un kick sur toi. Il veut savoir s'il a des chances même si tu frenches des filles.»

– Pfft. Frencher des filles… Ça ne veut rien dire, ça!

Yan, qui était au courant de ma première rencontre avec Fred, celle qui avait ressemblé à une horrible *date* manquée, s'est croisé les bras, l'air de me mettre au défi. J'ai ajouté:

– Il y a mis la langue…

– C'est juste un réflexe, comme le coup du marteau sur le genou. Pouf! Et voilà! Une langue.

Yan a sorti une grosse langue molle en me faisant une grimace. J'ai roulé des yeux. Fred avait refusé de voir Yan et l'avait confié à un collègue plus compétent en matière de déficit de l'attention. Yan, avec une persévérance surprenante, faisait tout pour rôder «par hasard» devant les bureaux du cégep et les divers lieux que fréquentait Fred. Il ne se gênait pas pour venir me conduire à mes rendez-vous et m'attendait religieusement. C'était d'un manque de subtilité tel que je commençais à me sentir mal à l'aise. Pour un gars qui avait décrété qu'il n'était pas fait pour être en couple, le cœur de Yan s'emballait bien vite. Je craignais le pire: une grosse déception amoureuse qui allait le plonger en pleine dépression, mais il nous assurait à Mélo et à moi que tout était sous contrôle, que maintenant que son véritable trouble avait été mis en lumière et était traité par la bonne médication, il jouissait d'une plus grande stabilité émotionnelle.

De loin, j'ai aperçu Mélo qui sortait de la toilette et qui rangeait subtilement son cellulaire dans son sac à main. Elle s'est réinstallée à mes côtés le rouge aux joues, avec une nervosité à peine camouflée.

– Je le savais! me suis-je exclamée. C'est qui? Crache le morceau!

Mélo a rougi encore plus.

– Personne, voyons!

Je lui ai envoyé un clin d'œil.

– Monsieur Plan B?

– Plan B? a demandé Yan en se redressant sur son siège.

– Mélo a pris la pilule du lendemain le mois passé. Pas de relation stable.

– Hou, la vilaine! s'est exclamé Yan. Croustillant comme nouvelle, ça!

– Merci d'avoir gardé le secret, Clara! Merci beaucoup!

J'ai réprimé un petit rire.

– Ça fait un mois que je me retiens d'en parler à Yan…

– *Nasty girl*, a lancé notre ami en donnant un coup de coude à Mélo.

Levant un doigt en l'air, celle-ci a aussitôt rétorqué:

– C'est justement pour ça que je ne t'en ai pas parlé, Yan! Tu vois du sexe partout! Il n'y a pas que le SEXE dans la vie!

Entendre Mélodie dire deux fois le mot «sexe» dans une même affirmation, c'en était trop pour Yan. Il a éclaté de rire.

Coup de gong.

Mélo s'est empourprée encore davantage et a cru bon de s'expliquer:

– C'était pas Monsieur Plan B sur mon cellulaire. Je voulais juste regarder l'heure, c'est tout… Faudrait pas qu'on manque notre film…

Je n'étais pas dupe. Je connaissais bien cet air délicieusement coupable et à peine voilé pour l'avoir servi moi aussi à mes amis alors que je leur cachais tout de ma rencontre avec…

– Oh mon Dieu! s'est exclamée Mélo en sursautant aussitôt, ses yeux par-dessus mon épaule. Est-ce que c'est Damien?

– QUOI ? s'est écrié Yan en tournant son regard dans la même direction que celui de notre amie. Où ? T'es sûre ? Tu l'as vu ? Han ? Oui ? Damien comme Damien avec un *D* majuscule et T.R. avec un *T* et un *R* ?

Nouveau coup de gong.

Je me suis renfrognée, la tête rentrée dans les épaules, déterminée à me détourner du passé, de lui qui passait par là. S'il était bien là…

Je ne voulais pas le voir dans mon présent. J'en revendiquais le droit aussi férocement que je tenais ma tasse entre mes doigts et que je m'appliquais à avaler des gorgées de thé sans pour autant en ressentir d'effet salvateur.

– Mélo, c'est pas un coup du genre : « Oh, regarde le petit oiseau dans le ciel » ? ai-je demandé en tentant de rester imperturbable.

– Juste pour dévier du Plan B ? a chuchoté Yan. Pourquoi ne pas parler du Plan D ?

– Je suis sûre que c'était lui, a-t-elle affirmé en me regardant le plus sérieusement du monde. Je l'ai VU. Il est entré au cinéma.

J'ai déposé ma tasse sur la table.

– Eh bien, voilà qui change mes plans !

J'avais parlé d'un ton monocorde tout en ramassant mes affaires. De toute façon, il était l'heure d'aller au cinéma… pour eux. Quant à moi, j'avais fait le tour. Mes amis me regardaient avec un mélange de déception et d'embarras. Pour moi, l'équation était bien claire : six films au total, un seul en français. Tous les autres étaient des traductions de films américains, et la probabilité d'aboutir dans la même salle de cinéma que Damien (ou son sosie) pour la version originale était très forte.

Après ma conversation au téléphone avec lui, la dernière chose que je désirais, c'était de revivre l'épisode de la honte et de risquer de faire face à son air bête.

Yan s'est occupé de l'addition alors que Mélo et moi étions déjà à l'extérieur, bien emmitouflées dans nos manteaux d'hiver.

— Ne me dis pas que tu as changé d'idée pour vrai, a dit Mélo d'une voix faible.

— Je ne veux plus y aller...

— Mais, Clara!

Yan nous a rejointes, la tête enfoncée dans les épaules, sautillant sur place à cause du froid.

— Yan, elle a changé d'idée! s'est exclamée Mélo. Elle ne veut plus venir avec nous au cinéma! Clara, on s'en fout que Damien soit là ou pas. Et même si c'était vraiment lui que j'ai aperçu... ça ferait quoi? Ça serait si grave que ça de le revoir?

Pour toute réponse, j'ai haussé les épaules et enfoncé mes mains dans mes gants.

— La ville ne lui appartient pas! Tu peux aller où tu veux! a relativisé Yan. Tu n'as pas à t'empêcher de fréquenter les mêmes endroits que lui par peur de le croiser.

— Ça serait vraiment si grave que ça? a insisté Mélo. On est là, nous.

— Mais oui, a ajouté Yan avec un sourire rassurant.

— Allez, Clara!

— Viens donc!

J'ai regardé mes amis couverts de flocons, et les lumières de Noël toujours présentes. *C'est un bien triste et long Noël, comme quand tout s'est déchiré entre nous, Damien.*

— Je suis fatiguée. Je retourne à la maison.

Il était si tôt encore. Et moi, j'étais si lasse. La simple pensée de le revoir m'accablait. J'avais besoin de temps, de recul, de plus de techniques holistiques, de me changer les idées, d'un autre gars encore mieux, de me retrouver, de me rendre compte que finalement cette histoire de soixante-douze jours n'était rien. Et si, un jour, le hasard le mettait sur mon chemin, alors je lui ferais face la tête haute avec tout le détachement que j'aurais acquis au fil du temps. Mais de foncer tête baissée vers un lieu où il risquait d'être, ça, non.

– Une autre fois, ai-je murmuré.

Dans «une autre fois», j'incluais le film, Damien ou son sosie.

J'ai fait la bise à mes amis qui ne pipaient mot. Ils ont fini par acquiescer avec la mine basse. Puis ils ont filé vers l'entrée du cinéma en regardant leur montre. Vite. Ils étaient en retard.

J'ai rallumé mon iPhone. J'avais reçu un texto d'un gars qui cotait «authentique». Il m'invitait à prendre un café, là, maintenant. Un café, c'est tout.

J'ai éteint mon cellulaire. Pas de rencontres pour ce soir. Pas de iPhone. Pas d'appels, rien. Juste les flocons qui tombent et qui tombent. Je suis retournée chez moi. J'ai retiré mes bottes et, sans même enlever mon manteau, je me suis couchée sur le plancher tout contre mon chien qui a grogné de contentement dans un demi-sommeil.

CHAPITRE 30

Un après-midi, Mélo m'a appelée en catastrophe, arrivant à peine à articuler son histoire.

– Clara, j'ai besoin de toi! Je suis prise avec un… vrai cas bizarre! Et je sais pas quoi faire pour me débarrasser de lui!

Et moi qui attendais toujours le dévoilement de l'identité de Monsieur Plan B. Mélo s'était-elle remise à la chasse sur internet? C'était quoi cette histoire? Mais comme elle semblait au bord de la panique à l'autre bout de la ligne, ce devait être sérieux.

– T'es où?

– Au Café Flocon sur Mont-Royal.

– Oh, oui. Il paraît que leur cappuccino est très bon…

– Viens vite, Clara!

– Je ne comprends pas. T'es dans un endroit public, pas dans une prison! T'es avec un con? Tu vois la porte? Eh bien, tu vas vers cette porte et tu sors, bon sang!

– C'est pas… C'est que… Clara, c'est une question de vie ou de mort! Tu prends tes sacs de magasinage et tu cours me rejoindre! Saute dans un taxi et viens immédiatement, t'as compris?

J'ai jeté un coup d'œil sur mes paquets alors que je finissais un cappuccino dans un café de la rue Saint-Denis. Bon. Voilà ce qui arrive quand on tient nos amis au courant de nos plans du samedi. Pas moyen d'avoir la paix. Je n'avais d'autre choix que de me rendre sur les lieux du crime le plus vite possible. Clara à la rescousse dans le froid de l'hiver. Moins de dix minutes plus tard, j'émergeais d'un taxi et allais à la rencontre de Mélo qui, déjà, faisait les cent pas sur le trottoir. Lorsqu'elle m'a aperçue, un sourire resplendissant a éclairé son visage.

– Ah, salut! a-t-elle lancé d'une voix chantante.

– T'as trouvé la porte à ce que je vois... Mais là, tu vas m'expliquer ce qui se passe! me suis-je impatientée en constatant qu'elle n'était pas du tout en danger et qu'au contraire, elle semblait plutôt survoltée...

– Tu veux un café?

– Non, merci, je viens d'en prendre un. Il est où, ton cas bizarre? Viens-t'en! On s'en va!

J'ai esquissé un pas en arrière et elle a renchéri:

– Nenon! Tu VEUX un café!

C'était une affirmation et non une suggestion. Sans une parole de plus, elle a saisi mes sacs de magasinage et elle m'a poussée vers la porte que j'ai dû ouvrir malgré moi puisqu'elle me coinçait par-derrière.

– Souviens-toi que je fais ça pour toi! Parce que je t'aime...

– Mélo, qu'est-ce que?...

À l'intérieur, avant de pouvoir évaluer les lieux, sentir l'odeur du café, constater qu'il y avait une file à la caisse, je l'ai vu, lui. Il était là.

Damien.

Il était assis devant un ordinateur portable, absorbé par l'écran.

J'ai étouffé un hoquet et j'ai pivoté sur mes pieds pour voir Mélo qui se tenait toujours à l'extérieur, en bonne observatrice, souriant comme jamais. J'ai poussé la porte et je suis sortie sans comprendre comment mes jambes avaient pu exécuter la commande «déplacement». Une terrible barre dans le ventre venait de me plier en deux. Je me suis adossée au mur.

– *Oh… My… God!* Damien… est là!

– Mais, Clara, c'est LUI la rencontre!

J'ai ouvert la bouche, complètement choquée. Les morceaux du casse-tête se sont mis en place aussi vite que l'éclair. J'ai été prise d'un vertige.

– Ta rencontre? Quoi? C'est… Damien? C'est lui Monsieur Plan B? C'est lui que tu… fréquentes? Wow… Wow.

Mélo m'a saisi les deux bras pour m'immobiliser. Elle voyait clairement où je m'en allais avec mes suppositions. J'imaginais la reprise de l'épisode de la fille qui se fait tromper par son chum avec sa meilleure amie. Après Vittorio et Nancy, Damien et Mélo.

– Mais non, mais non! Tu comprends tout de travers! s'est exclamée mon amie en parlant lentement. Je suis en couple avec Joe, ton frère!

– Quoi? Je… Tu me niaises?!

J'ai respiré une seconde pour encaisser la nouvelle, puis la confusion s'est de nouveau emparée de moi.

– Je ne voulais pas t'en parler…, disait Mélo en rougissant. Mais c'est pas le moment… C'est pas pour te dire ça que je t'ai appelée aujourd'hui!

– C'est quoi, cette histoire-là?

– J'ai pensé que ça pourrait être romantique…

– De sortir avec mon frère?

– Oui, euh non, je veux dire, romantique que tu rencontres Damien «par hasard»…

Elle avait mimé des guillemets avec ses doigts, les sacs encadrant son visage souriant, vraiment trop souriant. Je jure avoir eu des envies de meurtre à cet instant même.

– Je passais par là. Je l'ai aperçu, a-t-elle poursuivi en sautillant sur place. Et j'ai fait le guet. J'espérais qu'il ne partirait pas ou que je pourrais le retenir. Il fallait que tu arrives à temps.

– Merde, mais à temps pour quoi ?

– Pour lui parler !

– Es-tu folle ou quoi ? Jamais de la vie !

Je lui ai arraché mes sacs des mains et, décidée à m'éloigner de la source de mon bouleversement, j'ai avancé d'un pas ferme sur le trottoir sans prendre la peine de réfléchir à la direction à suivre. Je voyais flou tout autour, le cœur battant comme jamais.

– Claraaaaaaaa ! a crié Mélo.

Elle avait hurlé mon nom si fort que Damien l'avait sûrement entendu depuis l'intérieur du café.

Non mais ! La ferme ! Merde ! Merde ! Merde ! Merde ! Merde !

Et j'ai percuté la poitrine de Yan.

– Non non non, tu ne pars pas d'ici, toi ! s'est-il exclamé en me barrant le chemin.

J'ai montré les dents.

– Ah non, toi aussi t'es dans le coup !

– En effet, ma poune. Assez de niaisage !

Il s'est mis à bouger tel le gardien de but qu'il avait été à l'adolescence, enchaînant une série de mouvements des bras et des jambes particulièrement désarçonnants.

– Arrête de me barrer le chemin, Yan ! Je m'en vais !

Nous exécutions une jolie danse sur le trottoir et les passants nous jetaient des regards interloqués. J'en profitais pour assener des coups de sacs à Yan qui riait. Voyant que je serais perdante dans cette lutte, j'ai fini par baisser les bras.

– Va le voir, Poune, a-t-il dit d'une voix radoucie. Qu'est-ce que t'as à perdre ?

– Qu'est-ce que j'ai à perdre ? La face, et toi tu vas perdre tes deux palettes du devant si tu ne te pousses pas de mon chemin !

– T'es pas game d'aller lui parler…

T'es pas game… L'ultime façon de nous mettre au défi quand on était ados. Mais là, j'ai choisi de régresser encore plus.

— Combien de fois je vais devoir répéter que JE NE VEUX PAS lui parler!

— Essaie encore!

— Cibole, Yan, JE NE VEUX PAS LUI PARLER!

Mon ami a souri davantage.

— Pendant que tu me fais ton p'tit numéro de gagagougou, je te signale que derrière toi, Mélo est en train de parler à Damien. Il ne s'est pas sauvé, il ne bouge pas de son siège. Et… oh, il regarde par ici!

J'ai tenté du mieux que je pouvais de contenir le tumulte qui m'agitait. Yan continuait d'observer Mélo et Damien, à l'intérieur du café. Je maintenais mon regard sur l'avenue du Mont-Royal avec une obstination enfantine du genre: si je ne le vois pas, il ne me voit pas. Nananère.

— Tant mieux si ça vous amuse, moi je pars d'ici.

— Tut, tut, euh non, m'dame!

Nouveau barrage de chemin. Yan me tenait fermement les épaules, me forçant à reculer vers la porte.

— Clara, écoute-moi. Ça va bien aller. On est là pour toi, on va rester tout près…

— Et qu'est-ce que je lui dirais, han? Ah, tiens: «Ça tombe bien que tu sois là, je voulais justement te cracher au visage…»

— Euh…, a hésité Yan.

Et je continuais:

— Et je ferais quoi, après ça? Lui arracher les couilles avec mes dents et faire du manger mou avec? Je ne peux même PAS me retrouver face à face avec lui sans lui dire: «Eille! Étouffe-toi avec ton café, bite molle!» Alors oui, je m'en vais. Beu bye!

— Euh… Eh bien…, a fait Yan en regardant par-dessus mon crâne.

Et j'ai su que j'avais gaffé. Derrière moi, un raclement de gorge et une voix familière m'ont fait tressaillir :

– Salut, Clara.

Mortifiée, j'ai fermé les yeux un instant, cherchant en toute urgence une solution. J'aurais voulu me creuser un trou dans le sol avec un outil quelconque permettant d'effacer tout ça, les paroles prononcées et leur émettrice. M'effacer moi.

Je me suis retournée lentement, utilisant mes sacs de magasinage pour me protéger. Ils sont restés coincés entre Damien et moi, et je me suis retrouvée happée par son regard bleu-vert. Tout ce que j'avais dit a été transformé en archives et remplacé par : bleeeeeeeeeeeh.

Qu'est-ce que j'avais déblatéré devant Yan ? Il me semblait que c'était très laid. Des mots vraiment très laids. Et lui, Damien, il était beau, très beau.

Bleeeeeeeeeeeeeeeeeeeeeeeeeeeeeeeeeh.

Quoique peut-être un peu plus pâle que dans mes souvenirs. Surtout plus mal à l'aise.

Je suis restée immobile sans savoir quoi répondre. Nous étions tous les quatre carrément devant la porte du café. Mes sacs étaient toujours entre nous deux et nous étions pris en sandwich entre Yan et Mélo. Cette dernière me faisait une danse de pouces en l'air derrière l'épaule de Damien. L'arbre est dans ses feuilles, marilon, marilé. Heureusement qu'il y avait des sacs entre nous. C'est dire comme nous étions tout près.

Damien. Damien. Je ne voyais que ses yeux et son air insondable.

J'ai senti les mains de Yan s'appuyer sur mon dos. Il se tenait là, rassurant, prêt à ramasser les morceaux. En fait, j'étais plutôt sur le point de me liquéfier sur place. Sploush.

– Il fait froid, a dit Damien sans me quitter des yeux. J'ai laissé mon ordi à l'intérieur. Tu viens ?

J'ai remarqué à cet instant qu'il était là en t-shirt, les bras croisés, à tenter de se réchauffer comme il le pouvait alors que nous étions bien emmitouflés dans nos manteaux d'hiver.

– Bien sûr! se sont exclamés Yan et Mélo. Elle vient!

Je me suis retrouvée débarrassée de mes sacs de magasinage et de nouveau poussée dans le café. Mes amis sont partis prestement après quelques brèves salutations alors que tout se déroulait comme si j'étais spectatrice de la scène qui se jouait. Je n'avais toujours rien dit. J'ai suivi Damien à l'intérieur comme ça, sans arriver à prononcer une seule parole. J'étais anesthésiée. Mes yeux se sont attardés sur sa nuque, que sa main est venue masser une seconde ou deux. Signe de nervosité, d'après mes souvenirs.

Il s'est dirigé vers le comptoir et je l'ai suivi.

– Tu veux un café? a-t-il demandé en me jetant un bref coup d'œil par-dessus son épaule.

– OK.

Enfin, j'avais réussi à articuler un mot.

Je me suis installée à la table où je l'avais aperçu auparavant avec son ordinateur portable. J'ai retiré mes mitaines, ma tuque, mon foulard et mon manteau. Je me suis assise bien droite sur une chaise. Et alors qu'il avait le regard tourné vers le barista, je me suis appliquée à remettre mes cheveux en place, à me lisser les sourcils et à me composer un semblant de prestance de pure façade. J'ai réprimé l'envie de sortir un miroir de mon sac à main pour voir si j'étais présentable.

Qu'est-ce que j'allais lui dire? Bon sang…

Je le voyais pianotant des doigts sur le comptoir, absorbé par le spectacle de la préparation de nos cafés. Nous en avions bu plusieurs ensemble. Au moins soixante-douze… Ah… Mais pas comme ça. Pas dans un espace-temps où il m'était devenu presque un étranger. Pas dans une place comme celle-ci où je pouvais l'observer de dos, admirer ses fesses avec une forme de nostalgie et une minute plus tard me voir présenter une œuvre d'art de café accompagnée d'un gros biscuit aux pépites de chocolat.

– Le meilleur cappuccino à Montréal, a-t-il fait en s'installant devant moi.

– Merci.

– De rien.

J'ai fait mine de me lever pour aller me chercher des sachets de sucre, mais il a arrêté mon geste.

– Il est bon sans. Goûte.

Ce que j'ai fait. J'ai approuvé d'un signe de tête en laissant échapper un faible «Mmm…» et je me suis aperçue que mes mains tremblaient. J'ai resserré mes doigts autour de la tasse dans le but de les réchauffer, de me recentrer. Nous avons bu en silence sans nous regarder. Puis il a consulté des yeux son ordinateur portable avant d'en rabattre l'écran. Il s'est passé la main dans les cheveux. Autre signe de nervosité.

– Tu ne voulais pas qu'on soit amis? a-t-il fini par demander.

C'était le prix de consolation? Du genre: ça n'a pas marché nous deux, on aurait pu être amis?

Je l'ai dévisagé avec de grands yeux sans comprendre. Il a précisé:

– Sur Facebook… Tu ne voulais pas qu'on soit amis sur Facebook?

– Ah… Facebook? Ah…

J'ai haussé les épaules et j'ai été surprise du timbre chevrotant de ma voix lorsque j'ai enchaîné:

– Je n'y vais pas souvent.

– Je t'ai envoyé une demande d'ajout à ma liste d'amis.

– Comme je te disais, je n'y vais pas vraiment.

Ça tournait en rond. Il me semble que nous aurions pu répéter la même chose pendant une heure tant l'éléphant dans la pièce était énorme.

Mentalement, je faisais des calculs. Ma dernière visite sur Facebook remontait à plusieurs semaines. Au 2 janvier approximativement. J'avais été blasée par les souhaits de bonne année de tout le monde et avais vite décroché. Se pouvait-il que Damien m'ait envoyé une demande d'ajout sur Facebook à la suite de mon appel depuis Las Vegas ? Ça me semblait improbable étant donné la teneur de notre dernière conversation et sa réaction. Il m'avait paru froid. Comme maintenant. Sauf qu'il y avait sans doute là-dessous un brin de gentillesse. Il m'invitait quand même à prendre un café.

Il me regardait sans aucun sourire. C'était étrange. Ce n'était pas lui. Enfin, pas ce dont je me souvenais de lui.

– C'est que t'as été bête au téléphone !

J'ai regretté aussitôt. Son sourcil gauche s'est relevé, sceptique à souhait.

– J'ai été bête au téléphone ? a-t-il répété lentement.

– Oui, quand je t'ai appelé pour te souhaiter bonne année, ai-je précisé avec hésitation.

À son tour, il avait l'air de ne rien y comprendre. Sa mâchoire s'est crispée. Il a plissé les yeux. De longues secondes se sont écoulées avant qu'il dise :

– Et toi, t'as pas été bête ? Laisse-moi te rappeler notre dernière conversation avant celle-là... Tu m'as envoyé chier, Clara ! Tu m'as même dit de crever !

– Merde, Damien, tu m'as flushée ! Par internet ! PAR INTERNET ! J'avais toutes les raisons de t'envoyer chier !

J'avais crié. Les têtes s'étaient retournées vers nous, les oreilles s'étaient tendues. J'ai bu une grande gorgée de café et me suis brûlé la langue. J'ai reposé la tasse en chuchotant pour moi-même : « Eh merde ! » Ses doigts se sont remis à pianoter. Au mouvement de son corps, je devinais ses jambes qui bougeaient sous la table. J'ai pris de grandes bouchées du biscuit aux pépites de chocolat. Je me suis carrément empiffrée juste pour avoir quelque chose à me mettre sous la dent, me remplir la bouche pour ne plus parler. J'ai ravalé le flot d'insultes en même temps que le biscuit.

– Je suis désolé, a-t-il fini par dire avec un ton qui s'était radouci.

– Hum, eh ben, ai-je marmonné entre deux bouchées de biscuit. Bravo, et surtout, merci!

Nous avons mis le nez dans nos tasses en nous évaluant du regard. Il me semblait déjà qu'une partie de l'abcès avait été crevée, même si les non-dits se multipliaient et que je réalisais à peine ce qui se passait. Un moment plus tôt, il ne faisait plus partie de ma vie, et là, il y était.

– Donc là, on est face à face, a fait remarquer Damien. Et tu vois, tu m'as dit autre chose que de m'étouffer avec mon café…

J'ai dégluti.

– As-tu vraiment entendu tout ce que j'ai dit à Yan?

Il a hoché la tête.

– Que tu voulais me cracher au visage. Ça et les choses terribles avec mes couilles, ouais, j'ai entendu tout ça.

– Eh merde, encore…

Je me suis caché le visage dans les mains, complètement mortifiée. Il continuait de me scruter. Et le vide revenait dans mon esprit. Bleeeeeeeeeeeeeeeh.

– Je… j'en veux pas tant que ça à tes… tes bijoux de famille, ai-je bafouillé en gesticulant. Ils peuvent dormir tranquilles…

Ses yeux se sont plissés, laissant voir quelques petites rides d'expression, puis il a réprimé un rire. Tout ce qui restait de non fondu s'est mis à fondre. Même ce qui me restait de colère. J'étais désamorcée. Damien souriait et un éclat particulier brillait dans son regard. Je lui ai répondu avec mon plus grand sourire.

Il a éclaté de rire.

– T'as du chocolat partout sur le visage! Ah, Bergie…

CHAPITRE 31

À l'appartement, Yan est venu rapidement aux nouvelles. J'étais à la cuisine, je m'attelais à la préparation du souper, occupée à aligner les différentes épices dont j'aurais besoin pour ma recette de tajine, une recette extrêmement complexe que j'avais choisie exprès pour orienter mon esprit vers autre chose que les événements de l'après-midi. Yan s'est installé à l'îlot de travail, souriant tellement que j'apercevais ses gencives du fond.

— Pis ? s'est-il enquis.

— Ça va être prêt dans deux heures.

— C'est pas de ça que je parle.

— Je sais bien.

J'ai haussé les épaules nerveusement. J'ai enfilé mon tablier de parfaite ménagère italienne cuisinant des recettes du Moyen-Orient. Yan maintenait sur moi un tel regard insistant que je n'arrivais pas à me concentrer sur ce que je devais faire. Il n'allait pas lâcher le morceau. Je pariais que lui et Mélo avaient largement discuté et fabulé sur la conversation qui avait eu lieu au Café Flocon en se tapant sur les cuisses pour se féliciter de leur coup. D'ailleurs, pas moyen de joindre mon amie. Je me demandais bien pourquoi…

— Je vais t'aider, a concédé Yan en s'emparant de la planche à découper et des oignons rouges que j'avais placés sur l'îlot à son intention.

Alors je lui ai raconté dans les moindres détails la brève conversation que j'avais eue avec Damien jusqu'au moment où celui-ci avait éclaté de rire.

– *Oh my God!* C'est tellement sexe!

– Franchement, Yan! J'avais du chocolat tout autour de la bouche. C'est pas sexe du tout, c'est hon-teux!

– C'est comme dans les films, a soupiré Yan. J'imagine les regards intenses… Le doigt… Ça devait être trop sexe! Et aussi tellement *cuuuuuuuuute*!

Si ce genre de regard rêveur allait comme un gant à Mélo, je le trouvais intolérable sur mon ami Yan. Je ne pouvais jamais savoir s'il était sérieux ou si c'était sa manière de faire un grand pied de nez au romantisme. Avec ses yeux aussi rouges que les oignons, c'était difficile de discerner la vérité dans sa réaction.

J'ai décidé de le ramener aux faits et aux autres légumes à couper.

– Oui, il a eu comme premier réflexe de m'essuyer la bouche avec son doigt et puis il a saisi une serviette de table, comme s'il avait peur de me toucher. Alors du calme avec ton « trop sexe »!

Yan s'est séché le coin des yeux avec un papier essuie-tout.

– Mais c'est tellement attentionné de sa part! Remarque qu'il n'allait pas te laisser partir avec une substance brune non identifiée tout autour de la bouche, han?

– Ark!

Noémie, la fille de Yan, a choisi ce moment pour entrer dans l'appartement. En grognant un salut à notre endroit, elle a gratté la tête de Monsieur-Monsieur et a ouvert la porte-patio arrière, suivie par une de ses amies qui semblait aussi avare de mots.

Yan et Noémie s'étaient fait un nid chez moi. Ce qui devait être une situation temporaire alors que mon moral était au plus bas était devenu une cohabitation en voie de perdurer. Il était question qu'ils emménagent avec moi, mais rien n'était encore décidé, si ce n'est que Yan et sa fille faisaient partie du décor depuis plus de deux mois. Yan hésitait pour des raisons financières, se sachant inapte à assumer la moitié du coût de tout. Il faut dire que son trois et demi sur le Plateau, qu'il avait depuis douze ans, était abordable, mais trop petit pour accueillir sa fille à temps plein. Cette dernière, dont la relation n'était pas au beau fixe avec sa mère, avait décidé de vivre avec son père l'espace de quelques mois afin de cuver sa crise d'adolescence. Ce n'était pas ses mots, mais bien ceux de Yan, qui voyait l'attitude de sa fille comme étant due à une question d'hormones. Je soupçonnais que Noémie ne voudrait jamais retourner vivre avec sa mère. Je pouvais tout à fait la comprendre. Pour ma part, j'avais aussi des réserves à l'idée de les voir s'installer chez moi de façon permanente. Auparavant, quand nous en avions assez de parler, de nous raconter les mêmes histoires, chacun partait de son côté. Et si Yan emménageait chez moi, il y aurait aussi Noémie, fraîchement atterrie sur la planète de l'adolescence, un univers où se côtoyaient le mutisme et le roulement d'yeux.

Je saisissais les oignons dans une poêle à frire pendant que Yan observait sa fille qui était à l'extérieur en train de souffler des bulles de savon qui atterrissaient directement dans la neige.

Yan, qui choisissait de dédramatiser tout problème éventuel, a ouvert la porte-patio et s'est écrié avec l'humour qui le caractérisait :

– Vous êtes pas trop vieilles pour faire des bulles ? Allez donc vous droguer !

Il a refermé la porte en riant. J'ai roulé des yeux et retenu un rire. Noémie et son amie regardaient dans la cuisine avec effarement.

— Franchement, Yan !

— Au cas où ça lui passerait par la tête… C'est la technique de la psychologie inversée. C'est Fred qui m'en a…

— Ah oui, Fred ? Tu l'as revu ?

Je me suis redressée avec intérêt, observant un Yan hésitant qui a poussé un soupir avant de m'expliquer :

— Oui, on est allés luncher l'autre jour. Il est gentil… C'est un bon gars, mais…

— Ton *gaydar* a manqué de piles ? Pas gai, pas bi, même pas un peu bi ?

Je n'ai pu m'empêcher de rire. J'ai frotté le dos de mon ami qui est venu déposer sa tête sur mon épaule avec une moue de petit garçon déçu. Il a mis sa main sur la mienne et nous avons brassé ensemble les oignons qui caramélisaient déjà.

— Je vais être obligé de revenir aux rencontres par internet. Il n'y a plus de gais potables en circulation. Et même là, il va rester quoi dans le grand catalogue de l'amour virtuel ? Les *bears*, les « Richard s'occupe de ton corps » et ceux qui ont une carotte dans le derrière et qui passent leurs samedis soir avec leur maman ?

Yan a soupiré.

— Je suis peut-être rendu trop vieux pour ça…

— T'as pensé changer ton pseudo pour « Pénis Rouillé » ?

Yan a froncé les sourcils avant d'éclater de rire. Il nous a ouvert une bouteille de vin, a rempli les verres dans lesquels nous avons immédiatement plongé le nez. La conversation est revenue sur Damien.

— Mais qu'est-ce que vous vous êtes dit après l'essuyage du chocolat ? a demandé Yan.

— Pas grand-chose… Un collègue est venu le rejoindre. Ils avaient rendez-vous.

— Et ç'a été quoi, ses derniers mots ?

— « À la prochaine. »

– C'est bon ça, a conclu Yan en se grattant le menton. C'est bon signe, «à la prochaine».

– Mais oui, c'est ça.

J'avais omis un détail important. Il m'avait appelée Bergie, spontanément. Comme ça. C'était sorti tout seul et il en avait eu l'air lui-même surpris. Bergie. Comme avant.

Deux jours plus tard, il m'écrivait. Comme je l'avais mis sur la liste rouge de mes courriels, j'ai reçu l'avertissement suivant : «*Mail* considère ce message comme indésirable.»

Damien, indésirable? J'ai pouffé de rire et j'ai cliqué sur «Pas indésirable».

Objet : Et si?…
Salut Clara,
Ça te dirait qu'on se revoie? Juste pour parler et boire un café lentement sans que tu te brûles la langue?

Damien

– Tu ne peux pas être contente pour moi?

– Mais c'est de mon frère qu'on parle! C'était quoi l'idée d'aller te matcher avec Joe? Je suis censée faire quoi avec ma famille? Si ma mère vient à savoir ça, ou plutôt QUAND elle va le savoir, ça va lui faire une autre affaire à me reprocher!

– Moi-moi-moi… Toi-toi-toi! On t'a soutenue à cent milles à l'heure, Yan et moi. Mais là, c'est à mon tour de demander du soutien dans mes choix de vie… Je ne peux pas laisser partir le seul homme avec qui je vis enfin quelque chose de réciproque pour que tu sois en paix avec ta mère! De toute façon, t'es JAMAIS en paix avec ta mère! C'est tout le temps trop compliqué entre vous deux et vous aimez ça, le drame. *Il dramma familiare!*

– Bon, elle parle italien maintenant!

Ça faisait une heure que ça durait. J'étais assise sur son sofa. Mélo faisait les cent pas et ne s'arrêtait que pour me répondre. Après m'avoir évitée pendant plusieurs jours, elle n'avait eu d'autre choix que de m'affronter quand j'étais allée jusqu'à frapper furieusement à la porte de son condo. Je savais qu'elle y était et j'imaginais le pire : que mon frère était là aussi. Je n'aurais pas su comment réagir et quoi lui dire. À Noël, il m'avait semblé avoir perçu entre nous un mince lien qui commençait à se tisser, mais je n'étais pas assez proche de lui pour lui exprimer ma façon de penser. Heureusement qu'il n'y était pas. Chez Mélo. Je m'en prenais à la principale intéressée dans cette affaire que je qualifiais déjà d'extra-conjugale sans même avoir plus de détails. Si elle était moindrement à l'origine de la séparation entre Joe et Monica, je ne répondrais plus de moi. J'avais une opinion assez arrêtée sur le sujet. On ne fait pas ça à une autre femme, non.

J'ai posé la question entre mes dents :

– Est-ce que t'as couché avec lui pendant qu'il était avec Monica?

– Oh mon Dieu, non!

Mélo m'a servi un air mortifié. Là-dessus, elle ne pouvait pas mentir. Même si elle avait brillamment réussi à me cacher qu'elle fréquentait mon frère depuis environ trois mois.

– J'aurais jamais pu faire ça, Clara. J'espère que tu me crois.

– Je te crois, ai-je concédé.

– Je veux être avec lui! Avec Joe. Pour une fois que je suis avec quelqu'un et que ça ne me tord pas les boyaux. Ça veut dire quelque chose! Malgré son divorce qui s'en vient, la vente de sa maison, son ex, ta mère, toi qui vas moins m'aimer...

– Ne dis pas ça, Mélo. Tu sais que je t'aime.

Elle a poussé un soupir. Elle s'est assise à mes côtés sur le sofa.

– Je veux dire que malgré tout ça, malgré… l'adversité, j'ai confiance que ça peut marcher. Et en plus, je ne pense plus à Yan comme avant… Alors, sois contente!

– Mais je suis contente.

Mélo avait l'air complètement abattue. Je la trouvais forte d'être en relation avec mon frère et, par le fait même, dans une situation floue et temporairement incertaine. J'espérais que ce serait transitoire. En amour, elle était tout sauf patiente.

– Clara, si je n'ai pas ma meilleure amie de mon bord, qui prendra parti pour moi?

– T'as mal compris, Mélo… Si ça ne marche pas, je ne pourrai pas supporter que ma mère dise du mal de toi. Je ne pourrai pas…

– Eh bien, on va se serrer les coudes… et l'haïr ensemble, ta mère.

– Oui, on va faire ça.

– Mais je veux que ça marche! Je veux tellement que ça marche!

Mélo a soupiré à nouveau. Je lui ai souri en signe d'encouragement. Je ne pouvais pas me prononcer sur les aptitudes de mon frère en matière de relations amoureuses. Je le savais discret, un peu en retrait, stable. Les qualificatifs s'arrêtaient là.

Nous nous sommes calées dans le sofa. Sentant que la tempête s'était éloignée définitivement, les chats de Mélo ont grimpé sur nos genoux.

– Comment vous vous êtes rencontrés? Excuse: re-rencontrés? ai-je demandé en grattant la tête de Grosse-Minoune.

À ma connaissance, Mélo n'avait pas revu mon frère depuis que j'avais quitté le nid familial, à vingt ans. Jamais je n'avais été témoin d'une quelconque attirance entre eux. Dans mon souvenir, ils ne s'étaient même jamais adressé la parole. Ce qui rendait leur relation encore plus improbable aujourd'hui.

– On s'est ajoutés comme amis sur Facebook.

Voilà un sujet qui était assez récurrent.

– Ah, amis Facebook… Et Damien, c'est en jasant avec lui sur Facebook que t'as eu l'idée de ton petit coup monté?

Je lui ai fait un clin d'œil, alors qu'en fait j'étais nerveuse.

– Un coup? Ben non!

Mélo a rougi, se trahissant elle-même.

– Mélo, t'es aussi subtile qu'un tracteur qui entre dans une salle de méditation. Avoue!

Touffu ronronnait doucement dans le creux de son coude pendant qu'elle le caressait distraitement.

– Damien nous posait des questions. Il voulait savoir comment tu allais, si t'avais rencontré quelqu'un, des choses comme ça.

J'ai froncé les sourcils, pas certaine de comprendre.

– Si j'avais rencontré quelqu'un?

– Il semblait persuadé que t'étais passée à autre chose, et assez rapidement… Il m'a dit que tu l'avais appelé pour lui souhaiter bonne année. Ça l'a intrigué.

Voilà qu'il passait par mes amis pour tâter le terrain. Mais c'est vrai que je n'avais pas répondu à sa demande d'amitié facebookienne.

– Intrigué?

– Oui, c'est le mot qu'il a employé.

J'ai ressenti une panique soudaine. J'imaginais les échanges en privé sur Facebook. Damien qui questionne Mélo et elle qui lui raconte tout. C'était tout à fait son genre. Pensant bien faire, elle agissait avec moi à titre d'interprète, sachant que je ne verbalisais pas facilement mes émotions, alors qu'en fait j'avais juste besoin de temps et d'un lieu approprié pour les exprimer à ma manière.

— Et ton coup monté?

— Ah, ça! C'était pas bien compliqué… J'ai tout arrangé avec Yan. D'abord quand on devait aller au cinéma Quartier Latin.

J'avais mes doutes, voilà qu'ils étaient confirmés.

— C'est pour l'appeler que tu t'es cachée dans les toilettes du Camellia Sinensis?

L'air de s'excuser, Mélo a acquiescé en affichant un petit sourire gêné.

— C'était un test. Mais j'ai vu tout de suite que t'étais pas prête…

J'ai poussé un grognement auquel Grosse-Minoune a répondu en ronronnant.

— Et il doit passer par Yan et toi pour avoir de mes nouvelles et me rencontrer par hasard à la façon Mélo? Wow! Il n'a pas de couilles!

Mon amie a levé un doigt en signe d'objection. Elle ne me laisserait pas aussi facilement tomber dans la virulence à l'égard de Damien. Pour un motif obscur, elle semblait lui donner raison.

— Minute! Laisse-lui le bénéfice du doute! Il ne le savait pas! Il venait nous rejoindre Yan et moi pour aller au cinéma. Et au café, l'autre jour, eh bien, je lui ai donné rendez-vous pour jaser. Ton nom est venu sur le tapis… et je lui ai proposé de t'appeler, là. J'ai dû sortir tous mes arguments pour le convaincre.

— Ouais, super! ai-je grogné.

Là où mon cœur avait fait un bond, il ne restait que le doute. Tout était forcé.

De plus, voilà que j'apprenais que mes amis étaient copains-copains avec mon ex. Je ne savais qu'en penser. Une partie de moi se sentait trahie et une autre trouvait que cela allait de soi. Ils avaient toujours eu des affinités.

– Mais tu lui as dit quoi? Tu lui as dit que j'étais en peine d'amour?

– Ben non!

– Et la grossesse nerveuse?

– Jamais je lui aurais dit ça! J'ai dit que tu allais bien.

– C'est parfait, ai-je soufflé. Merci.

Mélo s'est tue un moment, tout en continuant de flatter son chat. Elle m'a lancé un regard de côté avec un petit sourire.

– Clara… Il veut te revoir…

– Ah oui?

À mon tour de me sentir rougir. Je ne lui avais pas mentionné le courriel de Damien. Je préférais garder ça pour moi le temps de savoir ce que j'allais faire.

– Vas-tu accepter son invitation pour un autre café? s'est enquise mon amie, décidément au courant de tout. J'espère que oui…

J'ai ignoré la question, concentrant mes gestes sur Grosse-Minoune qui se tortillait sur mes genoux.

– Et puis, comment ça se fait que je sois toujours la dernière avertie? Toi qui fréquentes mon frère, Yan qui a un kick sur Fred, Damien qui est devenu votre copain…

Mélo a éclaté de rire en me regardant d'un air entendu.

– Faudrait que tu sois plus assidue sur Facebook.

– C'est ce qu'il paraît…

Objet: 2ᵉ et ultime tentative…

Salut Clara,

As-tu eu mon courriel l'autre jour?

Je ne veux pas insister. En fait, oui, j'insiste. Si tu penses que je suis un idiot qu'on doit castrer, si tu sens que tu me détestes trop pour me revoir, c'est OK, je comprendrai. Sinon… Juste un café? Rien de plus.

Damien

Chapitre 32

Rencontre 2

J'avais pris place nerveusement dans le café en l'attendant. Il s'est pointé à la bonne heure. Je ne me suis pas levée pour l'accueillir, la bise n'étant pas de mise en la circonstance. Voyant que je ne bougeais pas, il a hésité une seconde. Puis il a hoché la tête et retiré sa tuque trempée de neige, quelques mèches de cheveux sont allées valser en l'air. D'un geste nerveux, il les a replacées en me regardant et a enlevé son manteau.

– Salut.

– Bonjour, Damien.

J'avais parlé d'un ton presque solennel.

– Tu veux boire un cappuccino ? a-t-il proposé en voyant que je n'avais encore rien commandé et en esquissant un mouvement vers le comptoir.

– Non, attends.

Je lui ai fait signe de s'asseoir. Ce qu'il a fait. Lentement, je me suis passé une main sur le visage avant de prendre la parole. Damien me regardait d'un air grave, les coudes appuyés sur la table.

– Vas-y…

– J'ai une question pour toi, Damien… Et je voudrais que tu me répondes par oui ou par non.

– OK…

J'avais ressassé l'idée dans ma tête, assemblé les morceaux du casse-tête que Mélo et Yan avaient fait glisser vers moi. L'hypothèse était beaucoup trop plausible.

– Crois-tu que nous nous sommes laissés d'un commun accord… que je le voulais aussi?

Damien me regardait sans broncher. Je ne parvenais pas à lire sur ses traits. Tout ce que je pouvais discerner, c'était une sorte de consternation.

– Oui.

J'ai expiré fortement, le front dans ma main. Et voilà. J'avais ma réponse. Il ne réalisait pas ce que j'avais vécu. Il n'en savait rien. Et c'était de ma faute. Je m'étais appliquée à lui montrer une version de moi maîtresse d'elle-même et je l'avais chassé toutes griffes dehors.

J'ai hoché la tête avant de continuer, les mains tremblantes, le cœur dans la gorge:

– Tu ne peux pas me faire ça…

– Te faire quoi?

– Être ici, là…

J'ai joint le geste à la parole. Je l'ai désigné d'un mouvement de la main. Il semblait encore plus perplexe.

– Je ne te suis pas… Il faut que tu m'expliques.

– Tu ne peux pas m'inviter comme ça à boire des cafés. Juste comme ça. Rien d'autre. Juste parce que t'es curieux et intrigué.

– Clara…

Il s'est gratté la tête.

– Mais arrête avec tes yeux, pis tes cheveux, pis tes doigts dans tes cheveux…

Il a stoppé son geste, ramenant ses mains sur la table.

Je m'attendais à tout aujourd'hui. Au départ, je voulais le laisser s'expliquer et comprendre pourquoi il souhaitait me revoir alors que je m'étais montrée particulièrement revêche la semaine précédente lors de notre rencontre improvisée.

Mais l'envie de mettre cartes sur table était plus forte que jamais. Les mots de Fred résonnaient en moi: «Tu ne trouves pas que tu mérites la vérité, Clara? Je sais que tu as peur d'avoir mal et que tu te protèges. Il pleut… Tu ouvres ton parapluie, c'est normal. Mais combien de temps ça te prend avant de te rendre compte qu'il ne pleut plus et que tu n'as plus besoin de ton parapluie ? Ferme-le et relève la tête. Pour toi. »

Damien ne parlait pas. Je sentais que je fixais sur lui un regard triste.

– Un jour, je suis tombée de ton skateboard…

– *Longboard*, a-t-il corrigé avec un sourire entendu. Oui, je m'en souviens.

– Oui, ton *longboard*. Tu me l'avais caché comme un gamin honteux. Mais j'ai été charmée. Je suis montée dessus. Tu m'as tenu les mains. Tu m'as demandé : « Si tu tombes, est-ce que tu te relèves vite ? » Je n'ai pas répondu. J'ai lâché tes mains. J'ai foncé sur le trottoir. Je suis tombée. En voyant mon genou écorché, tu m'as demandé si je cicatrisais vite. Je n'ai pas répondu. Je t'ai embrassé.

Damien a hoché la tête. Nous étions plongés dans le passé.

– Alors, je te réponds maintenant, ai-je poursuivi sans reprendre mon souffle. Je ne me relève pas vite, et je ne cicatrise pas vite.

Sans lui laisser le temps de répliquer, je déballais le reste, à son plus grand désarroi :

– Ça me tord par en dedans, Damien… La semaine dernière, avant de te revoir, je me réveillais encore avec une barre au ventre en pensant à toi. Ce matin, je me suis réveillée avec la même barre. C'est pire pour moi de te revoir. C'est pire que je pouvais l'imaginer… Et en même temps, merde, je suis folle de joie, je…

La barre au ventre remontait jusqu'à ma gorge. J'ai cligné des yeux pour refouler les larmes qui menaçaient de poindre. Un petit rire nerveux est venu clore le flot de révélations qui avait jailli de ma bouche. Je n'étais pas à l'aise avec cette version de moi-même plus émotive et plus authentique. Il me semblait que je n'avais plus d'exutoire et que je remettais tout entre les mains de Damien.

Damien qui me regardait avec une certaine douceur à ce moment précis. Ou c'est ce que je voulais croire.

– Je suis content de te voir aussi.

J'ai fermé les yeux et marmonné : « Merde… »

Quand je l'ai regardé, j'ai remarqué qu'il ne souriait pas. Pour un gars content, franchement, il n'allait pas remporter le prix du plus grand *smiley* de tous les temps. J'ai été aussitôt frappée d'avoir vécu un moment d'espoir quelques secondes plus tôt avant de déchanter aussi vite. C'est que le cynisme aigu est une maladie incurable. Les symptômes reviennent abruptement.

Contre cette bête noire, j'ai poursuivi :

– Je ne voulais pas jouer de game aujourd'hui, faire comme si je m'en foutais de t'avoir revu. Alors, si tu veux seulement prendre un café et me sortir ton meilleur *speech* du bon gars repentant pour avoir bonne conscience, eh bien, vaut mieux que tu partes tout de suite, parce que je ne pourrai pas supporter ça.

Il s'est levé brusquement. Je croyais qu'il allait partir. Mais non. Il s'est dirigé vers le comptoir et nous a commandé deux cafés pendant que j'étais affreusement honteuse d'en avoir trop dit et d'avoir possiblement dépassé les limites de la conversation convenable entre deux ex qui se revoient seulement pour un café, rien d'autre.

– Cette fois-ci, prends le temps de bien le déguster, a-t-il dit en revenant et en déposant une tasse devant moi.

– Merci.

J'ai observé le cappuccino comme on détaillerait un fond de thé en quête d'un quelconque présage. Assez ironiquement, j'ai remarqué la forme de cœur dans la mousse. Lui aussi en avait un dans le *crema* de son café. Dans un même geste, nous avons fait disparaître la forme avec un bâtonnet. Allais-je y voir un signe que le symbole n'était pas possible entre nous ? En tout cas, si je pouvais mettre le doigt sur une émotion bien présente, c'était le malaise. Affreusement lourd.

– Et là, on va continuer de brasser nos cafés longtemps sans que tu dises un mot ? ai-je demandé avec une patience qui me surprenait.

– Clara, wow… Tout ce que tu me dis là, c'est… complètement, disons… inattendu.

J'ai hoché la tête, bu une gorgée du café, prenant le temps de le déguster, de savourer les notes de caramel, prenant le temps de fouiller Damien du regard. Peut-être que c'était simple de dire ce qu'on avait sur le cœur. Je me sentais libérée. Enfin, un peu.

Damien a secoué la tête en plissant les yeux. La conversation se poursuivait dans ma tête. J'ai ajouté :

– Et il n'y a personne dans ma vie.

– Euh, OK…

– Je sais que t'as parlé à Yan et à Mélo, et j'aimerais que tu me demandes à moi ce que tu veux savoir.

J'ai vu une succession de gestes. D'abord gêné, il a baissé les yeux, a retenu un petit rire. Il s'est passé une main dans les cheveux. Il a arrêté son mouvement puis, me regardant intensément, il s'est accoté sur le dossier de sa chaise, a croisé les bras sur sa poitrine avant de se racler la gorge.

J'ai souri pour l'encourager. Il a dit, toujours en riant :

– Je ne sais pas… Qu'est-ce que tu deviens ? Quoi de neuf ?

La mise à jour de l'application Damien vous permettra de :
– taper deux fois avec un doigt pour obtenir rapidement un café ;

– surfer entre les différentes expressions faciales incompré-
hensibles ;
* – vous poser tout plein de questions ;*
* – accéder, en option, à des tonnes de jeux palpitants, de*
games (si jamais ça vous manque !).
* Il vous suffira de faire glisser trois doigts vers la gauche pour*
avancer vers lui.

Rencontre 3

Je m'attendais presque au pire en arrivant au Café Flocon. À ce qu'il me déballe à son tour mes quatre vérités bien
mûries depuis notre dernière rencontre et tout ce que je ne
voulais pas entendre. Je m'apprêtais à faire face à cet air insondable qu'il arborait maintenant si facilement. Peu importe ce qu'il avait à me dire. J'étais prête. S'il voulait une
rupture propre pour mieux conclure ce qui avait été bâclé
par internet, il l'aurait. Et je partirais triste, mais la tête haute,
résolue, respectée. Adulte. Enfin.

En même temps, je souhaitais tout le contraire.

Il s'est levé pour m'accueillir. J'ai souri et refoulé le flot
de questions qui me venaient et les tonnes de pourquoi sans
réponse. Il m'a embrassé les joues. Étrange. Jamais nous ne
nous étions embrassés sur les joues, comme des copains,
comme des connaissances, comme des ex qui se retrouvent
dans un café. Lors des deux autres rencontres, il était rasé de
près, et là, il portait la « fameuse » barbe de trois jours.

J'ai fermé les yeux un court instant et respiré son odeur,
senti les poils de sa barbe qui me piquaient la joue et sa main
qui s'était posée sur mon dos.

Puis, aussitôt, il était de retour sur sa chaise. Un cappuccino m'attendait déjà. J'ai retiré mon manteau. Il me semblait que les scènes se rejouaient. Enlever mon manteau, voir

un cœur flotter dans mon café, sentir le mien s'emballer encore. Remettre mon manteau et partir.

Je portais mes vêtements de yoga. Ce n'était pas faute d'avoir pu me changer après mon cours. Mon look était en fait étudié. J'avais eu le temps d'anticiper la scène, de me la jouer à l'avance devant le miroir de la salle des toilettes, de me frotter les aisselles vigoureusement avec une débarbouillette, d'appliquer un maquillage «naturel» pendant près de trente minutes avant de ressortir avec un semblant d'aura zen.

– Je reviens du yoga…
– Tu fais du yoga? a-t-il demandé, un peu surpris.
– Oui. *Namasté.*

Je me suis inclinée dans un salut. Il a répondu simplement:
– *Cute.*

Et m'a servi un demi-sourire qui m'a fouettée. Je me suis penchée et j'ai aspiré le cœur flottant sur mon cappuccino d'une traite pour me donner une contenance. Ça aussi, ça faisait partie de ma mise en scène. Lui envoyer un petit aperçu de mon décolleté. Je voulais toujours le séduire. Je ne pouvais pas m'en empêcher. S'il devait un jour me qualifier de «névrosée d'ex», il pourrait au moins dire que j'étais un brin sexy. C'est tout ce qui me restait. La seule arme pour m'en sortir avec la tête haute. Ça et le sentiment d'avoir été honnête avec moi-même. Ce qui était de l'ordre de la nouveauté.

– Avec tout ce que tu m'as dit l'autre jour, a-t-il déclaré après quelques banalités, j'imagine que tu dois me faire un peu confiance. Ou alors tu cherchais à me faire fuir…
– Est-ce que ça a marché?

Il a haussé les épaules.
– Je suis encore là.

Nous nous sommes souri par-dessus nos tasses. Le premier sourire partagé depuis longtemps. Nous étions ensemble au même endroit. Il n'était pas à l'autre bout de la table. Il était là. Bien présent en face de moi.

– Et comment va le gros toutou?

– Monsieur-Monsieur va bien…

La conversation s'est poursuivie. Damien se montrait peu loquace. Il renvoyait mes questions, balayait le tout d'un hochement de tête, me détaillait du regard. S'il avait des choses à me dire, rien n'y paraissait. Tout naturellement, nous avons convenu de nous revoir, même heure, même poste, une semaine plus tard. Juste pour parler. C'est lui qui a encore ramené ce désir de parler.

– Chaque mercredi? ai-je demandé.

Je voulais une sorte d'engagement. Qu'on se fixe des rendez-vous échelonnés sur plusieurs semaines.

– Chaque mercredi.

– Tu seras là?

– Toujours.

Quand je me suis levée pour m'en aller, sa main s'est attardée plus longuement sur le bas de mon dos. Entre deux baisers sur les joues, j'ai eu le temps de plonger mes iris dans les siens. Cette fois-ci, je ne voulais pas partir.

– Oh, mais c'est tellement pas clair! s'est exclamée Mélo, complètement déroutée.

J'ai haussé les épaules et bu une gorgée de vin. Yan s'empressait d'enfiler des morceaux de bœuf sur sa fourchette à fondue. En fait, son œuvre ressemblait davantage à une brochette qu'à autre chose.

Mélo poursuivait:

– C'est trop flou! Je serais morte d'angoisse à ta place!

– Dit la fille qui sort avec un homme marié, ai-je répliqué en plongeant ma fourchette dans le plat à fondue.

– Séparé et presque divorcé, a rectifié Mélo en rougissant un brin. Et on se voit souvent, excusez pardon! Mais pour revenir à Damien, parce que c'est de lui qu'on parle, il ne t'a pas invitée ailleurs qu'au Café Flocon? Pourquoi une fois par semaine? C'est trop long! Et puis, après la bise, il avait l'air bête, tu dis? C'est tellement trop bizarre! Un moment, il a l'air réceptif, et l'autre, non… Ça me surprend! Je pensais qu'il était intéressé et qu'il se montrerait plus entreprenant. Et il ne te dit même pas ce qu'il veut, ni pourquoi il souhaite te rencontrer?

J'ai secoué la tête. Mélo posait beaucoup de questions, mais en fait, ça ressemblait à ça dans ma tête. Je tentais de tout refouler, de vivre une rencontre à la fois. Nous nous étions fixé des conditions. Pas de courriels, pas d'appels. Juste un rendez-vous par semaine. Être honnêtes. Mes intentions me semblaient claires. Les siennes, non. Mon hypothèse était qu'il testait mon caractère, ma patience. Je faisais tout mon possible pour paraître distante après être tombée dans des confessions assumées, après lui avoir avoué que dans notre histoire, il avait été un personnage principal qui m'avait fait de la peine. J'attendais sa réplique.

Nous avons tous haussé les épaules en buvant une gorgée de vin en chœur.

— C'est pas votre nouvel ami Facebook? ai-je demandé en regardant tour à tour mes amis. Il ne vous dit rien?

— Tu penses qu'entre gars, on parle de ça? a dit Yan, appliqué au montage de sa deuxième fourchette/brochette. Non.

— Je l'ai questionné en message privé, est intervenue Mélo en piquant des crudités dans son bol à salade. Il dit que vous vous voyez, que vous parlez et que c'est correct comme ça.

— Wow.

Je me suis renfrognée. En fait, je l'imaginais mal s'épancher auprès de mes amis qui, bien évidemment, viendraient tout me raconter après. D'autant plus que j'avais dit à Damien de s'adresser à la principale intéressée, moi, s'il voulait savoir quoi que ce soit.

— Vous allez tellement coucher ensemble, a affirmé Yan.

Mélo a souri de côté et je me suis empressée de répondre :

— Ben non, voyons. On parle, c'est tout.

C'était les autres conditions. Pas de flirt, pas de sexe. C'était mon idée. Je voulais éviter toute ambiguïté avant de savoir ce qu'il en était de son côté. Il avait répondu : « *Deal* » en me regardant sans cligner des yeux.

— Ça va arriver, a insisté Yan, un gros morceau de viande dans la joue. Je vous donne deux secondes et quart… et boum !

— Non, ai-je répété.

Chapitre 33

– C'est très bien, Clara.

– Tu penses vraiment que je fais des progrès?

D'un doigt, Fred a remonté ses lunettes. Cette fois-ci, nous nous rencontrions pendant mon heure de dîner autour d'un sandwich.

– Oui. Tu as enfin accepté de lâcher prise et tu as cessé de vouloir tout contrôler. C'est très bien.

– Hum… Parlant de vouloir tout contrôler…

J'ai pris une bouchée de mon sandwich. Il en a fait autant avec le sien, dans l'attente de la suite. Je hochais la tête pour mâcher plus vite.

– L'autre jour, Damien m'a dit qu'il avait mis en veilleuse son projet de long métrage et qu'il avait même mis de côté son *band*, Toxic Robot…

– OK.

Fred a mordu à nouveau dans son sandwich. Il fallait avouer que ce contexte de thérapie était peu stressant, surtout avec un pseudothérapeute qui avait de la mayonnaise sur le menton.

– Eh bien, je lui ai accidentellement peut-être trouvé une job… On ne sort pas la chasse de la chasseuse de têtes.

– OK.

Nouvelle bouchée. Essuyage de la mayonnaise.

– Je lui en ai fait part par courriel.

– Et?…

– Il ne m'a pas répondu.

Rencontre 4

Le café était bondé. Étrange était le sentiment d'être maintenant des habitués de la place et de ne pas avoir de chaises pour nous asseoir, comme si ce lieu nous était exclusif et que l'univers nous avait dépouillés de notre bien. Damien m'attendait adossé au mur, les bras croisés, le regard plus intense que jamais.

– Salut.

– Salut.

– Depuis quand tout le monde va prendre un café le mercredi soir? ai-je fait remarquer en regardant alentour.

– Embrasse-moi.

– Quoi?

Je me suis retournée vivement. Damien m'a tirée par le bras pour que je m'approche de lui, ce que j'ai fait avec des jambes molles comme du coton.

– Sur les joues, a-t-il précisé. On ne se fait plus la bise?

– Ah.

Comme il ne s'inclinait pas, je me suis hissée sur la pointe des pieds et je me suis rapprochée en gardant les yeux grands ouverts pour essayer de lire son expression indéchiffrable. J'ai collé mes joues aux siennes. Barbe de trois jours, encore. Il ne bougeait pas, mais souriait, mi-amusé, mi-gêné. Puis j'ai reculé avec une certaine confusion.

Voilà qu'il me faisait encore le coup du yo-yo, un signe d'encouragement suivi d'une sorte de désistement. Il m'avait demandé de l'embrasser d'une voix rauque puis, comme je m'exécutais, il m'avait présenté un air qui n'avait rien à voir avec sa demande. C'était on ne peut plus déroutant. Il fallait que ça cesse.

– On doit parler, Damien. Sérieusement.

– OK...

J'ai retiré mes gants lentement, mon foulard, et j'ai ouvert mon manteau en le toisant. Il est revenu à sa position initiale, les bras croisés sur sa poitrine, ce que j'ai interprété comme un signe de fermeture à mon égard. À l'intérieur de moi, je fulminais.

J'ai pris une grande inspiration avant de me lancer :

– Pourquoi tu veux qu'on se voie chaque semaine, et pourquoi juste une fois par semaine ?

– Pourquoi pas ?

Il a ri doucement. J'ai roulé des yeux en grognant.

– Je veux une réponse honnête, Damien. On s'est promis d'être honnêtes. Tu t'en souviens ?

– Ha ! Ha ! Mais attends... D'abord un café ?

– Non, je...

Trop tard, il s'était déjà envolé pour nous commander deux cappuccinos comme d'habitude. Alors que la barista s'affairait à la préparation de nos cafés, il maintenait son regard devant lui. Il est revenu un instant après avec deux gobelets de carton, m'en a tendu un avec un air grave. Il m'a fait face, s'appuyant au mur.

– Et ma réponse honnête est... que je suis mêlé depuis que je t'ai revue, a-t-il commencé en fronçant les sourcils. Avant que tu m'appelles de Vegas, c'était assez clair pour moi. Là, il n'y a plus rien de clair. Quand t'es partie du café la première fois, on s'est dit à la prochaine. Il s'est passé quelque chose... Tu m'as regardé d'une certaine façon. Je ne peux pas vraiment expliquer... Je ne voulais juste pas que tu partes.

J'ai dégluti, incapable de respirer. J'avais l'impression qu'il me fallait lui adresser un geste d'encouragement, maintenant qu'il commençait à s'ouvrir un peu plus à moi. Il poursuivait, toujours en pesant ses mots :

— Je ne comprends même plus ce qui s'est passé, comment j'ai pu me baser sur ce que je lisais sur un foutu écran d'ordinateur quand j'étais à L.A. J'y repense et c'est absurde, tout ça.

Il a secoué la tête, son regard ailleurs, sans doute tourné vers une cyberversion de moi-même peu reluisante. Je n'ai pu retenir une grimace.

— J'ai été horrible, ai-je murmuré. Mon caractère… Je regrette.

— J'aurais pas été capable de te laisser en personne. Pas en voyant ton visage. Ton si joli visage, tes grands yeux et tes joues roses…

Il a pris une gorgée de café et m'a souri par-dessus son gobelet. J'ai réussi à rougir, mais je me suis aussitôt ressaisie. Je me sentais un brin cynique.

— Merci pour le compliment sur ma face ! Wow. C'est mon esthéticienne qui va être contente !

Il a esquissé un sourire en coin en disant :

— T'as pas changé. À ce que je vois, t'es encore pleine de mordant.

— Oui, j'ai changé.

Un de ses sourcils s'est relevé, sceptique.

— Tu crois ?

— Oui.

Ses yeux sont revenus sur son café. J'ai bu une gorgée du mien. Nous sommes restés un moment sans rien dire.

— Alors, c'est seulement physique, nous deux, Damien ? On se voit, on s'attire et on pense qu'on s'aime, mais quand on ne se voit pas, c'est loin des yeux, loin du cœur ?

J'avais bien dit : « On pense qu'on s'aime… »

— Tu crois vraiment ça ?

Il a laissé échapper un petit rire et je me suis sentie aussitôt offusquée.

— Et… ça t'amuse ?

– Non, je trouve ça plutôt triste. Pas toi?

Je n'ai su que répondre. J'ai ouvert la bouche sans qu'un son en sorte. D'un geste de la main, il a désigné deux chaises qui se libéraient à l'instant. Nous nous sommes installés sans dire un mot. Je me repassais mentalement ce qu'il venait tout juste de me confier. Je ne pouvais nier l'attirance que nous éprouvions l'un envers l'autre. Il aurait été puéril de faire comme si elle n'était pas là dans chacun de nos gestes, et même de nos silences. Il aurait été si facile de coucher ensemble encore une fois... «Ton si joli visage.» C'est ce qu'il avait dit, avec des accents de tendresse.

Mais qu'en était-il des sentiments? Je ne pouvais faire fi de cette question qui me taraudait. Je ne pouvais pas replonger avec lui pour une simple histoire de sexe. Pas après avoir vécu l'enfer pendant des mois. Pas après tout ce que je lui avais révélé lors de nos précédentes rencontres.

Est-ce que notre rupture était vraiment due à nos échanges maladroits sur internet? Est-ce que nous avions manqué de recul à ce point? Il disait se sentir mêlé. C'était bien la dernière chose dont j'avais besoin. Ses doutes à lui. J'en avais déjà pour dix.

– J'ai une autre question, ai-je embrayé au lieu de répondre à la sienne, qui était restée en suspens. T'as couché avec des filles pendant ton séjour à L.A.?

– Woh! Est-ce qu'on doit vraiment aborder ce sujet? Tu ne m'as pas dit l'autre jour que tu ne voulais pas qu'on parle de sexe?

– Damien, on s'est promis d'être honnêtes...

– Et qu'est-ce que ça donnerait de t'avouer quoi que ce soit?

Là, il était carrément mal à l'aise.

– Donc, tu avoues...

Il a pris un bâtonnet et a brassé le *crema* dans son café.

– Ouais, bon, j'avoue... J'ai couché avec des filles.

Il a bu une gorgée de son cappuccino sans me quitter des yeux. J'ai pris le temps d'assimiler l'information et de masquer mon trouble. Damien me détaillait. Je me suis raclé la gorge, cherchant quelque chose d'intelligent à dire tout en étant le plus neutre possible.

– C'est normal, je pense. Après tout ce temps. Et puis, t'es un homme…

– Et toi, t'as couché avec quelqu'un ?

– Non. Personne.

– Pouah ! Je ne te crois pas !

À mon tour, j'ai planté mes yeux dans les siens et affirmé :

– Personne. Je te jure. Personne.

Son air est passé de sceptique à perplexe. Je me suis alors aperçue que la serviette de table que je tenais bien serrée dans ma main était humide, que je tremblais sur mon siège, que je souhaitais être ailleurs, que je voulais partir. J'ai cherché une excuse, une raison de quitter les lieux. Partir aussi facilement qu'il l'avait fait pour L.A. J'apprenais qu'il ne s'était pas ennuyé, qu'il était vite passé à autre chose. Voilà. Considérer les faits, rien que les faits. Un homme nouvellement célibataire, dans une ville lointaine. En tournée, avec son ex, la sexy Millie K. Comment résister quand on n'a aucun compte à rendre ? Et puis, c'est si facile de coucher avec un ex. J'aurais même pu coucher avec lui. Il m'avait dit ça et j'avais malgré tout encore envie de lui. Tout aurait été différent s'il n'était pas parti pour L.A. Si j'avais agi autrement. Si je n'avais pas été étouffante, ou castratrice. Je l'avais sans doute poussé dans les bras de cette Millie K.

Ne pas me laisser envahir par les émotions. Ne pas me laisser envahir par les émotions.

– C'était vraiment bien de s'en parler, ai-je conclu en me composant un air digne. Merci d'avoir été honnête. Ça clarifie beaucoup de choses… Maintenant, je dois y aller…

J'ai roulé mon foulard autour de mon cou qui me démangeait et que je devinais couvert de plaques rouges. Je me suis redressée et j'ai enfilé mon manteau, calculant mes gestes, concentrant toute mon énergie sur ma respiration.

Quelle est cette putain de respiration de yoga de merde? *Fuuuuu fuuuu fuuuuu…*

— Même heure la semaine prochaine? ai-je proposé avec un ton que je voulais détaché.

Il a haussé les épaules, puis s'est mis à pianoter nerveusement sur la table avant de lancer :

— Attends… J'ai menti. J'ai couché avec personne à L.A.

J'allais partir. Je devais partir. Il a poursuivi, les yeux baissés sur ses mains :

— Tu penses vraiment que j'avais juste ça en tête? Que je suis du genre à me demander : «Bon, qui est-ce que je vais bien pouvoir baiser ce soir?»

— Euh, eh bien…

Un pli soucieux traversait son front.

— J'avais pas la tête à ça! m'a-t-il coupée.

— Mais pourquoi tu?…

— Pourquoi? Parce que j'avais le cœur brisé! *Fuck*, Clara! Tu pensais quoi?!

Sa voix avait tremblé un peu et sa déclaration m'avait fait l'effet d'un coup de massue. Complètement atterrée, je suis retombée aussitôt sur mon siège.

— Je… Je ne comprends pas.

— Je ne savais pas quoi lui dire. Je me suis mise à trembler sur ma chaise.

J'ai passé ma main sur la table, me remémorant la scène. Fred avait proposé qu'on se retrouve au Café Flocon. J'étais assise sur la même chaise. J'ai poursuivi :

– Il m'a expliqué comment lui s'était senti, qu'il était déprimé, et puis il a ramené sur le tapis cette histoire de confiance. Ça l'a vraiment blessé que je ne croie pas en lui. En plus, son projet de long métrage avait échoué peu de temps auparavant. Il a vu ça comme un double échec.

– Et qu'est-ce que tu lui as dit?

Fred ne paraissait pas du tout surpris. Nous avions fait le tour de la question «Damien». Il semblait saisir le personnage mieux que moi.

– J'ai changé de sujet, Fred! Je ne m'attendais pas du tout à ça! Je lui ai demandé s'il avait entrepris des démarches côté emploi. S'il avait donné suite aux offres que je lui avais transmises.

– Alors, comme l'initiative de la rupture venait de lui, tu croyais qu'il n'avait aucun regret, aucune peine, aucun sentiment?

– Je n'ai pas du tout pensé à ça! Le monde s'est mis à tourner autour de mon nombril de fille flushée.

Je me suis caché le visage dans les mains, osant à peine regarder Fred qui m'observait par-dessus son thé. Lui n'aimait pas le café. Quelle perte! J'ai bu une gorgée de mon cappuccino.

– Je ne comprends plus rien… Je suis complètement retournée. Il me laisse et après il regrette. Je ne suis même pas sûre qu'il veuille qu'on revienne ensemble…

– Qu'est-ce que tu veux, toi?

– Je ne sais pas… Ça dépend de lui…

Fred a levé la main pour m'arrêter.

– Non, ça dépend de toi. Il faut que tu lui dises ce que toi, tu veux.

– S'il ne voulait pas de moi, je serais humiliée.

– Tu serais fixée. Tu exprimes ce que tu veux, ce que tu crois mériter dans une relation, et advienne que pourra. C'est à prendre ou à laisser…

– Je ne sais pas…

– Je t'ai connue plus affirmative et plus décidée, Clara.

– C'est le thérapeute ou l'ami qui parle?

– L'ami.

– Et l'éthique?

– Justement, parlant d'éthique, il y a quelque chose dont je voudrais te parler…

J'ai acquiescé tandis qu'il replaçait ses lunettes en tenant les deux branches. Il s'est raclé la gorge avant de poursuivre:

– Je sais que tu es venue me voir pour que je t'accompagne d'une manière différente de ce que tu aurais pu trouver ailleurs. J'ai douté de cette approche, de pouvoir vraiment t'aider parce qu'on se connaît, parce que j'ai des méthodes peu orthodoxes. Mais à ma grande surprise, tu as cheminé, et en peu de temps. Je te remercie de ta confiance, mais à ce stade, et surtout en raison des sentiments plus personnels qui sont en jeu, je ne me sens plus en position de continuer à t'accompagner. J'espère que tu comprendras…

– Comprendre quoi? me suis-je exclamée, surprise par sa façon de me présenter les choses.

– Bien sûr, je suis conscient que le moment est mal choisi avec ce que tu vis présentement. Mais il m'est dorénavant impossible de poursuivre cette thérapie et de te voir sans que tu saches que j'ai des sentiments pour…

– Des sentiments?

Confuse, j'ai dégluti, me cachant presque derrière ma tasse de café.

– Je peux te reférer à un collègue, a-t-il dit en saisissant son iPhone. Je crois qu'il pourrait vraiment te mettre à l'aise et t'amener à…

– Oh, Fred! Oh non! me suis-je écriée avec précipitation. Oh mon Dieu, Fred! Je suis extrêmement flattée, mais je ne veux surtout pas que tu t'imagines des choses entre toi et moi. Je sais que je t'ai embrassé il y a plusieurs mois et je suis désolée si ça t'a donné une fausse impression, si tu as cru que… Non! C'est Damien que j'aime…

— Attends une minute! Je ne parle pas de toi, mais de Yan. J'ai des sentiments pour Yan.

Au lieu d'assembler les morceaux du casse-tête et de vraiment saisir ce qu'impliquait sa révélation, j'ai tout de suite associé le prénom de mon ami à l'orientation sexuelle de mon pseudothérapeute. Le changement d'équipe était plus qu'improbable.

— Yan? Ça se peut pas! Tu m'as embrassée, l'autre fois…

— Une bouche, c'est une bouche, c'est toi qui l'as dit!

Il m'a lancé un clin d'œil complice en levant son thé comme pour porter un toast. J'ai grimacé.

— Et tu vas me dire qu'une langue, c'est une langue? Parce que tu y as mis la tienne quand on s'est embrassés.

— T'es pas dégueu, a-t-il concédé.

— Ah, ben, merci du compliment.

— Ben non, t'es une belle fille.

— Euh…

— Mais pour le reste…

— Ça va. Épargne-moi les détails!

— Je pensais être quarante-neuf pour cent aux hommes et cinquante et un pour cent aux femmes, mais disons que Yan a fait pencher la balance à son avantage.

— Bon sang, Fred! Des pourcentages? T'es pas un *weirdo* rencontré sur internet! T'es un pro de la relation d'aide! Tu ne dois pas me dire des choses insensées comme ça!

J'étais choquée par sa révélation. Et Fred souriait largement.

— En passant, tu as dit que tu aimes Damien. Tu as ta réponse. Fonce.

CHAPITRE 34

Objet : Tu sais quoi ?…
Cher trou de cul (il faudrait que j'arrête de t'appeler comme ça ! Tu ne l'es presque plus !),
Je t'écris un autre courriel que tu ne recevras jamais.
Sais-tu que j'ai hâte de te revoir ? Bon, voilà, je l'ai dit.
Clara xx

P.-S. Je me délecte à penser aux sous-vêtements sexy que je mettrai. Mais ça, tu ne le sauras jamais.

Objet : RE : Tu sais quoi ?…
Chère… Clara,
Courriel reçu… Est-ce ça qu'on appelle un acte manqué ?!
Bien hâte de te revoir moi aussi.
Damien, le presque-plus-trou-de-cul xx

P.-S. Les sous-vêtements… Voilà une donnée intéressante à considérer…

Il était plus de 22 h, je cognais à sa porte comme le soir où je m'étais lancée, où je lui avais avoué mes sentiments. Cette fois-ci, il n'y avait aucune partie de poker, pas de copains non plus. Je suis restée sur le balcon, frigorifiée. Je me suis sentie pétrifiée quand il a ouvert la porte. J'étais toujours cette fille qui accourait chez lui, avec une vérité au travers de la gorge. À savoir que je l'aimais. Et que je voulais m'abandonner.

Il a croisé les bras, le regard amusé.

– Tiens donc… On n'avait pas dit qu'on se voyait seulement le mercredi ?

– Je peux entrer ?

– Un dimanche soir, mademoiselle Bergeron ? Je ne suis pas certain que ce soit conforme à nos conditions, a-t-il lancé, l'œil brillant.

– Très bien. Je m'en vais. À mercredi.

Puis, avec un mélange de grognement et de rire, il m'a tirée à l'intérieur en disant :

– Arrête ça !

J'ai retiré mes bottes, mon manteau, alors qu'il se tenait tout près de moi dans le vestibule. Il me fixait de son regard bleu-vert, éclairé par l'unique ampoule qui pendouillait au-dessus de nos têtes, absorbé par chacun de mes mouvements.

– Je voulais m'excuser pour mon courriel, ai-je cru bon d'expliquer avant qu'il ne me demande la raison de ma visite.

– Tu pouvais le faire par courriel…

– Ah… tu sais… internet…

Il a accroché mon manteau en hochant la tête d'un air entendu.

– Je te sers une bière ? a-t-il proposé, comme s'il se rappelait soudain les bonnes manières.

– OK.

Il a filé vers la cuisine. J'ai détaillé les lieux. Il me semblait que tout était mieux rangé, classé. Un simple coup d'œil me permettait de constater que la colocation avec J.-P. était chose du passé. Il avait pris entièrement possession de son quatre et demi. C'était comme si la chambre de Damien s'était étendue à tout l'appartement. Les affiches de films s'étaient multipliées. Il y avait de nombreuses piles de CD un peu partout sur les meubles. La Fender que je lui avais offerte gisait près d'une commode, ce qui m'a fait sourire. Il l'avait toujours.

– Tu faisais quoi? Je te dérange? lui ai-je demandé alors qu'il était toujours dans la cuisine.

– Non. Je faisais du repassage… au cas où ça ne paraîtrait pas…

Effectivement, en plein milieu du salon trônait une vieille planche à repasser d'apparence instable. Damien a émergé dans le passage, deux bouteilles de bière coincées entre les doigts. D'un geste de la main, il m'a invitée à passer au salon. Voyant qu'une question flottait sur mes lèvres, il a haussé les épaules en me lançant un regard en biais.

– J'ai une entrevue demain…

– Une entrevue?

– Pour un certain poste en publicité…

– Non! Pas vrai! me suis-je exclamée.

Remplie de joie devant cette bonne nouvelle, j'ai esquissé un pas vers l'avant avec l'envie folle de l'étreindre, de me coller contre lui, le nez enfoui dans son cou et la main dans le creux de sa nuque, dans ses cheveux. Mais j'ai plutôt saisi la bouteille de bière qu'il me tendait et bu une gorgée juste pour me donner une contenance tandis qu'il restait là sans bouger.

– Je vais repasser tes vêtements, ai-je déclaré en fonçant vers la planche. Cette chemise et ce pantalon?

– Arrête, viens t'asseoir, c'est pas nécessaire.

Trop tard, j'étais déjà en position, prête à passer à l'attaque.

– Il y a un pli ici, près du col! ai-je indiqué alors qu'il plissait les yeux pour mieux voir. Tu vois que tu as besoin de moi…

– C'est ça le problème…

Je me suis raidie, stoppant le geste vigoureux que j'avais ébauché pour replacer le tissu avant de me mettre à la tâche.

– Sauf si tu trouves que j'en fais trop, ai-je cru bon de nuancer, pleine de précautions. Et que je te prends en charge…

– Mais non, ça va. Tu m'as trouvé la job… Je pensais d'ailleurs te demander de passer l'entrevue à ma place.

Il a ri, a bu une gorgée, l'air de ne pas savoir où se mettre. J'ai continué de siroter ma bière d'une main en repassant la manche de sa chemise de l'autre. Voyant que je tentais de coordonner deux mouvements peu compatibles, le lever du coude et le repassage, il s'est avancé pour maintenir le tissu en place. Je suis restée concentrée sur ma tâche un long moment. Damien participait d'une main, je sentais sur ma nuque son regard, brûlant. J'avais l'impression que ses gestes suivaient les miens, comme s'il cherchait à intercepter ma main et à établir un contact.

– Dis-moi donc, a-t-il remarqué en brisant le silence, t'es pas venue ici juste pour t'excuser de ton courriel et encore moins pour jouer à la parfaite ménagère…

Il est passé de l'autre côté de la planche. J'ai soulevé sa chemise vivement pour la replacer.

– Il y a quelque chose qui n'est pas clair, ai-je commencé prudemment.

– D'accord.

J'ai accéléré mes gestes de repassage. Il y avait bien sûr une question dont je souhaitais discuter. Ça ne pouvait attendre au prochain mercredi.

– Pourquoi tu m'as menti, l'autre jour ? Pourquoi tu m'as dit que t'avais couché avec des filles ?

– Je ne sais pas… Pour te tester, je pense.

J'ai encaissé le coup et me suis immobilisée devant lui, le fer à repasser en l'air.

– Me tester ?!? Tu me niaises ?

– Hé! Woh! T'es fâchée pour ça?

– Oui, je suis fâchée, parce que c'est toi qui me parlais de confiance! Qui me reprochais de ne pas t'avoir fait confiance! On s'est promis d'être honnêtes, et là, tu me racontes n'importe quoi! Tu joues des games! Encore!

– C'était pas une game. J'avais des choses à vérifier moi aussi, vois-tu! Je te parle de test, car toi aussi tu me testes. Ton courriel avec la mention des sous-vêtements sexy… Un acte manqué? Je ne crois pas… Tu voulais savoir si j'ai encore du désir pour toi…

J'avais le goût de répliquer: «Et?…» J'ai pris une profonde inspiration, ramenant mon attention sur le repassage de sa chemise.

– T'as changé, poursuivait-il. Quand je t'ai dit que j'avais couché avec des filles, tu as à peine sourcillé. Et puis, tu ne m'as jamais demandé ce qui s'était passé avec Millie à L.A.

– Je ne veux peut-être pas le savoir…

Je n'avais sans doute pas tellement changé. J'avais engagé cette conversation, demandé des explications, mais je n'étais pas prête à les entendre. Je n'arrivais plus à respirer.

– Juste pour être au clair… Tu avais raison. Elle s'intéressait encore à moi et…

– Damien, je ne veux pas entendre ce qui s'est passé!

Je l'ai supplié du regard. Il a saisi mon poignet doucement et a retiré le fer à repasser de ma main.

– Millie, c'est pour ça qu'elle m'a invité avec elle. Pas pour mes talents de bassiste, a-t-il dit prudemment en guettant ma réaction. Voilà. T'avais raison, et moi, j'ai douté de ce que tu m'as dit.

La pression est retombée d'un coup. Je n'avais pas demandé de détails sur la situation et voilà qu'il m'en offrait. J'avais essayé de faire abstraction de Millie K. depuis nos retrouvailles… Tout cela n'avait donc pas été le fruit de mon imagination. J'avais maintenant l'absolution. Je passais de parano à lucide.

– J'aurais dû te rassurer… Et là, tu m'aurais fait confiance. Est-ce que je me trompe?

J'ai repris le fer à repasser. Dans l'attente de ma réponse, il n'a pas bougé d'un poil. J'ai fini par dire prudemment:

– Peut-être que non.

J'ai haussé les épaules, me suis appliquée à déplisser le col de sa chemise en masquant un sourire.

– Es-tu prêt pour ton entrevue?

– Ouais…

– Ouais ou oui?

– Je suis prêt…

– Monsieur Archambault, je regarde votre C.V. et votre portfolio, et je vois différentes productions intéressantes, des courts métrages de l'ordre de la série B et plutôt proches du cinéma d'auteur… Je vois aussi beaucoup de photos artistiques… Mais le tout semble s'adresser à un public érudit. Quelle serait votre approche du marketing sachant que vous n'avez pas de formation en publicité?

Il a ouvert la bouche, sa bouteille de bière suspendue dans un mouvement d'hésitation.

– Euh… Eh bien…

– Va chercher deux autres bières.

Troisième bière…

– C'est bien sympathique, ce service de chasseuse de têtes à domicile, a-t-il dit, un éclair particulier dans l'œil.

– Conseillère en emploi dans ce cas précis. Ta tête, je l'ai déjà chassée.

Je lui ai servi un grand sourire.

– Ça doit être pour ça que…

– Pour ça que quoi?

– Bah…

Un moment après, il mettait un album sur son tourne-disque, non sans en avoir vérifié la surface au préalable. Un air de *trip hop* a doucement rempli la pièce. La chemise fraîchement repassée pendouillait sur un cintre. Quand il est revenu s'asseoir sur le sofa, il s'est installé plus près de moi, ou c'est moi qui m'inclinais de plus en plus vers lui. Son bras est venu se faire une place sur le dossier, ses doigts tout proches de mon épaule. J'ai perçu qu'il esquissait un autre mouvement très subtil vers moi.

– Et maintenant ? ai-je demandé d'une voix hésitante.

– Maintenant quoi ?

– J'ai eu le cœur brisé… T'as eu le cœur brisé… Qu'est-ce qu'on fait maintenant ?

Il a écarquillé les yeux en buvant une gorgée de bière, l'air surpris devant une question aussi directe. Puis il a haussé les épaules.

– Je suis là et tu es là…

Il avait parlé d'une voix rauque, presque inaudible. Le bout de ses doigts a touché mes cheveux dans un geste à peine perceptible, comme s'il n'osait pas. Ce contact était si étrange.

– Oui, ai-je répondu aussi faiblement. Mais on fait quoi, là ?

– On fait un *reset* ?

Son regard était à la fois tendre et révélateur. Une vague d'émotion m'a submergée. Je me suis sentie tout à coup rougir de la tête aux pieds. J'ai eu en même temps envie de fuir et de lui sauter dessus.

– *Reset* ? ai-je répété.

– Oui, on repart à zéro ?…

Voilà, il me proposait qu'on revienne ensemble. C'était inespéré, irréel. Moi qui imaginais toujours les pires scénarios, et non les suites idylliques, j'étais complètement déroutée.

Une nouvelle version de Damien est disponible pour le télé-chargement.

Parmi les nouvelles options, la version 2 de Damien corrige des bogues tels que :
- *fume à l'occasion ;*
- *voit vos défauts, prend peur et se sauve à L.A.*

Vous retrouverez les fonctionnalités qui vous plaisaient dans cette application :
- *balayage avec un doigt qui vous trouble autant qu'avant ;*
- *passage délicieusement sexy de la main dans les cheveux.*

Cette mise à jour vous permettra de :
- *prendre des photos de couple sensationnelles devant le sa-pin de Noël chez Sears ;*
- *mettre vos peurs de côté ;*
- *arrêter de blâmer le monde entier de votre peur de l'enga-gement.*

Désirez-vous reconfigurer votre relation ?

Devant mon silence, il a fini par dire :

— Et là, je me sens mal à l'aise parce que t'es là à me re-garder avec tes grands yeux surpris. Et... que tu ne dis rien en retour.

Ce à quoi j'ai répondu par :

— On repartirait plutôt en 2.0.

Occasionnant chez lui un froncement de sourcils inter-rogateur. Il faut dire qu'il n'avait pas suivi le cours de mes pensées.

Je me suis levée et j'ai réclamé une autre bière. Toujours un peu déconcerté, il a articulé un « OK » avant de se lever à son tour. Il a enfoui la main dans ses cheveux puis a filé à la cuisine.

Quatrième bière...

Nous étions côte à côte, épaule contre épaule, à contem-pler le plafond comme si c'était un ciel étoilé.

– J'ai dans mes archives ici, ai-je dit en désignant ma tempe, un moment où tu n'étais plus là.

Il a hoché la tête en regardant ailleurs; la côte ouest américaine défilait probablement devant ses yeux.

– Je suis parti vite.

– J'ai été dure avec toi.

– J'ai reculé. T'avais raison. J'ai été un peu trou de cul.

– Mais non!

Nous avons éclaté de rire. Tout semblait si simple. Il avait ses torts. J'avais les miens. Tout plein.

– Soixante-douze jours?

– Yup!

– Wow...

– Yup! ai-je encore répliqué.

– Je suis capable de faire mieux que ça.

Pour toute réponse, j'ai bu une autre gorgée de bière.

– Tu te rappelles la première chose que je t'ai dite quand on s'est rencontrés devant le métro Mont-Royal?

Il a tourné la tête vers moi, m'interrogeant du regard. J'ai secoué la mienne, pas certaine de m'en souvenir. J'ai tenté:

– Il me semble que tu as dit: « Bouh! »

J'ai ri. Je me suis calée plus creux dans le sofa, ma tête près de son épaule.

– Alors, la deuxième chose que j'ai dite, a-t-il poursuivi avec une voix douce, son souffle sur le sommet de mon crâne. « C'est pas ce que j'imaginais comme entrée en matière. » L'affaire c'est que nous, les gars, on ne comprend pas vite des fois... Ça arrive qu'on se trompe. Il y a des couples qui reviennent ensemble des fois.

– Ah...

J'ai souri pour moi-même. J'ai pris une autre gorgée de bière. Il a retenté:

– *Reset?*

Je n'ai rien dit.

– Tu me testes encore, toi! s'est-il écrié en levant un doigt, que j'ai saisi dans ma main comme appui pour me redresser sur mes pieds.

Il avait raison. Trop raison. J'étais si transparente?

Je lui ai fait un clin d'œil en déclarant:

– Finalement, ça ne marche pas cette chemise et ce pantalon pour ton entrevue…

– Mais tu me testes tellement! s'est-il exclamé en riant. Tu te pousses à chaque fois que j'entreprends quelque chose…

– Es-tu un peu maso, Damien Archambault?

Il a ri. Il s'est passé une main dans les cheveux. Son t-shirt est remonté, dévoilant un bout de ventre.

– C'est la question que je me pose…

Il s'est mis à faire chaud, très chaud. Peut-être était-ce dû au regard qu'il braquait sur moi. Transperçant, à la fois indécis et insistant, mais chargé d'une troublante convoitise. J'aurais pu porter le pyjama le plus laid, il m'aurait servi le même air. Tout était dans les yeux.

J'ai pivoté sur mes pieds et filé. Quelques secondes plus tard, j'étais dans sa chambre.

– Ça te prend un look plus décontracté pour demain… Quelque chose qui fait plus désinvolte, plus créatif que le complet-cravate. Plus… toi.

J'avais déjà ouvert la porte de sa penderie, fouillant distraitement parmi les vêtements accrochés sur les cintres, avec un mot en tête: *Reset. Reset. Reset.*

La nouvelle application Damien vous relancera, vous proposera des mises à jour continuelles. Elle pourra même deviner de façon intuitive là où vous voulez en venir. Aussi peu subtile que vous soyez.

– Et là, t'es dans ma chambre, a-t-il dit d'un ton amusé. Je suis censé comprendre quoi?

J'ai jeté un coup d'œil par-dessus mon épaule. Il était appuyé contre le chambranle de la porte, les bras croisés, un sourire sur les lèvres.

J'ai haussé les épaules devant sa remarque. Me suis retournée. Il s'était déplacé sans que je m'en rende compte, ou alors j'avais perdu la notion des distances. Il était près de moi. Tout près. Combien de fois, ce soir-là, nous étions-nous retrouvés dans cette position, à un doigt de nous tomber dans les bras? Cette fois-là, j'étais acculée, coincée entre lui et une commode.

– Mais on fait quoi, là? a-t-il insisté avec une voix rauque.

J'ai dégluti et murmuré:

– Eh bien, je suis là et tu es là…

J'ai baissé la tête, vu ses pieds près des miens, senti mes fesses s'appuyer contre la commode, une vague de chaleur me traverser tout le corps tandis qu'il se rapprochait de moi et que je basculais irrésistiblement vers lui. J'ai posé un index devant moi, sur son t-shirt, sur son ventre qui s'est contracté sous mes yeux.

Puis j'ai relevé la tête, happée par son regard, ses lèvres proches des miennes.

– Et je peux t'embrasser pendant que t'es là?

Sa voix n'était qu'un souffle.

– OK…

Il a cueilli mon visage dans ses mains. J'ai fermé les yeux en même temps que sa bouche capturait tout doucement la mienne. Enfin, je me remettais à respirer, et paradoxalement, je manquais d'air. J'avais besoin de ses lèvres, de ses mains qui s'étaient enfouies dans ma chevelure pour m'attirer plus à lui, de sa langue qui cherchait la mienne. J'ai reculé vers la commode, il a hésité une seconde.

– Arrête pas, ai-je grogné.

J'ai tiré sur son t-shirt, faisant taire sa bouche qui lançait un «Hum?» interrogateur en lui offrant un baiser vorace.

Il m'a soulevée et déposée sur la commode puis, d'un mouvement brusque, m'a tirée à lui en empoignant mes fesses, collant contre moi son sexe dur alors que je ne demandais que ça. J'ai réagi en me débattant avec mon chandail, sans quitter sa bouche, sa langue qui se faisait de plus en plus insistante. En une seconde, il a enlevé mon chandail. Nous nous sommes retrouvés à nous regarder, pantelants, entrelacés. Du bout des doigts, il a effleuré ma gorge, puis la naissance de mes seins.

— Et les conditions, a-t-il demandé à bout de souffle. Pas de flirt, pas de sexe, hum ?

— Mais de quoi tu parles ?

Il a ri. J'ai ri. Il m'a soulevée à nouveau, j'ai enroulé mes jambes autour de lui. Il m'a semblé qu'on tournait, qu'on était soudés l'un à l'autre. Je me suis retrouvée sur le matelas, avec Damien qui m'écrasait de tout son poids. J'ai senti une bouffée d'émotion m'envahir quand il s'est mis à m'embrasser tendrement le front, les paupières, les épaules, les poignets. J'avais l'impression que sa bouche et ses mains étaient partout. Je me laissais bercer. J'avais oublié comment c'était. D'être avec lui. Dans cette bulle-là. Damien et ses vagues qui me soulèvent, qui me cueillent, qui me secouent.

— Clara, Clara, on a été fous de se laisser, tu trouves pas ?

Encore une fois, j'étais celle qui ne répondait pas. De toute façon, je ne m'en donnais pas l'occasion, j'étais cramponnée à lui pour ne pas échouer, pour l'embrasser, pour me laisser encore emporter par ses vagues, par ses mains qui me caressaient. Il ne cherchait pas à me soutirer une réponse. J'ai fermé les yeux. Les vagues retiraient mon jean, léchaient mes seins, soulevaient mes hanches, baissaient ma culotte et m'amenaient à elles. La houle me secouait. Je ne disais rien, mes doigts ont cherché les siens. Je ne voulais pas être seule dans la marée qui montait. J'avais été trop seule. Je l'ai tiré à moi, lui laissant à peine la possibilité d'enlever son jean et son boxer.

– Viens, ai-je supplié.

Son visage s'est rapproché du mien. Il a ri doucement.

– T'es toujours aussi impatiente, toi.

Puis il n'était plus sur moi. Il étirait le bras vers la table de chevet. Je me suis détournée.

Dans la réalité, la mer n'était pas la même.

Le tiroir de la table de chevet a coulissé. Damien a ouvert l'emballage d'un préservatif. Il a ajouté avec un sourire dans la voix :

– Faudrait pas recommencer avec nos mauvaises habitudes…

Il a terminé de se déshabiller alors que je fixais le mur. Nu, il s'est collé contre moi, a embrassé ma nuque. Il n'y avait plus de mer. Juste un coin de mur blanc, avec une fissure au plafond.

– Woh… T'es où, là ?

Je n'ai rien dit. Je suis restée figée un long moment, une éternité avant qu'il me force à me retourner vers lui. Ses yeux inquiets ont remplacé la vision de la fissure du plafond. Exit le regard sexy.

– Damien, il y a quelque chose que tu ne sais pas…

Chapitre 35

– Ben là, attends de voir les résultats du test! Tu parles comme si c'était sûr et certain que t'es enceinte!

– J'ai un de ces pressentiments… J'ai tous les symptômes… Mes seins sont super durs… Touche!

J'ai saisi la main de Yan et il l'a dégagée promptement avec des yeux horrifiés.

– Argh, Clara! Arrête ça! Je ne suis pas un pro de la détection de grossesse par palpation du téton de béton. C'est contre ma religion. Et s'il m'est déjà arrivé de toucher à ça, là, je-ne-palpe-pas-le-téton, point final. Et ne compte pas sur moi pour élever ton enfant illégitime. J'ai donné.

J'ai ri. Yan avait toujours l'air aussi sceptique. Comme si rien n'était possible. Comme si je me dirigeais tout droit vers une erreur monumentale. Puis Mélo est arrivée avec un nouveau test. Un qui n'était pas périmé. J'ai demandé à être seule un moment. J'ai refermé la porte de la salle de bain. Mes amis sont allés s'installer en silence dans la cuisine. Je suis restée là, assise sur le bord du bain, et j'ai retourné l'emballage dans mes mains.

« Bois de l'eau si tu penses que tu ne seras pas capable de faire pipi, avait insisté Mélo. Mais il faudra attendre quelque temps pour que ton urine soit plus concentrée. Quoique, si jamais tu es enceinte, ça serait de plusieurs semaines, donc ton taux d'hormones de grossesse doit être élevé et tu auras une réponse rapide. »

Je me suis redressée et me suis exécutée. Deux fois dans la même journée… J'allais devenir une pro pour uriner debout sans tout éclabousser autour de moi. J'ai lavé mes mains, le cœur battant jusqu'au fond de ma gorge. Le test posé sur le rebord du bain me narguait. Attendre cinq minutes. Cinq minutes au bord du vide. Juste ça. Tout ça.

J'ai ouvert le robinet pour m'asperger le visage d'eau puis j'ai risqué un coup d'œil vers le test de grossesse. J'ai senti mes jambes qui me lâchaient. Deux lignes. Très foncées.

Merde. Merde… Merde et re-merde!

J'ai caché le test bien au fond de la dernière tablette de mon armoire de rangement. J'ai ouvert la porte de la salle de bain à la volée avant que la question «Et pis?» ne surgisse. J'ai vu leur tête. L'anxiété de Mélodie se lisait sur ses traits. Yan avait un visage fermé. Les deux étaient cloués sur place dans une attente silencieuse.

J'ai dit la seule chose qui m'a semblé juste à ce moment précis:

– Négatif.

Mélodie a émis un profond soupir de soulagement. Yan a tapé trois fois dans ses mains. Ils ont souri chacun à leur façon. Yan l'air de dire: «Je t'avais prévenue que tu ne pouvais être sûre de rien, que ça ne servait à rien que je touche tes seins, que c'était une mauvaise idée!» Un moment plus tôt, je lui avais annoncé que si j'étais enceinte, je garderais l'enfant, même sans Damien dans le tableau. Et Mélo, elle, a souri d'une autre façon, l'air de dire: «Un jour, peut-être…»

– On se fait une petite sangria pour fêter ça? a lancé Yan avec entrain.

Même Mélo ne me demandait pas si j'étais contente du résultat du test. Je suppose que la vérité aurait été trop difficile à gérer.

— Vous savez, je vais aller me reposer un peu… Je couve peut-être quelque chose…

Un bébé.

Mes amis ont hoché la tête. Je les ai salués de la main comme si je leur disais au revoir. J'ai refermé la porte de ma chambre, je me suis étendue sur mon lit par-dessus la couette. J'ai regardé le plafond. Il y avait toujours des fissures au plafond. Certaines plus profondes que d'autres. J'ai posé les deux mains à plat sur mon ventre en souriant pour moi-même. En souriant pour deux maintenant. C'était bien vrai.

— Et tu nous l'as jamais dit ? s'est exclamée Mélo, horrifiée.

— Mais je vous le dis, là !

— Ben oui, a marmonné Yan. Huit ans plus tard dans les Maritimes ! Et d'abord, c'est quoi cette histoire de grossesse nerveuse ?

— Wikipédia, ai-je dit pour seule réponse.

C'est là que j'avais pris l'idée.

Yan et Mélo étaient assis bien droits sur le sofa. Leur verre de vin figé dans un même geste. Comme ils ne pouvaient se départir de leur air complètement abasourdi, j'ai cru bon de continuer à me justifier :

— Je ne savais pas quand vous l'annoncer, ni comment… Je voulais me donner du temps pour digérer ça et être certaine de ma décision. Je ne voulais pas me faire influencer par vos craintes. Quand j'ai enfin trouvé le courage de vous dire que j'étais enceinte… c'était fini.

— Mais t'as vécu ça toute seule…

Mélo me regardait sans comprendre. J'ai haussé les épaules. J'y repensais encore. Souvent.

Du sang, beaucoup de sang. J'avais failli. Je lui avais déjà trouvé un prénom. Delphine pour une fille. Max pour un garçon. Ça ne pouvait pas arriver. Je haïssais la couleur rouge. Je haïssais mon corps. Je me sentais dégueulasse. Je devais tout effacer. J'essuyais. J'essuyais. Peut-être que si je lavais tout, il n'y aurait plus de traces et ça ne serait que dans ma tête. « Madame, je suis désolé, il n'y a plus d'embryon. C'est normal. Ça arrive souvent. Et ça ne veut pas dire que vous n'aurez jamais d'enfants. Vous avez un taux d'hormones assez élevé, il se peut que vous ressentiez les symptômes pendant plusieurs jours. »

Comme j'avais déjà menti à Yan et à Mélo, ça n'avait pas été difficile de continuer dans cette veine. Gastro, anémie, n'importe quoi qui puisse expliquer une fatigue intense, des sautes d'humeur. Mes amis m'avaient forcée à aller voir un médecin. Je leur avais dit que je me sentais enceinte, mais que je ne l'étais pas. Le docteur avait appuyé mon « hypothèse » de grossesse nerveuse, sans me faire passer de test et sans m'accorder plus de temps. J'étais repartie avec une ordonnance où était indiqué : « Grossesse nerveuse ? Dépression ? », avec mes amis inquiets qui me talonnaient.

— T'aimais mieux qu'on pense que t'étais tombée sur la tête plutôt que de nous avouer que t'avais fait une fausse couche ? a demandé Yan, à la fois excédé et peiné. C'est pas croyable !

— Maudite orgueilleuse ! s'est écriée Mélodie. On aurait été là pour toi !

— Mais vous avez été là ! ai-je protesté, les larmes aux yeux.

— Mais on ne savait même pas ce que tu vivais ! a répliqué Yan.

J'ai reçu une étreinte de l'un, une tape sur la tête de l'autre. Je me suis sentie tout à coup comme une petite fille qui ne devait plus faire de cachotteries.

— Mais là, avec Damien…, a hésité Mélo. Ça se replace ?

— Je ne suis pas sûre…

– Pourquoi? s'est enquis Yan.

– Parce qu'il sait, maintenant…

– Oh…

– Oh…

Rencontre 5?

Le mercredi suivant, le cappuccino ne goûtait plus la même chose. Il était trop tiède. Il avait perdu ses saveurs, ses couleurs. Damien était en retard, il devait avoir ses raisons. Je suis restée là sans rien faire, à regarder les gens attablés devant leur café sans les voir. Je ne voulais pas me faire de scénario catastrophe, je voulais juste museler le doute qui m'assaillait. J'ai fini par quitter le café après une heure d'attente. La neige mouillait mes yeux, ou était-ce mes larmes? Damien ne viendrait pas. Il avait changé d'idée. J'ai serré mon foulard autour de mon cou, enfoncé ma tuque sur ma tête et me suis mise à marcher en regardant mes pieds.

– Bouh!

J'ai percuté quelqu'un.

J'ai crié:

– HA!!

Un bref coup d'œil m'a permis de voir que cette personne était Damien. J'ai aussitôt baissé la tête pour cacher mes larmes.

Il a dit:

– C'est du déjà vu, ça.

Discrètement, j'ai tenté de m'essuyer les yeux avec mon foulard.

– Du déjà vu?

– Toi et moi devant le métro Mont-Royal, a-t-il expliqué. Toi qui me fonces dedans parce que tu ne regardes pas où tu vas... *Quote*: «C'est pas ce que j'imaginais comme entrée en matière... »

Je ne percevais pas son ton taquin. J'essayais de comprendre ce qui se passait, mais j'étais agitée par un tumulte intérieur. J'avais été sûre qu'il ne viendrait pas, que j'avais gaffé encore une fois. Une partie de moi ne voulait pas croire qu'il était là. Je maintenais ma tête baissée.

– Je m'excuse pour le retard. Ils m'ont convoqué pour une deuxième entrevue. Je ne voulais pas te le dire avant d'être certain... Je l'ai! J'ai l'emploi! Ça va être trippant, vraiment trippant!

– Ah, c'est chouette...

J'ai masqué un sanglot et fait un pas en arrière.

– Hé! Ça va pas? a-t-il demandé en s'inclinant pour m'observer le visage. Clara... tu... pleures?

– Mais... je croyais que tu ne viendrais pas, ai-je fait d'une toute petite voix qui m'a surprise.

Il a poussé un soupir en baissant les bras.

– Clara... Une fois par semaine... J'ai promis.

J'ai relevé la tête pour voir son air complètement abasourdi. Il s'est mis à essuyer mes larmes avec ses pouces, à fouiller les poches de son manteau en vain. Honteuse, j'ai fourragé dans mon sac pour en extraire un paquet de mouchoirs, une goutte a coulé de mon nez. J'ai incliné la tête. Il m'a attirée contre lui et a posé un baiser sur ma tuque.

– Il est trop tard pour notre café? Mais attends, c'est con... On est vraiment obligés d'aller boire un café? Pourquoi on ne passerait pas la soirée ensemble? *Fuck* les conditions!

– Je ne peux pas...

Je me suis remise à pleurer devant un Damien complètement désemparé. Je l'ai suivi malgré moi au Café Flocon. Un instant plus tôt, je m'étais juré de ne pas y remettre les pieds. Damien est allé nous chercher deux cappuccinos au comptoir pendant que je m'installais à table et que je retirais mon manteau, ma tuque et mon foulard mouillés de neige. Il est venu s'asseoir à la même place que d'habitude.

– Tu croyais vraiment que je ne viendrais pas?

Pour toute réponse, j'ai haussé les épaules en faisant une moue. Il s'est incliné davantage vers moi.

– Clara, je t'ai appelée tous les soirs…

– Tu te sens coupable.

Je me souvenais encore de son visage dans la pénombre quand je lui avais dit que j'avais été enceinte et que je l'avais perdu. Je ne pouvais pas me résoudre à appeler «bébé» ce qui avait été un mirage. Je l'avais perdu lui aussi, Damien. Il m'avait regardée avec un air effaré, puis il m'avait écoutée poursuivre en silence, sa main immobile sur mon bras. Lui dire que je l'aurais gardé. Qu'il ne l'aurait jamais su. *Je m'excuse, je m'excuse de te dire ça, Damien. C'est la dernière chose que tu veux entendre d'une fille que tu as fréquentée deux mois…*

Damien a pris une longue gorgée de son café et a dit en soutenant mon regard :

– Oui, je me sens coupable. Je suis encore ébranlé par ce que tu m'as dit dimanche. Mais c'est pas par obligation que je t'ai appelée tous les soirs, et c'est pas pour ça non plus que je te rencontre une fois par semaine depuis plus d'un mois, que je suis heureux quand je te vois et que, l'autre soir, je voulais faire l'amour avec toi…

– Ça, c'était avant que je te dise tout et que…

– T'as dormi dans mes bras, m'a-t-il coupée. Et je suis encore là, je te signale… Additionne tout ça…

Il a bu une autre gorgée de café et a souri.

– Hum?

Il a éclaté de rire.

– Clara, t'es hyper brillante, mais franchement, il y a des choses que tu ne comprends pas vite. Je t'aime. C'est pour ça que je suis là.

– Je…

– Non, attends, a-t-il dit rapidement en levant un doigt pour m'interrompre. Ne réponds pas parce qu'il FAUT que tu répondes. Ou alors, dis n'importe quoi, du genre : «C'est ici qu'on trouve le meilleur café à Montréal.»

– C'est ici qu'on trouve le meilleur café à Montréal.

Son sourire s'est élargi.

– Bang! Et là, je suis heureux!

J'ai perçu de toutes petites rides autour de ses paupières. Je me suis noyée dans son regard. Mes doigts ont trouvé les siens sur la table.

– *Reset?* a-t-il tenté.

J'ai laissé ma tête tomber sur la table.

– Il y a autre chose…, ai-je dit d'une voix tremblante.

– Oh non…

– Avez-vous pris votre comprimé d'Ativan?

J'ai senti une main douce sur mon cou. Celle de Damien. Cette main me massait, mais je n'en ressentais pas les bienfaits. La voix inconnue a répété la même question.

– Clara? a insisté Damien. As-tu pris les Ativan?

– Noooooooooooonnnnnnnnn!

J'ai enfoui ma tête plus profondément entre mes deux genoux. Il y a eu un long silence couvert par le bruit d'une radio, du type : «Ma radio au boulot, et toujours les mêmes succès plates.» J'ai tiré mon sac à main sans en vérifier le contenu. Damien en a extrait le flacon de médicaments. Il est allé me chercher un petit verre en carton de forme conique qui sentait le dentiste. En fait, tout dans ces lieux sentait le dentiste, même la réceptionniste était née pour cette job. Des images de dents blanches et de dents cariées me souriaient depuis les murs. J'ai avalé le comprimé. Damien me regardait d'un air franchement amusé tout en me tapotant la main. Il ne pouvait pas s'empêcher de sourire.

– Donc tantôt, quand tu pleurais, c'était à cause de ça ?

De la main, il a désigné la salle d'attente puis une hygiéniste dentaire qui passait devant nous.

– C'est fascinant, a-t-il dit en hochant la tête. Vraiment fascinant !

Puis, voyant que j'étais prise d'un autre étourdissement et que je penchais la tête vers l'avant de nouveau, il s'est remis à masser ma nuque. Dans toute ma confusion, j'ai compris que la secrétaire lui demandait quelque chose. Il m'a tendu un tissu mouillé que j'ai appliqué sur mon front en gémissant.

– Vas-tu être correcte ?

– Ça fait trois fois que tu me poses cette question. Regarde-moi la face, est-ce que j'ai l'air correcte ?

Je l'ai foudroyé du regard avec autant de férocité que le permettait mon état. Il m'a répondu avec un sourire entendu :

– Tiens, là, je reconnais la Clara qui mord !

Puis il a souri encore plus. J'ai aussitôt été désamorcée.

Je savais ce qui allait suivre. La chaise qui bascule, l'aiguille de l'enfer qui défonce la gencive, le goût métallique, la *drill* qui ne connaît qu'une voyelle, le «iiiiiiiiiii», quarante-deux doigts dans la bouche, la bavette de papier qui ramasse ce qui coule de la bouche, la langue partout, trop grande, ouvrir la bouche plus, plus grand, plus grand quand on veut la garder fermée et fuir. Fuir.

Phobie du dentiste. J'évitais. J'avais une hygiène dentaire de maniaque juste pour échapper à cette torture, mais cette fois-ci, je n'avais pu contourner mon problème. Yan, mon accompagnateur habituel, avait dû se décommander pour une rencontre avec l'enseignante de sa fille. Je n'avais pas pu annuler puisqu'une vilaine carie me faisait souffrir jusqu'au nerf de la dent.

– Excuse-moi… Merci de m'avoir accompagnée.

Je me suis laissée aller contre son épaule en inspirant profondément. Il a passé son bras autour de moi et a embrassé le sommet de ma tête.

– C'est juste un petit plombage de rien du tout. Ils vont te geler, tu ne sentiras plus rien après…

J'ai été prise d'un nouveau vertige. J'ai enfoui mon visage au creux de mes bras pour me cacher et tenter de me ressaisir en même temps. Damien s'est agenouillé devant moi. Il a pris mes mains entre les siennes et les a frictionnées.

– Excuse-moi! J'aurais pas dû te dire ça, a-t-il dit d'une voix douce. Ça va aller… Tu veux que je reste avec toi?

– Je ne sais pas…

– Ou je t'attends ici… C'est comme tu veux…

– Je ne sais pas… J'ai peur de perdre le contrôle!

J'ai étouffé un sanglot. C'était idiot. Je le savais.

– Ah, ça, je m'en doutais…

J'ai cru percevoir un petit rire dans sa voix. Il m'a à nouveau étreinte et, malgré tout le reste, je me suis sentie bien. Je ne voulais plus bouger du cocon de ses bras. Une voix s'est élevée et est venue interrompre ce moment de répit.

– Clara Bergeron?

J'ai serré la main de Damien jusqu'à ce que mes jointures blanchissent.

– C'est mon nom, ça, ai-je gémi en enfouissant mon visage dans sa poitrine.

– On dirait que oui…

Je me suis levée en même temps que Damien me soutenait. Il me semblait que les murs bougeaient. Je me sentais complètement ridicule.

– Tiens-moi la main, tiens-moi, OK?

– Je suis là, Bergie.

Avec Damien à mes côtés, j'ai réussi à m'avancer vers l'hygiéniste dentaire qui m'a accompagnée jusqu'à la chaise.

– Est-ce que mon chum peut rester avec moi ?

J'ai relevé la tête pour voir Damien, qui ne pouvait s'empêcher de sourire.

Une nouvelle version de Damien est disponible pour le téléchargement.
L'application Damien sera là lorsque vous en aurez besoin.
Installer la mise à jour.

Chapitre 36

Damien m'a bordée. Je me suis endormie comme une petite fille en détresse dans ses bras. Il avait déclaré, non sans trahir son amusement :

— J'aime l'idée que tu puisses avoir besoin de moi.

L'Ativan avait fini par se faire sentir quelque part entre le moment où la chaise avait basculé et celui où Damien s'était rendu compte qu'il pouvait seulement me tenir les pieds pendant l'intervention du dentiste et de son assistante. Avec une sensation d'irréalité, j'avais entrevu la gigantesque seringue métallique du dentiste. À la maison, Damien m'avait aidée à me déshabiller puis à enfiler mon pyjama, non sans sourire. Je m'étais glissée sous les couvertures. En me jetant un coup d'œil de biais, il avait tenté à nouveau :

— Tu as dit que j'étais ton chum tantôt... Ça veut dire *reset*, ça?

J'avais levé un pouce en l'air en signe d'approbation. J'avais répété, la bouche gelée :

— Wuuiiisèt !

Un filet de bave m'avait coulé sur le menton. Comateuse et honteuse, je m'étais essuyée en vitesse avec la manche de mon pyjama. J'avais entendu son doux rire alors qu'il replaçait la couverture sur moi.

— Pow pâ !

Pars pas. Damien avait compris mes mots inarticulés. Il avait dit avec sérieux en caressant ma joue, un contact que je sentais à peine tellement cette dernière était engourdie :

– Plus jamais.

Plus tard, j'émergeais d'un sommeil confus. Quelle heure était-il? Je n'en avais pas la moindre idée. J'étais en pyjama, il ne faisait ni tout à fait jour ni tout à fait nuit. Damien n'était plus là. Je me suis redressée dans mon lit, j'ai replié les couvertures sous moi. J'ai attendu le déferlement de la si familière vague d'angoisse, celle qui me faisait douter de tout, la petite voix intérieure qui me dirait: «Bon, tu vois; il est reparti.» La voix qui avait si peur d'être abandonnée et qui préférait larguer les amarres avant que l'autre ne le fasse. Mais elle n'était plus là.

La grosse tête de Monsieur-Monsieur était accotée au pied de mon lit, il m'observait de ses grands yeux bruns. J'ai haussé les épaules à son intention. Aucune graine de panique ne germait. J'ai souri pour moi-même et j'ai ressenti une légère sensibilité à la mâchoire.

J'ai tourné la tête et vu sans surprise un mot de Damien sur ma table de chevet: «À tantôt! xx.» C'était une des plus belles promesses.

J'ai entendu la porte de la chambre de Yan grincer puis, dans le corridor, j'ai perçu un bruit de pas discrets. Sans plus attendre, j'ai ouvert ma porte à la volée pour tomber nez à nez avec un Frédérick particulièrement surpris, torse nu et en boxer.

– Ayoye! s'est-il exclamé en portant la main à son cœur. Tu m'as fait peur!

– C'est ce que les gars me disent d'habitude…

J'ai éclaté de rire et j'ai rectifié:

– En tout cas, c'est ce qu'ils me disaient avant…

Nous nous sommes regardés en silence, mal à l'aise de nous retrouver face à face, piétinant sur place. Fred a remonté ses lunettes avec un sourire embarrassé, puis a croisé les bras pour se cacher la poitrine. J'ai fait de même pour couvrir mon haut de pyjama. En bruit de fond, on pouvait entendre

Yan qui ronflait furieusement. Nous nous sommes mis à parler simultanément. Lui :

– Est-ce qu'il ronfle souvent comme ça ?

Et moi :

– Je ne sais pas ce que tu lui as fait pour qu'il ronfle comme ça…

Puis nous avons éclaté de rire. Je voulais lui dire que j'étais contente pour eux. J'ai fait un deux pour un…

– Je suis heureuse. Je pense…

Il a hoché la tête, a replacé ses lunettes à nouveau, l'air de réfléchir, comme si l'heure était grave.

– Tu veux qu'on en parle ?

J'ai approuvé d'un signe de tête. Il est allé enfiler un t-shirt. Quelques minutes plus tard, nous étions assis face à face sur le sofa du salon, un thé à la main.

– J'ai eu mes réponses… Damien m'a dit l'autre jour qu'il aurait aimé sentir qu'il pouvait me rendre heureuse, qu'il avait un minimum de compétences. Je lui ai dit qu'il les avait… mais que j'étais responsable de mon propre bonheur.

– Bravo pour ce constat !

– J'ai eu un excellent pseudothérapeute !

Fred a hoché la tête, m'invitant à poursuivre.

– J'ai demandé à Damien ce qu'il me trouvait. Je suis cynique et pas facile à apprivoiser. Je ne comprends pas ce qui lui plaît chez moi… Ça m'a amenée à voir que moi aussi, je doutais de moi.

Fred a demandé :

– Et qu'est-ce qu'il t'a répondu ?

– Il m'a dit que peu importe ce que je dis, il y a quelque chose dans mon regard qui exprime autre chose. Il m'a dit qu'il me voit… Qu'il me voit vraiment.

– C'est super ça, Clara.

J'ai rougi et pris une grande inspiration. Fred a posé la question que je redoutais :

– Et le bébé ?

– Tu sais que je n'aime pas parler du «bébé», ai-je dit en mimant des guillemets avec mes doigts.

J'ai pris une gorgée de thé avant de poursuivre :

– Je lui ai tout raconté. On dit que rien n'arrive pour rien… Ç'aurait été trop tôt. Sortir ensemble même pas 72 jours et pouf, faire un bébé, tu imagines…

Il a hoché la tête.

– J'avais peur de lui confier ce que je pensais vraiment, mais j'ai plongé. Je lui ai dit que j'aimerais avoir des enfants un jour… Mais pas maintenant.

J'ai ri nerveusement, humé le thé avant d'en boire une gorgée.

– Et il t'a répondu quoi ?

– Qu'il en voulait aussi. Mais pas maintenant.

Fred a acquiescé. J'ai ajouté :

– Et j'ai rendez-vous avec une vraie psy… Je veux continuer de travailler sur moi.

– Ça, c'est vraiment une très bonne nouvelle !

J'ai répondu au large sourire de Fred et posé ma main sur son bras avec un clin d'œil complice.

– Mais toi, dis-moi, avec Yan, ça va bien ?

À nouveau, il a replacé la monture de ses lunettes avec son index, un peu nerveux.

– Ça ne serait pas éthique…

– Pouah ha ha ! Fred, franchement… Tu baises mon ami, t'es en boxer et en t-shirt sur mon sofa. On s'en fout de l'éthique ! Allez, raconte !

– Bon, d'accord, a-t-il concédé, mal à l'aise à son tour de plonger dans les confidences. C'est très bien parti…

– Es-tu encore gai à quarante-neuf pour cent ?

Je lui ai tiré la langue. Il a pouffé en se grattant le bras.

– Bah, je suis pas mal plus cent pour cent à Yan.

– Hon, c'est *cute*…

– Yan fait du chemin sur le plan de l'intimité. Tu sais comment ça marche. Il est *top* et moi aussi, je le suis… Ça prend une bonne relation de confiance pour qu'il accepte de devenir *bottom* et qu'il se laisse aller, et hier soir, on a pu y arriver…

J'ai écarquillé les yeux, surprise qu'il me fasse ce genre de confidence qui avait l'air de sortir tout droit de la bouche de Yan. J'ai levé un doigt en signe d'objection.

– Euh, minute, Fred! On n'est pas rendus là, toi et moi.

– T'as raison, Clara… Excuse-moi. C'était une manière bien maladroite d'essayer de me sortir du rôle de psy…

Yan s'est pointé dans le cadre de la porte en se frottant les yeux. Il a fait un petit salut de la main à Fred. Les deux hommes se sont regardés intensément l'espace d'une seconde. J'ai vu que mon ami rougissait. Je me suis sentie de trop.

– Deux œufs bacon avec ça? ai-je lancé en me redressant.

– Clara, c'est pas l'heure de déjeuner, a dit Yan sans quitter Fred des yeux. Il est 7 h du soir…

– Ah… Eh bien, j'allais préparer quelque chose… Vous devez avoir faim…

Quand Damien est revenu, j'étais à peine surprise. Je lui ai ouvert la porte. Ses cheveux fous étaient couverts de neige. J'ai glissé mes bras dans son manteau, me suis collée contre lui. Nous sommes restés un long moment comme ça, avec ses lèvres sur le sommet de ma tête et Monsieur-Monsieur qui piétinait juste à côté. Visiblement, mon chien le reconnaissait. Damien a fini par s'accroupir pour lui gratter les oreilles.

– Des caries, tu en as souvent? s'est-il enquis en se redressant.

Je me suis caché le visage dans les mains. Il les a saisies aussitôt pour les tenir entre les siennes.

– Je sais, c'est con ! Tellement trop con ! Pour répondre à ta question, c'est la deuxième fois de ma vie. Plus jamais de caries. Je serai irréprochable. Je retourne me brosser les dents tout de suite…

Comme j'esquissais un pas en arrière, il m'a attrapé le bras en riant, puis il m'a embrassée doucement.

– T'es parfaite comme ça. Tu viens faire une petite promenade ?

– D'accord.

J'ai pris mon manteau, mais il s'est interposé et a déposé un sac devant moi dont il a sorti des vêtements de neige avec un sourire triomphant.

– Mets ça.

– Euh, OK.

J'ai glissé un pied dans le pantalon de neige qui semblait beaucoup trop grand, celui de sa sœur, m'a-t-il précisé. Damien a cru bon de m'aider. Je l'ai laissé faire avec un certain amusement. Il était encore en mission, celle de prendre soin de moi. Il a remonté le pantalon jusqu'à ma taille en me regardant avec une intensité qui m'a fait frissonner.

– Je pensais à ce qu'on n'a pas eu le temps de faire pendant notre relation de soixante-douze jours.

– Hum, baiser dans un pantalon de neige ? ai-je dit en m'approchant pour l'embrasser. Pas sûre que ce soit possible. Quoique…

Il a ri, m'a embrassée à demi, tout occupé à m'aider à enfiler les manches du manteau de ski qui était étrangement plus à ma taille que le pantalon. Il s'est mordillé la lèvre inférieure avec un regard qui voulait tout dire.

– C'est vrai qu'il est grand, ce pantalon. Je pourrais presque rentrer dedans… Mais non, c'est pas de ça que je parle.

J'ai à nouveau frissonné, me suis encore pendue à son cou, là où c'était si doux. Il a roulé mon foulard, ses lèvres près de mon oreille.

– On va jouer dans la neige, a-t-il dit d'une voix rauque. Viens.

Il a mêlé ses doigts aux miens puis m'a tirée à l'extérieur. C'était une belle soirée d'hiver, avec de gros flocons qui tombaient lentement et qui plongeaient la ville dans une douce quiétude, comme si le temps était suspendu. Il me semblait que nous étions seuls au monde. Je l'ai suivi sur le trottoir puis il s'est arrêté devant une auto noire.

– Je te présente ma nouvelle voiture, a-t-il dit avec la fierté d'un petit garçon. En fait, elle n'est pas vraiment neuve… Mais en tout cas, elle est comme neuve pour moi.

J'ai froncé les sourcils, pas certaine de comprendre. Quelques heures plus tôt, nous avions pris le taxi pour revenir de chez le dentiste. Je savais qu'il aimait conduire. Il m'avait souvent emprunté ma voiture, ses finances ne lui permettant pas d'en acquérir une. Les choses avaient changé, à ce qu'il semblait.

– Je voulais te montrer que je suis rendu ailleurs et que je peux te reconduire où tu veux quand tu as besoin de moi…

– Mais tu n'étais pas obligé de t'acheter une voiture! J'en ai déjà une…

– J'ai besoin d'une voiture pour le travail, maintenant! Mais ce soir, c'est pas pour ça. Tu montes?

Nous avons roulé pendant une dizaine de minutes, mes doigts dans les siens, une musique à la radio. Nous n'avons pas parlé. J'aurais pu m'endormir comme ça. J'étais bien. Il était là. Tout était si simple, après tout.

Il a stationné la voiture près du parc Laurier. Nous sommes sortis dans la nuit silencieuse. Le parc était désert. Damien a lâché ma main puis s'est mis à courir. Avec la quantité de neige qui s'était accumulée, il devait sauter pour avancer. Il m'a crié de venir le rejoindre. Ce que j'ai fait en riant. Je me suis lancée sur lui, le faisant tomber à la renverse. Il est resté couché sans bouger, les bras en croix, les yeux tournés vers le ciel, des flocons de neige qui perlaient sur ses cils.

Mon cellulaire a sonné depuis la poche de mon manteau. C'était sûrement Yan qui me textait. J'imaginais déjà le genre de message : « Est-ce que c'est Damien qui est venu te chercher ? Donc, t'es partie avec lui. Où ? Au motel ? Grosse cochonne ! »

– Damien ?

– Des anges dans la neige, on n'a pas fait ça…

Je me suis laissée rouler à ses côtés, suivant le mouvement de ses bras. Le ciel était d'un bleu sombre, la nuit fraîche. J'ai pris une bouffée d'air salvatrice. Oui, c'était si simple.

Tout me disait de me concentrer sur l'ici et le maintenant, la neige qui était comme du sable sous mes mitaines, Damien qui me souriait, le froid qui rougissait mes joues. Sa main gauche a saisi ma main droite pour mieux coordonner son mouvement au mien. Je me suis rendu compte que toutes les choses qui m'auraient irritée avant, la neige dans mon manteau, le fait que mes bottes n'étaient pas assez chaudes, que je n'avais pas prévu cette soirée, tout ça n'avait plus d'importance parce que je pouvais apprécier qu'il soit là. Et que je savais qu'on allait vers quelque chose de mieux, d'encore mieux.

– Il n'y a pas beaucoup d'étoiles, a-t-il dit comme pour s'excuser. Ça prend un peu d'imagination.

– J'en vois. J'en vois plein.

Il a ri, s'est roulé sur le côté et m'a donné un baiser sur la joue avant de se mettre debout.

– Oh, attends ! J'ai oublié quelque chose…

Je me suis redressée pour le suivre des yeux. Il s'est mis à courir vers la voiture en sautillant dans la neige. Il était vraiment survolté. Je ne me rappelais pas l'avoir vu aussi enthousiaste. J'ai ri. Deux minutes plus tard, il est revenu avec deux thermos.

– J'ai pensé que ça te ferait du bien de boire quelque chose de chaud. Ça va, tes dents?

Il a glissé le contenant entre mes mitaines et a dévissé le couvercle avec cérémonie. J'ai penché la tête pour humer la délicieuse odeur de chocolat chaud. Il a ouvert son thermos, s'est assis face à moi dans la neige, nos bottes entrecroisées.

– Alors, on porte un toast, ai-je suggéré en levant mon contenant et en le cognant contre le sien. À nous deux.

– À nous deux.

Nous avons bu notre chocolat chaud. Damien a ri avec une petite grimace.

– Il y a des mottons...

– C'est pas grave... Il est délicieux!

– T'es sûre?

– N'arrête jamais de me faire des surprises comme ça. C'est merveilleux!

Il a replacé sa tuque, a remis ses mitaines en me regardant avec tendresse. Je reconnaissais ce regard: c'était celui d'un homme qui m'aimait. Il a dit:

– Et toi, n'arrête jamais de me challenger et de m'amener à me surpasser. Mords un peu, mais pas trop fort...

J'ai approuvé d'un signe de tête et continué de boire en silence. J'ai déposé le contenant dans la neige, me suis relevée et me suis précipitée vers un banc de neige dans lequel je me suis laissée tomber sur le dos en criant:

– C'est ici le meilleur chocolat chaud à Montréal!

– Quoi? s'est écrié Damien.

J'ai éclaté de rire et j'ai lancé au ciel:

– Je t'aime!

J'ai entendu le craquement de la neige sous ses pas alors qu'il courait pour me rejoindre.

– Quoi? a répété Damien en s'écroulant juste à côté de moi.

– Je t'aime, Damien. Je t'aime!

– Bang! Et là, je suis heureux, vraiment heureux!

Nous nous sommes étreints dans un enchevêtrement de manteaux enneigés. Il a déposé un baiser sur mes lèvres puis a replacé ma tuque. Je ne voyais que ses yeux qui me souriaient.

– Au fond, tu attendais le moment parfait pour me le dire, c'est ça? T'es une romantique…

– Peut-être…

Il a glissé une mèche de mes cheveux derrière mon oreille et s'est penché pour m'embrasser. Nos dents se sont entrechoquées et c'est là que je me suis aperçue que je souriais autant que lui. Ce n'était pas un baiser parfait, mais il était à l'image de ce que je suis : imparfaite, passionnée, maladroite, avec un peu de mordant.

Nous avons échangé de longs baisers chocolatés dans sa nouvelle voiture. Nos lèvres ne voulaient pas se quitter. J'avais chaud sous mes vêtements. Je ne demandais qu'à les retirer, à sentir ses mains sur moi, sa bouche sur moi. À en croire sa respiration rauque, il en était de même pour lui. Il a réussi à glisser deux doigts sous mon manteau, sur mon ventre. J'ai saisi ses cheveux fous, l'embrassant à pleine bouche. J'ai grogné.

– Tu viens dormir chez moi?

Il s'est reculé, a posé un baiser sur mes jointures, l'air de s'excuser.

– C'est pas encore l'heure de dormir. Je retiens la proposition pour une autre fois…

J'ai retiré ma main.

– Han?

– *Fuck*, tellement pas!

Il a éclaté de rire. J'ai fait mine de le frapper et j'ai re-plongé sur sa bouche. Un instant plus tard, nous étions chez moi, nous débattant avec les fermetures éclair des manteaux, laissant lourdement retomber nos bottes sur le sol, cherchant des mains la peau chaude de l'autre sous les vêtements mouil-lés par la neige, unissant nos lèvres, haletant, quand Mélo, sortie de nulle part, est apparue dans le passage.

– Excusez-moi! a-t-elle dit d'une toute petite voix. Ben, euh… de vous déranger… mais…

Nous avons sursauté, cramponnés l'un à l'autre dans la même étreinte. Comme s'il s'était brûlé, Damien a vivement sorti ses mains de sous mon chandail. Embarrassés, nous avons remis en place nos vêtements.

– Clara, ta sœur vient d'accoucher.

J'ai ouvert la bouche sans rien dire. Mélo a ajouté d'un ton sans appel:

– C'est le temps. Il faut y aller.

Damien est resté chez moi. Je lui ai fait promettre de m'at-tendre sous les draps. Il a remarqué qu'il avait aussi du temps à rattraper auprès de Monsieur-Monsieur, qui lui donnait des coups de patte et quémandait de l'attention alors que je partais pour l'hôpital avec Mélo. Cette dernière, après m'avoir signifié son excitation au sujet de Damien à grands coups de « Hiiiii! » et de « Ooooooh! », est devenue muette comme une carpe lorsque nous avons pris place dans ma voi-ture, elle sur le siège passager, moi derrière le volant. C'est mon frère Joe qui l'avait invitée à se joindre à nous. Il était déjà à l'hôpital auprès de notre sœur.

Nous sommes sorties de la voiture, nous avons pressé le pas dans le stationnement puis dans les corridors de l'hôpital. Je voyais que mon amie était au bord des larmes et prête à rebrousser chemin. C'était comme si elle s'apprêtait à rencontrer officiellement le diable en personne, soit : la pire des belles-mères. Nous approchions de la chambre, portant chacune des fleurs achetées à la boutique de l'hôpital à un prix faramineux. La porte s'est ouverte sur ma sœur dont le sourire illuminait la pièce. La main de Mélo tremblait. Je l'ai saisie. Je l'ai amenée presque de force jusqu'à mon frère qui avait l'air aussi hésitant et angoissé qu'elle. J'ai pris sa main à lui et je l'ai collée dans la sienne tout en embrassant Joe sur la joue.

— Prends bien soin de mon amie, sinon je fais du manger mou avec tes couilles, est-ce que c'est clair ?

Voilà pour ma bénédiction.

Je me suis retournée et j'ai souri à la nouvelle maman. Le poupon fraîchement né est passé dans les bras de notre mère, dont j'avais superbement ignoré la présence. Quand j'ai posé les yeux sur elle, j'ai vu les siens s'agrandir. Elle a passé une main sur la couverture rose et a dévoilé le visage de sa première petite-fille.

Ma mère a relevé la tête. Nos regards se sont soudés. Puis elle a dit avec une voix étranglée :

— Je suis heureuse, je pense...

Et c'est à moi qu'elle avait parlé. Nita a saisi ma main. C'était un grand moment pour notre mère. Un moment d'émotion. Atterrée, je me suis assise sur le bord du lit de ma sœur sans savoir quoi répondre.

Nous avions employé les mêmes mots.

Je suis heureuse, je pense.

Je me suis promis de ne plus jamais hésiter à être heureuse.

Le lendemain matin, Yan m'attendait à la cuisine. Je lui ai souri en me frottant les yeux. Une délicieuse odeur de café flottait dans l'air. D'instinct, je me suis dirigée vers le comptoir où j'ai rempli une tasse de boisson fumante.

– Grosse nuit, Poune?

– Damien dort encore.

– C'est ça que je disais… Grosse nuit.

Il m'a fait un clin d'œil particulièrement grivois. Ce à quoi j'ai répondu en rougissant.

– As-tu entendu quelque chose?

– Juste des gros gémissements…

– *My God…*

J'ai retenu un hoquet d'effroi. D'un geste automatique, j'ai versé du lait dans ma tasse et brassé mon café avant de m'asseoir devant mon ami.

– Une tête de lit qui cogne sur le mur. Bang! Bang! Oh oui, Damien, tu es siiiii puissant!

– J'ai jamais dit ça!

Il a fait glisser un muffin aux pommes vers moi. Je l'ai saisi et en ai pris une grosse bouchée. Il y a des matins comme ça. Tout ce dont on a besoin est là.

– On est revenus ensemble et je l'aime.

Le sourire de Yan s'est élargi. Nous avions fait du chemin. Un regard nous suffisait pour nous le communiquer.

– Bien, bien. As-tu quelque chose à ajouter?

J'ai souri.

– Non.

Yan s'est levé. Il s'est étiré.

– Il est temps que je me trouve un appart.

Puis il m'a embrassé le sommet de la tête avant de filer vers sa chambre en sifflotant.

ÉPILOGUE

Clara Bergeron vient de passer du statut « célibataire » au statut « mariée avec Damien Archambault ».

Damien Archambault aime ça.

Yan Légaré : Elle est bonne celle-là ! Un poisson d'avril en juillet ?

Yan Légaré : Sérieux ?

Yan Légaré : Allô ?

Yan Légaré : TÉL !

Nita Lorenzo : *WHAT ?* Tu t'es mariée et tu n'en as parlé à personne ? *OH MY GOD!* Claraaaaa ! Tu imagines la réaction de maman ?

Mélodie Proulx : Noooooooon !!!!!!!! Mais ! Quoi ? Pas vrai ? Oooooooooh ! Je suis si heureuse pour vous deux ! Va falloir que tu me racontes tout ça !

Vittorio Passi : J'aurais jamais pensé que tu finirais par te marier un jour ! C'est pas croyable !

Nancy Beaulieu : C'est une super nouvelle ça ! Félicitations, Clara ! Au fait, c'est qui ton mari ?

Frédérick St-Jean : Clara, tu es un véritable sac à surprises, toi ! On se fait un gros souper d'amis pour célébrer l'événement ? P.-S. Yan n'arrête pas de rire. Je crois qu'il est hystérique et pas loin d'avoir des convulsions.

Joe Lorenzo : Et Mélo n'arrête pas de crier, ici ! Félicitations, la sœur ! Beaucoup de bonheur ! xx

Lucien Bergeron : Est-ce l'artiste dont tu m'as parlé ? Je suis heureux pour toi, Clara. Ton père qui t'aime !

Frédérick St-Jean : Bon, là, il pleure.

Cet ouvrage composé en Adobe Garamond corps 13 a été achevé d'imprimer au Québec
sur les presses de Marquis Imprimeur le quatorze mai deux mille treize
pour le compte de VLB éditeur.